Dia a dia com
TOZER

DEVOCIONAL DIÁRIO

Publicações
Pão Diário

Dia a dia com
TOZER

DEVOCIONAL DIÁRIO

Aiden Wilson
TOZER

This book was first published in the United States by Wingspread Publishers, 820N. LaSalle Blvd., Chicago, IL 60610 with the title Mornings with Tozer, Copyright ©1991, 2008 by The Moody Bible Institute of Chicago. Translated by permission.

COORDENAÇÃO EDITORIAL: Dayse Fontoura
TRADUÇÃO: Elisa Tisserant de Castro
REVISÃO: Irene Giglio
EDIÇÃO: Dayse Fontoura, Thaís Soler, Lozane Winter
PROJETO GRÁFICO: Audrey Novac Ribeiro
CAPA: Audrey Novac Ribeiro
DIAGRAMAÇÃO: Priscila Santos

Dados Internacionais de Catalogação na Publicação (CIP)

Tozer, A. W. 1897—1963.
Dia a dia com Tozer, A. W. Tozer. Tradução: Elisa Tisserant de Castro – Curitiba/PR, Publicações Pão Diário.
Título original: *Mornings with Tozer*
1. Teologia prática   2. Religião prática
3. Vida cristã   4. Meditação e devoção

Proibida a reprodução total ou parcial, sem prévia autorização, por escrito, da editora. Todos os direitos reservados e protegidos pela Lei 9.610, de 19/02/1998.
Permissão para reprodução: permissao@paodiario.org

Exceto quando indicado o contrário, os trechos bíblicos mencionados são da edição Revista e Atualizada de João F. de Almeida © 2009 Sociedade Bíblica do Brasil.

Publicações Pão Diário
Caixa Postal 4190
82501-970 Curitiba/PR, Brasil
publicacoes@paodiario.org
www.publicacoespaodiario.com.br
Telefone: (41) 3257-4028

Código: ZW664
ISBN: 978-1-68043-150-6

1.ª edição: 2016 • 3.ª impressão: 2020

Impresso na China

Prefácio

Aproximar-se de Deus em quietude e esperar nele em silêncio realiza mais do que dias de atividade fervente.
A. W. TOZER

O Aiden Wilson Tozer, mais conhecido como A. W. Tozer, foi considerado "o pregador do século 20" por seu estilo de mensagens fortemente embasadas na Bíblia, fruto de uma vida devocional dedicada. Para ele, nada substituiria seu tempo diário com Deus em oração ardorosa e estudo das Escrituras.

Nós de Publicações Pão Diário temos a honra de colocar em suas mãos estas 366 meditações diárias que foram compiladas de seus sermões gravados, com excertos adicionais de seus livros publicados e seus editoriais incisivos da época em que era editor da revista *The Alliance Weekly* (Aliança semanal) — agora intitulada *Alliance Life* (Vida na aliança). Suas ilustrações pessoais, seu testemunho e zelo espiritual estão espalhados por estas páginas, todos com o intuito de glorificar a Jesus como Senhor e Salvador, como seria o desejo de Tozer.

Ao final de cada leitura foi acrescentada uma oração formulada pelos editores do livro em inglês e adaptadas ao público brasileiro.

Sugerimos que você medite em cada devocional no decorrer do dia. Permita que Deus fale ao seu coração e que a Palavra dele se torne cada vez mais compreensível e aplicada à sua prática diária.

Nosso desejo é que a profundidade destas leituras acrescentem mais ao seu relacionamento com seu Criador e que você possa amar, honrar e servir ao Mestre com integridade em seu coração!

Dos Editores do *Pão Diário*

A. W. TOZER

O pregador do século 20

A. W. Tozer
(1897–1963)

---

*Penso que minha filosofia é esta:
Tudo está errado até que Deus endireite as coisas.*

AIDEN WILSON TOZER nasceu no dia 21 de abril de 1897, numa pequena fazenda no estado da Pensilvânia, Estados Unidos. Durante sua adolescência, em 1912, ele e sua família se mudaram para outra cidade e, antes de completar 18 anos, Tozer entregou sua vida a Jesus quando, certa vez, caminhava pela rua e ouviu um senhor anunciando o evangelho. Chegando a sua casa, fez a oração de entrega sozinho.

Casou-se com Ada Celia Pfautz em 1918, e no ano seguinte — cinco anos após sua conversão —, sem formação teológica formal, aceitou um convite para pastorear uma igreja pela primeira vez. Foi um começo humilde, mas que levou o jovem casal a um ministério de 44 anos com *The Christian and Missionary Alliance* (Aliança cristã e missionária). Com Ada, ele teve sete filhos, seis rapazes e uma menina.

O dinheiro era escasso nos primeiros dias como pastor, e o casal fez um pacto de confiar em Deus, a despeito das circunstâncias, para prover por suas necessidades. A família Tozer optou por um estilo de vida simples, jamais possuiu carro, preferindo o transporte público. Mesmo depois de se tornar um autor cristão renomado, Tozer cedia o direito de muito de seus *royalties* àqueles que estavam em necessidade.

Cedo em seu ministério, ele percebeu que Cristo o chamava para um tipo diferente de devoção, que exigia esvaziar-se do seu ego e buscar ser transbordante do Espírito de Deus.

Em 1928, Tozer aceitou pastorear uma igreja em Chicago (*Southside Gospel Tabernacle*), onde permaneceu por 30 anos. Tudo o que ensinou e pregou foi consequência dos seus momentos em oração com Deus. Era quando deixava o mundo e sua confusão de lado e direcionava sua atenção apenas para Deus.

Retire-se do mundo todo dia para um lugar privado,
ainda que este lugar seja apenas o quarto.
Permaneça aí até que os ruídos internos acabem no seu coração
e o descanso da presença de Deus o envolva.

Capaz de expressar seus pensamentos de uma maneira simples, mas contundente, Tozer combinou o poder de Deus e a influência das palavras para nutrir almas famintas, tocar corações e atrair mentes a Deus. Sua mensagem era revigorante e inspiradora, mas também rígida. Jamais teve receio de destacar o que estava errado e nunca hesitou em afirmar que o Senhor poderia endireitar todas as coisas.

O único propósito de sua vida era conhecer Deus pessoalmente e ele encorajou outros a fazerem o mesmo. Para A. W. Tozer, um relacionamento profundo e permanente com Deus era algo a ser cultivado.

Nunca vi um cristão útil que não seja estudante da Bíblia.
Não existem atalhos para a santidade.

A. W. Tozer teve sua formação embasada na experiência e devoção a Deus. A presença de Cristo foi para ele a sua sala de aula, sua rotina de oração deu-lhe a base necessária e encontrou a sua inspiração, além da Bíblia, nos escritos de cristãos e teólogos antigos.

Ávido estudante, ele se fundamentava fortemente nos cristãos considerados pais da igreja primitiva, e nos reavivalistas. Ficou particularmente impressionado com a autodescrição de John Wesley de ser "um homem de um só livro, mas um estudante de muitos." Tozer, com sua curiosidade intelectual, seguia o conselho deixado pelo fundador da igreja Metodista aos líderes cristãos de ler muito, mas filtrar tudo pelas lentes da Bíblia. Sempre havia algo mais a ler e a aprender.

Deus não se curvou à nossa pressa nervosa,
nem adotou os métodos de nossa era imediatista.
O homem que deseja conhecer a Deus precisa
dedicar-lhe tempo, muito tempo.

Tozer foi um intelectual autodidata, com grande interesse e pesquisa em filosofia, história e literatura. Admitia que o homem podia aprender bastante com a razão, no entanto o conhecimento de Deus e da alma humana é adquirido apenas pelo Espírito Santo.

Seu interesse pelo estudo da Palavra de Deus e o desejo de comunicá-la em seus escritos o levou a ser eleito, em 1950, editor da revista *Alliance Weekly* (Aliança semanal), que teve sua circulação duplicada, desde então, pela intensa dedicação à verdade comunicada. Ele declarou na primeira edição: "Vai custar algo caminhar devagar ao longo das eras, enquanto os homens que se guiam pelo tempo se apressam ao confundir movimento com progresso. Mas haverá frutos, a longo prazo, e o verdadeiro cristão não está muito interessado em qualquer coisa menos do que isso."

Além de editor, também foi um escritor cujas palavras continuam a desafiar os cristãos de hoje. Durante seu ministério, escreveu mais de 40 livros, dentre eles *À procura de Deus* (Ed. Betânia, 1985).

Tozer teve destaque em alguns segmentos sociais e recebeu alguns títulos, como o de *Doutor Honoris Causa em Letras*, pela

Wheaton College, em 1950. E em 1952, recebeu o de *Doutor Honoris Causa em Direito*, pela Faculdade de Houghton.

As suas palavras, tanto escritas quanto faladas, concentravam-se totalmente em Deus. O seu interesse não estava em inventar maneiras de se promover ou dar destaque às suas ideias e retórica para que o público o favorecesse. Por essa razão, encontrava-se na contramão de líderes cristãos contemporâneos.

Por toda sua vida, A. W. Tozer foi convidado com bastante frequência para falar em seminários, igrejas e conferências bíblicas a respeito da cruz e seu significado na vida cristã, bem como sobre oração, algo vital para seu ministério e indispensável para sua vida particular.

Nos anos finais de seu ministério, A. W. Tozer pastoreou uma igreja em Toronto, Canadá. E em 12 de maio de 1963, foi levado à presença do seu Senhor. Foi sepultado em sua cidade natal — Akron, Ohio, EUA. O epitáfio em sua sepultura diz: *um homem de Deus*.

O legado que este pregador, editor e escritor deixou com suas palavras continua a desafiar o intelecto e o coração dos cristãos até hoje, com sua mensagem bíblica à pergunta: "O que devo fazer para ser salvo?" Para Tozer a resposta que permanecia era simplesmente "entregar-se a Cristo; procurar conhecê-lo pessoalmente; tornar-se como Ele".

Por seu testemunho de vida e pela profundidade de seus escritos e pregações Tozer ficou conhecido como "o pregador do século 20".

1.º DE JANEIRO

CRIADO PARA A ETERNIDADE

*...havendo feito a paz pelo sangue da sua cruz,
por meio dele, reconciliasse consigo mesmo todas as coisas,
quer sobre a terra, quer nos céus.* COLOSSENSES 1:20

Homens e mulheres sem Deus são seres humanos desamparados e desesperados. É bom lembrarmos que o pecado é para a natureza humana o que o câncer é para o corpo!

Quem pode discordar do fato de que o pecado nos corrompeu?

Nossas inquietantes atividades são apenas um sinal do que está errado conosco — o pecado imergiu-nos nas profundezas e assim marcou-nos com a mortalidade, de modo que nos tornamos irmãos do barro — mas Deus nunca pretendeu que fosse assim.

Homens e mulheres discutem e cometem erros, mas isso não muda o fato de que em nossa sociedade humana estamos completamente cercados por três marcas da antiga maldição: tudo é imediato, temporal e transitório! É por isso que o Espírito Santo sussurra fielmente, lembrando-nos sobre o Cristo de Deus, a eternidade personificada na carne, o Deus Poderoso que veio viver entre nós e salvar-nos — na verdade para dar-nos a eternidade!

Sabemos que, quando voltamos nossa face para o Eterno, pedindo: "Deus, tem misericórdia de mim, pecador", estamos, finalmente, sendo o que Deus planejou que fôssemos desde o princípio!

*Deus Todo-Poderoso e Pai eterno, ajuda-me a caminhar
com novos olhos por este ano que inicia. Capacita-me a ver a vida
a partir da Tua perspectiva elevada e eterna.*

A.W. Tozer

NO PRINCÍPIO

No princípio era o Verbo... e o Verbo era Deus.
JOÃO 1:1

Nenhum de nós pode refletir sobre a natureza eterna e a Pessoa de Jesus Cristo sem sentir e confessar a inadequação humana à luz da revelação divina.

João, em seu evangelho, fornece uma bela imagem do Cristo eterno, começando com essas palavras contundentes e incríveis: "No princípio"! Meus irmãos, é aqui que começa o entendimento e a revelação do cristianismo!

Muitos outros fizeram variadas alegações, mas somente nosso Cristo é o Cristo de Deus. Certamente Buda, Maomé, José Smith, Sra. Eddy [N.E.: Criadora da Ciência Cristã, em 1866.] ou George Baker [N.E.: Fundador de uma seita nos Estados Unidos que afirmava ser ele o próprio Deus.] não o eram! Todos esses e incontáveis outros como eles tiveram um início — mas também tiveram um fim.

Que incrível diferença! Nossa vida cristã começa com o eterno Filho de Deus. Esse é o nosso Senhor Jesus Cristo: o Verbo que estava com o Pai no princípio; o Verbo que era Deus; e o Verbo que é Deus! Ele é o único que pode nos garantir: "...ninguém vem ao Pai senão por mim" (JOÃO 14:6).

Amado Pai celestial, ajuda-me a viver todos os dias como um humilde e grato filho do Deus eterno.

A.W. Tozer

O HOMEM SE PERDEU DE DEUS

...lhes cortas a respiração, morrem e voltam ao seu pó.
SALMO 104:29

Uma pessoa comum no mundo hoje, sem fé, sem Deus e sem esperança, está ocupada com a desesperada busca por sentido e com lutas pessoais por toda a sua vida. Ela não sabe realmente o que está fazendo aqui. Não sabe aonde está indo.

O triste é que tudo o que realiza está sendo feito durante um tempo limitado, com dinheiro e força emprestados — e já sabe que, no fim, certamente morrerá! No final das contas, chega-se à perplexa confissão feita por muitos seres humanos, de que perdemos Deus em algum ponto do caminho.

O homem, feito à semelhança de Deus, mais do que qualquer outra criatura, tornou-se menos semelhante ao Senhor do que qualquer outro ser. Criado para refletir a glória do Pai, infelizmente retornou à sua caverna — refletindo apenas sua própria pecaminosidade.

O fato de que o amor tenha desaparecido do coração humano é certamente a maior das tragédias deste mundo. Além disso, a luz se esvaiu de sua mente. Por ter perdido Deus, o homem tropeçou cegamente por este mundo escuro para, no fim, encontrar somente a sepultura!

Amado Senhor, obrigado pela esperança que encontrei em Cristo.
E obrigado por conceder significado
e propósito à minha vida. Ajuda-me a glorificar-te hoje.

A.W. Tozer

SALVADOR E SENHOR

*Porque pela graça sois salvos, mediante a fé;
e isto... é dom de Deus.* EFÉSIOS 2:8

Deus escolheu Seu único Filho como canal de Sua graça e verdade, pois João testemunha que "...a graça e a verdade vieram por meio de Jesus Cristo" (JOÃO 1:17).

A Lei foi dada por Moisés — mas era só isso que Moisés podia fazer. Ele só podia "ordenar" justiça. Em contraste, somente Jesus Cristo produz justiça.

Tudo o que Moisés podia fazer era proibir-nos de pecar. Ao contrário de Moisés, Jesus Cristo veio para salvar-nos do pecado.

Moisés não podia salvar — mas Jesus Cristo é Salvador e Senhor.

A graça veio por meio de Jesus Cristo antes que Maria chorasse na manjedoura do estábulo em Belém. Foi a graça de Deus em Cristo que salvou a raça humana da extinção, quando nossos primeiros pais pecaram no jardim.

Está claro, na história, que o Senhor perdoou Israel vezes seguidas. Foi a graça divina em Cristo, antes da encarnação, que motivou Deus a dizer: "Ergui-me pela manhã e estendi minhas mãos para você!"

Amado Senhor, quero ser um reflexo de Tua graça e verdade na vida de minha família e meus colegas de trabalho hoje.

A.W. Tozer

SOMOS PROPRIEDADE DE DEUS

*...sobre esta pedra edificarei a minha igreja,
e as portas do inferno não prevalecerão contra ela.*
MATEUS 16:18

Ainda que estejamos certos em agradecer a Deus por todos os grandes e bons homens na história da Igreja cristã, nós, na verdade, não "seguimos" nenhum deles. Nosso título de propriedade tem origem muito anterior e sua fonte é mais elevada. Esses homens foram considerados líderes de forma justa, mas todos foram servos de Deus, como eu e você o somos.

Lutero plantou. Wesley regou. Finney colheu — mas eram apenas servos do Deus vivo.

Em nossas assembleias locais, somos parte da Igreja fundada pelo Senhor Jesus Cristo e perpetuada pelo mistério do novo nascimento. Portanto, nossa assembleia é de cristãos unidos sob um nome ao qual louvamos e cuja presença adoramos.

Então, nesse sentido, a tensão vai embora. A tensão e a pressão de aceitar formas religiosas tradicionais começam a perder sua força e importância conforme agimos em fé, como povo de Deus que glorifica Seu nome e honra Sua presença!

Se tudo isso for verdade — e tudo que há dentro de mim testifica que é — podemos insistir no fato de que Deus é capaz de fazer por nós tudo o que Ele fez nos dias dos apóstolos. Não houve anulação de nosso título!

*Amado Senhor, obrigado pelas pessoas em minha vida que
ajudaram a me moldar espiritualmente.
E obrigado porque somente tu és a fonte da nova vida.*

A.W. Tozer

SIM, DEUS NOS AMA

Nós amamos porque ele nos amou primeiro.
1 JOÃO 4:19

Se desejarmos alguma compreensão satisfatória e duradoura da vida, só a teremos se nos for divinamente concedida. Ela começa com a confissão de que verdadeiramente o Deus que se revelou a nós é o pilar central que sustenta o Universo. Crendo nisso, nós, então, passamos a reconhecer que descobrimos Seu grande propósito eterno para homens e mulheres criados à Sua imagem.

Ouvi um brilhante escritor canadense ser entrevistado no rádio sobre as condições do mundo. Ele disse: "Confesso que nosso maior erro é a estimada crença de que nós, humanos, somos bichinhos de estimação do Deus Todo-Poderoso, e de que Ele tem um carinho especial por nós como pessoa."

Nós temos uma boa resposta: O homem, como originalmente criado, é amado de Deus. O homem, nesse sentido, é o amado do Universo. Deus disse: "Fiz o homem à minha imagem e o homem deve estar acima de todas as outras criaturas. O homem redimido deve estar acima, inclusive, dos anjos nos céus. Ele deve entrar em minha presença perdoado, livre de vergonha, para me adorar e contemplar minha face enquanto transcorrerem as eras!" Não é surpreendente crermos que Deus é o único fundamento incontestável!

Amado Senhor, obrigado por Teu amor incondicional por mim.
Oro para que eu não aja como um filho mimado,
mas que minha vida te honre em todos os meus relacionamentos.

A. W. Tozer

RIQUEZAS DA GRAÇA

*Deus... nestes últimos dias, nos falou pelo Filho...
pelo qual também fez o Universo.* HEBREUS 1:12

Você ficaria chocado se eu ousasse dizer que o Deus vivo não fez nada em Seu Universo desassociado de Jesus Cristo?

Os cristãos parecem estar infortunadamente inconscientes do significado pleno e da proporção da graça de Deus. Por que questionaríamos a provisão de Deus, se o Espírito Santo nos diz, por meio do apóstolo João, que o Verbo que se tornou carne é cheio de "...graça e verdade..."? Irmãos, as estrelas em seus cursos, os sapos que coaxam às margens dos lagos, os anjos no céu e os homens e mulheres na Terra — todos vieram da fonte que chamamos de Verbo eterno!

No livro de Apocalipse, João dá testemunho de todo o Universo unindo-se para dar louvor ao Cordeiro que foi morto. Debaixo da terra, na terra e acima dela, João ouviu criaturas louvando a Jesus Cristo, todos unidos em um grande coro: "...Digno é o Cordeiro que foi morto de receber o poder, e riqueza, e sabedoria, e força, e honra, e glória, e louvor" (5:12).

Sim, certamente todo o Universo é beneficiado pela rica graça de Deus em Jesus Cristo!

*Senhor, louvo o Teu nome. Somente tu és digno de toda
a minha adoração. Ajuda-me a caminhar honestamente hoje como
testemunho de Tua presença em minha vida.*

A.W. Tozer

BENEFÍCIOS DA GRAÇA

Mas, agora, em Cristo Jesus, vós...
fostes aproximados pelo sangue de Cristo. EFÉSIOS 2:13

Apenas um cristão com fé pode testificar: "Sou um pecador — salvo pela graça de Deus!" Mas essa não é a história completa. Tudo o que temos vem de Sua graça. Jesus Cristo, o Verbo eterno que se tornou carne e habitou entre nós, é o canal aberto por meio de quem Deus se move para prover todos os benefícios que Ele concede, tanto a santos quanto a pecadores — sim, até mesmo a pecadores!

Ainda que você não seja convertido e esteja trilhando seu próprio caminho, já recebeu muito do oceano da plenitude dele. Recebeu a vida pulsante que bate em seu peito, a mente brilhante, o cérebro sem o qual você não funcionaria. A memória que retém os eventos que você considera importantes, como um joalheiro fixa pérolas em um colar.

Quando dizemos a um incrédulo: "Creia no Senhor Jesus Cristo", estamos, na verdade, dizendo: "Creia naquele que o sustém e o apóia e que lhe deu vida. Creia naquele que tem compaixão de você, o protege e o sustenta. Creia naquele que é sua origem!"

Senhor, tu és tão misericordioso! Tua oferta de salvação está
disponível a todos os homens, mulheres e crianças.
Enviaste Tua chuva tanto para o justo como para o injusto.
Abre meus olhos para aqueles que estão em meu círculo
de influência que não te conhecem.

A.W. Tozer

O ATO GRACIOSO DE DEUS

E o Verbo se fez e carne e habitou entre nós...
JOÃO 1:14

É bom lembrarmos de que a humanidade é apenas uma das classes de seres ou criaturas de Deus. Então nos perguntamos: Como poderia o Infinito se tornar finito? E: Como poderia o Ilimitado deliberadamente impor limitações a si mesmo?

Na carta aos Hebreus, aprendemos, para nosso assombro, que Deus não tomou sobre si a natureza dos anjos, mas a da semente de Abraão.

Poderíamos supor que Deus ao humilhar-se, o faria rebaixando-se o mínimo necessário. Mas não, Ele desceu ao nível mais baixo e tomou sobre si a natureza humana — fazendo-se semente de Abraão.

Gosto do que John Wesley disse a respeito do misterioso ato de Deus curvar-se para habitar temporariamente conosco: Deveríamos distinguir com assertividade o ato do método pelo qual o ato é executado. Não rejeite um fato por não saber como foi executado, Wesley aconselhou.

Com os santos de todas as épocas, fazemos bem em simplesmente erguer as mãos e confessar: "Ó Senhor, Tu o sabes!"

Querido Jesus, muito obrigado por deixares as alturas dos céus e por curvar-te ao nosso nível inferior. Não merecíamos essa visitação do alto, mas somos profundamente gratos.

A.W. Tozer

A GRAÇA PODE TER ALTO CUSTO

...o que vale é estar o coração confirmado com graça...
a graça seja com todos vós. HEBREUS 13:9,25

Cristãos ao nosso redor estão adotando todo tipo de atalho para conseguir "algo gratuito" no reino de Deus. Ao conversar com eles, rapidamente virá o argumento: "Mas a graça não é algo que recebemos gratuitamente?" Depende de que tipo de graça estejamos falando.

O pastor Dietrich Bonhoeffer deu sua vida como mártir na Alemanha de Hitler, mas deixou um livro conhecido mundialmente: *The Cost of Discipleship* (O custo do discipulado). Ele apontou uma distinção muito clara entre a "graça barata" e a "graça preciosa". Ainda que a graça de Deus tenha sido concedida livremente aos seres humanos que não a merecem, Bonhoeffer cria, e corretamente, que ela podia ser chamada de "graça preciosa", porque custou a nosso Senhor Jesus Cristo o sofrimento até a morte.

Alguns homens e mulheres, na verdade, transformaram a graça em lascívia. Eles não sabem o que significa a palavra graça — que Deus nos dá de Sua rica e plena bondade ainda que dela não sejamos dignos. Quando prego sobre a graça de Deus e mostro que Jesus nos ordenou tomarmos nossa cruz e segui-lo, aqueles que não conhecem o significado da graça respondem: "Ah! Tozer agora está pregando o legalismo."

Pai, conforme eu for executando as atividades deste dia — e em cada mês deste ano — quero estar atento à Tua "graça preciosa" e desejo que meu entendimento dela aprofunde-se ainda mais.

A.W. Tozer

UNIDO COM CRISTO

...estamos no verdadeiro, em seu Filho, Jesus Cristo...
1 JOÃO 5:20

O Espírito de Deus me impeliu a pregar e escrever muitas vezes sobre a união consciente do cristão com Cristo — uma união que precisa ser sentida e experimentada. Jamais me cansarei de falar sobre a união da alma com o Salvador, a união consciente do coração do cristão com Jesus.

Lembre, não estou falando de uma "união teológica" apenas. Estou falando também de uma união consciente, que é sentida e experimentada.

Nunca tive vergonha de dizer às minhas congregações que acredito nos sentimentos. Acredito seguramente no que Jonathan Edwards designou de "afeições religiosas". Essa é a perspectiva do homem.

Estou ciente também de que da perspectiva de Deus há qualidades no ser divino que só podem ser conhecidas pelo coração; nunca pelo intelecto!

Há muito tempo João escreveu: "Nisto conhecemos o amor: que Cristo deu a sua vida por nós..." (1 JOÃO 3:16). Então, é melhor confessarmos que, como humanos, temos dificuldade em compreender o que Deus disse ao afirmar que nos ama!

*Pai celestial, ajuda-me a ter consciência
de Tua presença em minha vida hoje. E oro para que outros
te vejam por meu intermédio.*

A.W. Tozer

LIDANDO COM O PECADO

*...porque o salário do pecado é a morte,
mas o dom gratuito de Deus é a vida eterna...*
ROMANOS 6:23

Muitos mestres evangélicos insistem tão fortemente na graça livre e incondicional de modo que criam a impressão de que o pecado não é uma questão séria e de que Deus pouco se importa com isso!

Eles fazem parecer que o Senhor só se preocupa em nos ver escapando das consequências.

O evangelho, então, na prática, significa pouco mais do que um caminho para escapar dos resultados de nosso passado!

Mas o coração que sentiu o peso de seu próprio pecado e que contemplou a temível pureza do Deus Altíssimo jamais crerá que uma mensagem de perdão sem transformação seja a mensagem das boas-novas. Perdoar o passado de um homem sem transformar seu presente é violar a sinceridade moral de seu próprio coração.

Deus não fará parte de tal coisa! Pois oferecer a um pecador o dom da salvação fundamentada na obra de Cristo, e, ao mesmo tempo, permitir-lhe conservar a ideia de que o dom não traz consigo implicação moral alguma é o mesmo que causar-lhe injúria imensa onde mais lhe ferirá!

*Pai, obrigado por transformar-me de dentro para fora.
Capacita-me, por Teu Espírito, a viver na luz de Teu perdão hoje.*

A. W. Tozer

AMOR SEM MEDIDA

…Com amor eterno te amei…
JEREMIAS 31:3

Certa vez escrevi algo sobre como Deus nos ama e o quão preciosos somos para Ele. Eu não tinha certeza se deveria colocar no papel, pois Deus sabe o que eu quis dizer.

Escrevi: "A única excentricidade que consigo ver no coração de Deus é o fato de um Deus como Ele amar pecadores como nós!"

Nesta Terra a mãe amará o filho que a traiu e a envergonhou e está agora a caminho da prisão perpétua.

Isso parece ser algo natural para uma mãe. Mas não há nada natural no amor de Deus. É algo divino. Ele é exteriorizado pela pressão interna no coração do Deus de toda a graça. É por isso que Ele espera por nós, nos aceita e deseja nos guiar — Ele nos ama!

Meus irmãos, esse deveria ser nosso maior encorajamento em vista de tudo o que sabemos sobre nós mesmos: Deus nos ama sem medida e está tão ardentemente interessado em nosso crescimento e progresso espiritual que permanece pronto para fielmente nos ensinar, instruir e disciplinar como Seus filhos amados!

Amado Senhor, neste dia, estou perplexo ao pensar
no quanto o Senhor já suportou do meu comportamento
por causa do Teu amor infindável. Senhor, ajuda-me a dar outro
pequeno passo em direção à maturidade espiritual hoje.

A.W. Tozer

A MARAVILHA DA REDENÇÃO

*...porquanto, nele, habita, corporalmente,
toda a plenitude da Divindade.* COLOSSENSES 2:9

Meus irmãos de fé, coloquem-se comigo em defesa desta doutrina básica: O Deus vivo não se degradou na encarnação. Quando o Verbo se tornou carne, não houve concessões da parte de Deus!

Fica claro, no antigo credo de Atanásio, que os pais da igreja foram cautelosos nesse ponto da doutrina. Eles não nos permitiriam crer que Deus, na encarnação, tornou-se carne por decair da divindade para a carne, mas, antes, por receber a humanidade em Deus. Essa é a maravilha da redenção!

No passado, os deuses míticos das nações não tinham dificuldades com transigências. Mas o Deus Santo que é Deus, nosso Pai celestial, jamais poderia aceitar concessões!

Ele permaneceu para sempre Deus e todo o resto permaneceu não-Deus. Esse abismo ainda existia mesmo após Jesus Cristo ter se tornado homem e habitar entre nós. Sabemos, então, disto em relação aos atos de Deus: Ele nunca voltará atrás em Seu acordo. Esta incrível união do homem com Deus é efetiva e eterna!

*Pai celestial, obrigado por possibilitares que a humanidade
fosse redimida. Louvado seja o Deus Altíssimo!*

A. W. Tozer

NOSSA VIDA EM CRISTO

Graças, porém, a Deus, que, em Cristo,
sempre nos conduz em triunfo... 2 CORÍNTIOS 2:14

Certamente não é todo mistério da divindade que pode ser conhecido pelo homem — contudo, da mesma forma, é certo que tudo o que os homens podem saber sobre Deus, nesta vida, está revelado em Jesus Cristo!

Quando o apóstolo Paulo disse com anseio: "Para o conhecer..." (FILIPENSES 3:10), ele não estava falando de conhecimento intelectual. Paulo estava falando da realidade de uma experiência de conhecer Deus de forma pessoal e consciente, espírito tocando espírito e coração tocando coração.

Sabemos que as pessoas gastam muito tempo falando sobre uma vida cristã mais profunda — mas poucos parecem querer conhecer e amar a Deus por si só.

O precioso fato é que o Senhor é a vida mais profunda! O próprio Jesus Cristo é a vida mais profunda e conforme me imerjo no conhecimento do Deus Triúno, meu coração se move para a bem-aventurança de Sua comunhão. Isso significa que há menos de mim e mais de Deus — desse modo, minha vida espiritual se aprofunda e eu sou fortalecido no conhecimento de Sua vontade!

Amado Senhor, nesta manhã e durante todo o dia,
que haja mais de ti e menos de mim.

A. W. Tozer

DEUS NÃO ESTABELECE LIMITE

Ninguém vos engane com palavras vãs...
EFÉSIOS 5:6

Você sabe que agora há "intérpretes" da Bíblia que acreditam poder estabelecer regras sobre a porção de Deus que podemos ter? No entanto, o próprio Senhor prometeu que está disposto a manter as velas de minha alma brilhantemente acesas!

Então, meu coração me diz para ignorar os escribas modernos, cujas interpretações, eu temo, estejam forçando o Espírito, a abençoada pomba, a fechar Suas asas e a permanecer em silêncio. Volto-me, antes, para um dos hinos do Dr. A. B. Simpson, raramente cantado nos últimos tempos, provavelmente porque poucos cristãos têm esta experiência sobre a qual ele escreveu:

Tomo a mão do divino amor,
Conto como minha cada preciosa promessa
Com essa rubrica eterna de penhor! —
Ele promete — e minha alma a Ele acessa!
Eu te recebo, bendito Senhor,
Entrego-me em Tuas mãos;
E tu, segundo Tua Palavra de amor,
Toma-me como Tua porção!

Senhor, enche-me novamente com Teu precioso Espírito.
Que outros vejam o Senhor vivendo em mim hoje!

A. W. Tozer

EXPLORE A PALAVRA DE DEUS

Guardo no coração as tuas palavras...
SALMO 119:11

Que estranho paradoxo! O ateu de pensamento livre discursa violentamente e se enfurece dizendo que a Bíblia é um livro "perigoso", enquanto eu vejo a Palavra de Deus declarando vida para a minha alma!

É realmente estranho que alguns seres humanos tenham a ideia de que a Palavra de Deus só pode ser abordada com medos aterrorizantes. Mas isso só é verdade para aqueles que amam seu pecado e odeiam o Salvador.

A bendita verdade é que, se odeio meu pecado e amo meu Salvador, as Escrituras são, de fato, uma revelação maravilhosa e um guia fidedigno.

Precisamos estar cientes de que, se não guardarmos a Palavra de Deus, nossa alma estará continuamente em estado miserável.

Depende de nós. O que desejamos sinceramente fazer com o Senhor e Sua Palavra revelada?

Anos atrás, George Mueller disse que havia lido a Bíblia centenas de vezes e então acrescentou: "Com meditação!"

Leiamos a Palavra. Mais do que isso; devemos, na verdade, explorá-la!

Obrigado Senhor por nos dares a Tua Palavra.
Que ela não apenas ilumine meu coração, mas suplico por aqueles
que a traduzem para outras línguas, a fim de que
ela possa iluminar a mente deles também.

A. W. Tozer

FÉ E OBEDIÊNCIA

Porque: Todo aquele que invocar o nome do Senhor será salvo.

ROMANOS 10:13

Qual é a nossa resposta para as muitas pessoas confusas que continuam perguntando: "Como saberemos se entramos em um relacionamento redentor com Jesus Cristo?"

Primeiro, mantendo-nos unidos à verdade fundamental de que Cristo Jesus veio ao mundo para salvar pecadores. Um segundo fato é que homens e mulheres são salvos somente pela fé em Cristo, sem obras e sem mérito próprio.

Entretanto, o fato de que Cristo veio para salvar pecadores não é suficiente — esse fato em si não pode nos salvar. Agora, em nossos dias, as questões a respeito da fé e do dom da vida eterna estão obscurecidas e são confundidas com uma "aceitação cômoda" que tem sido fatal para milhões de pessoas que estão abandonando o caminho da fé e da obediência.

Fé é crer e receber, como diz Atos 16:31: "...Crê no Senhor Jesus e serás salvo..."; e em João 1:12: "Mas, a todos quantos o receberam, deu-lhes o poder de serem feitos filhos de Deus, a saber, aos que creem no seu nome."

Eu te louvo Senhor, por cumprires a missão
para a qual vieste a esta Terra. Oro, hoje, pelos membros de
minha família e colegas de trabalho que ainda
não creem em ti. Traze-os para ti, Pai.

A.W. Tozer

O PREÇO DA SALVAÇÃO

De fato, sem fé é impossível agradar a Deus...
HEBREUS 11:6

Muitos líderes cristãos, agindo como promotores entusiastas, estão ensinando que a essência da fé é esta: "Venha a Jesus, isso não lhe custará nada!"

O preço já foi pago por completo — "não vai custar nada para você!"

Irmãos, essa é uma meia verdade perigosa. Há sempre um preço ligado à salvação e ao discipulado.

A graça de Deus é gratuita, não há dúvida. Ninguém neste vasto mundo pode pagar, de forma humana, pelo plano de salvação e pelo perdão dos pecados.

Com fundamentação bíblica, coloco em questão a afirmação: "Todos no mundo têm fé, você só precisa liberar sua fé."

Isso é realmente uma concepção errônea do que a Bíblia ensina sobre os homens, Deus e a fé. Na verdade, a fé é uma planta rara e maravilhosa que vive e cresce apenas na alma arrependida.

O ensino de que todos têm fé é simplesmente uma forma de humanismo disfarçado de cristianismo. Alerto-o de que qualquer fé que pertença a todos não é a fé que salva. Não é a fé que é um dom de Deus para os corações quebrantados e contritos!

Senhor, te louvo por estenderes Tua graça tão livremente a mim. Arrependo-me de qualquer pecado que tenha cometido, consciente ou inconscientemente. Ajuda minha fé em ti crescer neste dia.

A.W. Tozer

A VOZ FIEL DE DEUS

Acautelai-vos por vós mesmos...
e das preocupações deste mundo... LUCAS 21:34

Em dias em que o julgamento rapidamente se aproxima da Terra, com frequência somos alertados por médicos, do fato de que comemos demais — e nos preocupamos demais. Mais pessoas sofrem com doenças mentais do que com doenças físicas.

Em nossa vida autocentrada, até mesmo aqueles que são cristãos professos têm a tendência de pensar que ouvirão as trombetas dos ais a tempo de fazer algo. Mas naquele momento será tarde demais!

A voz do Senhor é discreta. A voz do amor de Deus e de Sua graça é constante — nunca estridente, nunca compulsiva. O Senhor enviou Seus mensageiros a todas as gerações. Ele falou com urgência e fidelidade por meio de Seus profetas, por meio das preocupações de pregadores e evangelistas, até mesmo por meio das doces vozes dos tradicionais cantores da igreja. Além disso, Ele falou por meio de testemunhos de homens e mulheres: íntegros, sinceros e amáveis, transformados por um nascimento espiritual que vem do alto.

Esta é a voz de Deus que ouvimos neste dia de graça — a voz do Salvador chamando pecadores errantes de volta para casa.

Amoroso Pai, constranjo-me com o fato de que me chamaste
para ti. Eu, um pecador desesperado. Capacita-me para ir hoje
até alguém que tenha se afastado do Senhor.

A.W. Tozer

CRISTO COMO ELE REALMENTE É

...um semelhante a filho de homem... da boca saía-lhe uma afiada espada de dois gumes... APOCALIPSE 1:13,16

A mensagem cristã deixou de ser uma declaração e tornou-se uma proposição. Raramente alguém entende o tom imperioso existente nas palavras de Jesus Cristo.

O elemento convidativo da mensagem cristã saiu totalmente de proporção no panorama bíblico.

Cristo, com Sua lâmpada, Sua postura apologética e Sua face enfraquecida pela súplica tomaram o lugar do verdadeiro Filho do Homem que João viu — Seus olhos como chamas de fogo, Seus pés como bronze polido e Sua voz como voz de muitas águas.

Somente o Espírito Santo pode revelar nosso Senhor como Ele realmente é, e Ele não faz pintura a óleo. Ele manifesta Cristo ao espírito humano, não aos nossos olhos físicos.

Estes são tempos ardorosos e homens e mulheres estão sendo recrutados para devotarem-se a um ou outro mestre. Porém, qualquer atitude diferente da devoção completa a Cristo é inadequada e deverá resultar em futilidade e perda.

Senhor, ajuda-me a ver-te como tu és realmente
— poderoso, justo e santo.

A.W. Tozer

ORIENTAÇÃO DO ESPÍRITO

...levando cativo todo pensamento à obediência de Cristo.
2 CORÍNTIOS 10:5

Podemos sempre confiar no mover e na orientação do Espírito Santo em nossa vida e em nossas experiências, mas não podemos confiar sempre em nossas inclinações humanas e em nossos desejos carnais. Isso exige outra palavra de equilíbrio. Sabemos que a vida emocional é uma parte adequada e nobre de toda a nossa personalidade. Contudo, por sua própria natureza, ela é de importância secundária, pois a religião e a justiça se apóiam na vontade.

Deus nunca planejou que uma existência como a da humanidade se tornasse um simples joguete para os próprios sentimentos humanos. O único bem que Deus reconhece é o bem determinado pela vontade. A única santidade válida é a santidade almejada. É por isso que sempre fico um pouco desconfiado do cristão exageradamente empolgado que fala demais de si mesmo — e não o suficiente de Jesus. E também é por isso que fico um pouco preocupado com o cristão professo cuja experiência não parece ter resultado em um verdadeiro anseio interior de tornar-se, todos os dias, mais semelhante a Jesus em pensamentos, palavras e obras!

*Amado Senhor, hoje quero ser mais semelhante a ti em tudo
o que eu fizer — nas palavras dirigidas à minha família
e aos meus colegas, nas reações diante de situações difíceis
e em meus pensamentos no tempo livre.*

A.W. Tozer

MAJESTADE E MANSIDÃO

*Meditarei no glorioso esplendor da tua majestade
e nas tuas maravilhas.* SALMO 145:5

Quando os profetas tentam descrever para mim os atributos, as graças, o mérito do Deus que lhes apareceu e com eles tratou, sinto como se pudesse me ajoelhar e seguir sua admoestação: "…ele é teu senhor, inclina-te perante ele."

Eles o descreveram como radiantemente belo e formoso. Disseram que Ele era majestoso e gracioso. Descreveram-no como um ser misterioso e, no entanto, perceberam Sua mansidão.

A mansidão era Sua humanidade. A majestade era Sua divindade. Encontramos ambas eternamente unidas nele. Tão manso que mamou no seio de Sua mãe, chorou como qualquer bebê e precisou de todo o cuidado humano que qualquer criança necessitaria.

Contudo, Ele também era Deus, e em Sua majestade se colocou diante de Herodes e Pilatos.

Quando Jesus retornar, descendo do céu, será em Sua majestade, a majestade de Deus; entretanto, será na majestade do Homem que é Deus!

Este é o nosso Senhor Jesus Cristo. Diante de Seus inimigos Ele se posta com majestade. Diante de Seus amigos, Ele se apresenta com mansidão!

*Amado Senhor, tu és meu Rei e meu Amigo.
Guia-me neste dia, ó Rei
e ergue-me quando eu cair, amado Amigo.*

A.W. Tozer

LEVANDO-NOS À GLÓRIA

*Porque convinha que aquele... conduzindo muitos filhos
à glória...* HEBREUS 2:10

Como cristãos (estou presumindo que você seja cristão), você e eu sabemos como fomos transformados, regenerados e temos a garantia de vida eterna pela fé em Jesus Cristo e em Sua morte expiatória. Por outro lado, onde essa boa-nova de salvação, pela fé, não é conhecida, a religião se torna uma verdadeira escravidão. Se o cristianismo é conhecido apenas como uma instituição religiosa, pode, então, se tornar simplesmente um sistema legalista de religião e a esperança de vida eterna se torna uma ilusão.

Afirmei esses princípios sobre a realidade e a promessa para contragolpear o choque que você possa sentir, quando eu acrescentar que Deus quer prepará-lo plenamente em sua vida cristã diária, de modo que você esteja, de fato, pronto para o céu! Muitos de nós fazemos parte da família de Deus há muito tempo. Lembre-se de que o Senhor está tentado fazer algo especial em nosso interior dia após dia, ano após ano.

Por quê? Porque Seu propósito é trazer muitos filhos — e filhas também — à glória!

*Amado Jesus, obrigado por Tua fidelidade em minha vida —
mesmo quando te ignoro. Hoje quero estar
especialmente sintonizado com Tua santa presença
em cada uma de minhas atividades.*

A.W. Tozer

PRONTIDÃO ESPIRITUAL

Ora, o fim de todas as coisas está próximo; sede, portanto, criteriosos e sóbrios a bem das vossas orações.

1 PEDRO 4:7

Quando a Bíblia diz que Deus está chamando um povo especial de todas as nações para levar o nome de Seu eterno Filho, eu acredito — e esse nome é Jesus!

Nossos piedosos antepassados criam na preparação espiritual e assim diziam. Eles se viam como uma noiva sendo preparada para conhecer o Noivo. Consideravam esta Terra como o provador de roupas para o céu.

A igreja evangélica passou por um período em que quase todos criam que há apenas um pré-requisito para estar preparado para o céu: ser nascido de novo. Tornamos o novo nascimento quase o mesmo que receber um ingresso para um evento especial — quando Jesus voltar, sacamos o ingresso para provar que estamos preparados.

Francamente, não creio que será assim. Não acredito que todos os cristãos professos estão automaticamente prontos para encontrar o Senhor. Nosso próprio Salvador juntou-se a Pedro, João e Paulo, alertando e suplicando que vivêssemos, vigiássemos e orássemos para estarmos prontos para a vinda de Jesus.

Amado Senhor, ajuda-me a externar minha fé hoje com seriedade e paixão. Capacita-me a dar orientação espiritual ou encorajamento a alguém que esteja sofrendo.

A.W. Tozer

JORNADA DO CORAÇÃO

*Responderam-lhe: Crê no Senhor Jesus e serás salvo,
tu e tua casa.* ATOS 16:31

Eu contesto a acusação de que "Tozer prega a experiência". Eu prego Cristo, o Salvador — esse é o meu chamado! Mas estou certo da validade, da realidade e do valor da experiência cristã genuína. Podemos falar com Jesus assim como falamos com nossos outros amigos.

Quando menino, eu não era cristão. Não tive o privilégio de crescer em um lar onde Cristo fosse conhecido e amado. Deus falou comigo por meio de um pregador de rua que citou as palavras de Jesus: "Vinde a mim, todos os que estais cansados e sobrecarregados, e eu vos aliviarei" (MATEUS 11:28).

Esse convite me mostrou que Jesus ainda está chamando: "Venha agora!" Fui para casa e subi até o sótão. Ali, em oração fervorosa, entreguei meu coração e minha vida a Jesus Cristo. Meus pés me levaram para casa e ao sótão. Mas meu coração foi a Jesus! Em meu coração concordei em ir a Cristo. Desde então sou cristão.

*Amado Jesus, quero agradecer-te por me salvares
por meio de Tua difícil jornada à cruz.
Dá-me graça e força para honrar Teu sacrifício
por meio de minha vida nesta semana.*

A. W. Tozer

NOSSA ESQUIVA

Ora, se eu, sendo o Senhor e o Mestre, vos lavei os pés, também vós deveis lavar os pés uns dos outros. JOÃO 13:14

O senhorio de Jesus não está completamente esquecido entre os cristãos, porém, foi relegado aos nossos hinários, onde toda a responsabilidade relacionada a ele pode ser confortavelmente descarregada no calor de uma agradável emoção religiosa.

A ideia de que o homem Cristo Jesus tem autoridade plena e final sobre todos os membros de Sua Igreja, em cada detalhe de suas vidas, simplesmente não é aceita como verdadeira pelos cristãos evangélicos comuns.

Para evitar a necessidade de obedecer ou rejeitar as claras instruções de nosso Senhor no Novo Testamento, nós nos refugiamos em uma interpretação liberal dessas instruções. Encontramos maneiras de evitar o tenaz confronto da obediência, de consolar a carnalidade e tornar as palavras de Cristo ineficazes. E a essência de tudo é que "Cristo simplesmente não quis dizer o que disse". Ousaremos admitir que Seus ensinos são aceitos, ainda assim teoricamente, apenas após serem enfraquecidos pela "interpretação"? Ousaremos confessar que, mesmo em nossa adoração pública, a influência do Senhor é muito pequena? Cantamos sobre Ele e pregamos sobre Ele, mas Ele não deve interferir!

Amado Senhor, preciso admitir que houve momentos em que ignorei convenientemente as claras instruções de Tua Palavra. Ajuda-me a andar na Tua vontade hoje!

A.W. Tozer

MINISTÉRIO DA IGREJA

...na casa de Deus, que é a igreja do Deus vivo, coluna e baluarte da verdade. 1 TIMÓTEO 3:15

Nem a união de todos os esforços de uma igreja pode transformar um homem perdido em um cristão!

A vida cristã começa com o indivíduo; a alma tem um encontro redentor com Deus e a nova vida nasce.

Todo o resto permanece igual, cada cristão encontrará, na comunhão de uma igreja local, a atmosfera mais perfeita para o desenvolvimento pleno de sua vida espiritual. Ali ele também encontrará a melhor arena para o maior exercício dos dons e capacidades com os quais Deus pode tê-lo dotado.

Infelizmente, a palavra "igreja" recebeu significados que originalmente não tinha. O significado da palavra para o cristão verdadeiro foi estabelecido por nosso Senhor, e Seus apóstolos e nenhum homem ou anjo tem autoridade para mudá-lo!

A Igreja universal é o Corpo de Cristo, a Noiva do Cordeiro, a habitação de Deus por meio do Espírito, a coluna e o baluarte da Verdade.

Sem dúvida, o corpo mais importante na Terra é a Igreja do Senhor que Ele comprou com Seu próprio sangue!

Pai celestial, equipa e capacita Tua Igreja para lutar contra a praga do mal desmedido em nossa geração.

A.W. Tozer

UM REMANESCENTE QUE CRÊ

*Assim, pois, também agora, no tempo de hoje,
sobrevive um remanescente segundo a eleição da graça.*

ROMANOS 11:5

O que Deus está tentando fazer com Seu povo que crê? — a Bíblia nos chama de remanescente, segundo a graça; cristãos retirados do grande e fervilhante enxame do chamado povo religioso no mundo de hoje.

Estou propenso a juntar-me a outros e questionar se o Senhor está adiando Sua vinda porque está tentando preparar Sua Noiva.

Por anos, tem sido popular no cristianismo evangélico a ideia de que todo o corpo de crentes em Cristo se levantará como um espantoso bando de pássaros, quando o Senhor vier. Mas A. B. Simpson e William MacArthur e outros na geração passada disseram: "Ó não! O Senhor levará consigo aqueles que estão preparados e prontos para Sua vinda!"

Não tenho a presunção de dar uma resposta satisfatória a todos em nossas igrejas. Mas sei que muitos cristãos são muito complacentes com relação a esse assunto, efetivamente dizendo: "Sou convertido a Cristo por meio da graça, então posso viver como eu quiser!"

Não podemos ser dogmáticos em algumas questões; mas estamos certos disto: Deus não tem uma casa no meio do caminho entre o céu e o inferno, onde nos levará para nos purgar!

*Amado Senhor, oro hoje por meu pastor e minha igreja local.
Ajuda-nos como congregação a não nos surpreendermos
no dia do Teu retorno!*

A.W. Tozer

CRISTO GOVERNARÁ

...e o vosso espírito, alma e corpo sejam conservados íntegros e irrepreensíveis na vinda de nosso Senhor Jesus Cristo.

1 TESSALONICENSES 5:23

Não fico surpreso por ainda conhecer pessoas que não acreditam que Jesus Cristo retornará à Terra. Na verdade, algumas delas, armadas com suas Bíblias e interpretações, insistem em me "esclarecer".

Um senhor escreveu-me dizendo que eu entendi tudo errado e que Paulo não quis dizer o que eu disse que ele quis dizer quando apliquei a afirmação desse apóstolo ao meu dia a dia.

Investi tempo na elaboração de uma resposta: "Quando se trata de falar o que Paulo disse, a média de acerto dele é muito boa até o momento. Então, prefiro alinhar-me àquilo que Paulo disse direta e claramente."

Não percebi que precisava de alguém para me esclarecer — principalmente alguém que decidiu que a Bíblia não tem a intenção de afirmar o que diz.

Ninguém me desviará da fé no que Deus revelou e no que Ele disse. Pelo que sei, é fato que Jesus está vindo novamente! A questão que levanto é a seguinte: Estamos preparados espiritualmente para Sua vinda? Estamos tolerando circunstâncias em nosso meio que nos causarão vergonha quando Ele voltar?

Amado Senhor, dá-me coragem para viver hoje
— na verdade todos os dias de minha vida —
como se tu estivesses voltando hoje.

A.W. Tozer

UMA VOZ DIVINA CHAMA

*E chamou o Senhor Deus ao homem e lhe perguntou:
Onde estás?* GÊNESIS 3:9

Há uma voz divina que continua a chamar. É a voz do Deus Criador e ela suplica a nós. Assim como o pastor foi a todo canto procurando por sua ovelha, assim como a mulher, na parábola, foi a todo lugar procurando por sua moeda, da mesma forma, há uma busca divina com muitas variações de vozes que nos chama de volta.

Se não estivéssemos perdidos, não haveria a voz do Pai nos chamando para voltar. Então, digo novamente que Deus não desistiu de nós.

Pense no relato de Gênesis: Adão fugindo da face de Deus, escondendo-se entre as árvores do jardim. Foi neste momento que o som da gentil voz de Deus foi ouvida: "[Adão] onde estás?"

Quero lembrá-lo de que a voz que nos busca jamais desvaneceu. Aquele eco ainda ressoa pelos anos que passam. Nunca deixou de ecoar e ressoar de pico a pico, de geração a geração, de raça a raça e de continente a continente, das ilhas e para o continente novamente. Por todos os anos do homem o chamado: "Adão, onde estás?" tem sido o fiel chamado.

*Oro fervorosamente, ó Deus, para que eu não esteja
entre aqueles de coração endurecido, incapaz de ouvir Tua voz.
Por favor, fala comigo hoje... estou te ouvindo.*

A. W. Tozer

NOSSO DEUS AUTOSSUFICIENTE

No princípio, criou Deus os céus e a terra.
GÊNESIS 1:1

Será que nós, homens e mulheres modernos, nunca consideramos ou meditamos na natureza eterna de Deus? Quem somos nós para imaginar que estamos "pagando a fiança" para Deus quando damos R$10,00 de oferta no culto de domingo?

Agradeçamos ao Senhor pela realidade de Sua existência que simplesmente é. Apenas nosso Deus é autossuficiente, Ele não foi criado, não nasceu, Ele é o Deus eterno que é autoexistente!

Frequentemente refiro-me ao grande coração adorador de Frederick William Faber [N.E.: Notável autor de hinos e teólogo inglês do século 19.], que nestas palavras celebrou sua visão da autoexistência eterna de Deus:

Pai! O nome mais doce e amado
Que homens ou anjos conhecem!
Fonte de vida que não teve fonte
De onde fosse criado.
Tua vastidão não tem idade,
Tua vida não se desenvolveu;
Não há tempo que meça Teus dias,
Não há o que comporte Tua majestade!

Amado Pai celestial, meus problemas diários
podem parecer tão triviais para ti, o Deus eterno.
Ainda assim, convidas Teus filhos a levarem suas ansiedades
e preocupações a ti. Louvado seja Deus!

A. W. Tozer

COMPARTILHANDO DA NATUREZA DE DEUS

...preciosas e mui grandes promessas, para que por elas vos torneis coparticipantes da natureza divina... 2 PEDRO 1:4

Nosso Pai celestial nos disciplina para o nosso próprio bem "...a fim de sermos participantes da sua santidade" (HEBREUS 12:10). Os motivos de Deus são sempre baseados no amor!

Conheci pessoas que pareciam estar aterrorizadas pelo desejo amoroso de Deus de que reflitamos Sua santidade e bondade. Como filhos fiéis do Senhor, deveríamos ser atraídos à santidade, pois ela é a semelhança de Deus!

O Senhor encoraja todo cristão a buscar santidade. Conhecemos quem somos e sabemos quem Deus é. Ele não nos pede para sermos deus e não pede para produzirmos a santidade que Ele, exclusivamente, conhece. Somente Deus é completamente santo: todos os outros seres podem ser santos apenas em graus relativos.

Na verdade, é incrível e maravilhoso que o Senhor nos conceda o privilégio de compartilhar de Sua natureza. Ele se lembra de que fomos feitos do pó. Então nos diz o que se passa em Seu ser quando pensa em nós: "É o meu desejo que você cresça em graça e no conhecimento que tem de mim. Quero que seja mais parecido com Jesus, meu Filho eterno, todos os dias de sua vida!"

Senhor, obrigado por nos pemitires compartilhar de Tua natureza divina. Quero me tornar ainda mais parecido contigo, mas preciso da ajuda do Teu Espírito e de encorajamento.

A.W. Tozer

DEUS SE REVELA

...eu vi o Senhor... Então, disse eu: ai de mim! Estou perdido!
ISAÍAS 6:1,5

Com frequência, pergunto-me como tantas pessoas conseguem viver com uma esperança contínua de que serão, de alguma forma, capazes de comungar com Deus por meio de suas capacidades intelectuais. Quando irão perceber que, se houvesse a possibilidade de "descobrir" Deus pelo intelecto, eles seriam iguais a Deus?

Isaías é um exemplo dramático do Senhor revelando-se a si mesmo para a humanidade. Esse profeta poderia ter tentado alcançar Deus durante um milhão de anos, por meio de seu intelecto. Mas o poder do cérebro não é o meio pelo qual encontramos o Senhor!

Irmãos, é verdade que todos nós ainda estaríamos distantes de Deus se Ele não tivesse se revelado a nós graciosamente e em amor. Num espaço curtíssimo de tempo, o Senhor que nos ama pode se revelar para o espírito anelante de um homem ou mulher. É somente nesse momento que Isaías, ou qualquer um de nós, pode dizer com humilde certeza: "Eu o conheço!"

Um cristão comprometido deveria, então, ter sobre si algo que vá além da psicologia — além de todas as leis naturais e relacionado com as leis espirituais!

Senhor, obrigado pelo que sabemos sobre ti
por meio de vários encontros que lemos na Bíblia.
Quero estar preparado, em meu coração,
para ouvir Tua voz quando falares.

A.W. Tozer

JESUS DISSE QUE ERA DEUS

*...mas acerca do Filho: O teu trono, ó Deus,
é para todo o sempre...* HEBREUS 1:8

Quanto mais estudamos as palavras de nosso Senhor Jesus Cristo, quando Ele viveu na Terra entre nós, mais certos ficamos sobre quem Ele é.

Alguns críticos zombam: "Jesus não alegou ser Deus. Ele simplesmente disse que era o Filho do Homem."

É verdade que Jesus usava o termo "Filho do Homem" com frequência. Mas Ele testificava ousadamente, mesmo entre aqueles que eram Seus inimigos declarados, que era Deus. Ele disse com grande impetuosidade que havia vindo do Pai, no céu, e que era igual ao Pai.

Cristãos que creem na Bíblia unem-se nessa certeza. Podem divergir com relação ao batismo, liderança da igreja ou a volta do Senhor. Mas estão de acordo com relação à deidade do Filho eterno. Jesus Cristo é um em essência com o Pai — gerado e não criado (Credo Niceno).

Em nossa defesa dessa verdade, precisamos ser cuidadosos e ousados — beligerantes, se necessário!

Cristo é o brilho da glória de Deus e a imagem expressa da Pessoa de Deus!

*Senhor Jesus, a única esperança que o mundo tem
é que tu és Um com o Pai. Tu és o Deus Todo-Poderoso!
Tu és o nosso Messias! Adoro-te hoje.*

A.W. Tozer

SENHOR E CRISTO

...Deus o fez Senhor e Cristo.
ATOS 2:36

Nenhum cristão esquece o que a Bíblia diz sobre a Pessoa e a missão do Filho eterno, o Cristo de Deus.

"[A] este Jesus, que vós crucificastes, Deus o fez Senhor e Cristo" (ATOS 2:36). Jesus significa Salvador; Senhor significa Soberano; Cristo significa Ungido.

O apóstolo Pedro não proclamou Jesus apenas como Salvador — ele anunciou Jesus como Senhor, Cristo e Salvador, nunca dividindo Sua Pessoa e Sua missão.

Lembre-se, também, da declaração de Paulo: "Se, com a tua boca, confessares Jesus como Senhor... serás salvo" (ROMANOS 10:9).

Paulo, na passagem em que fala aos cristãos romanos sobre como ser salvo, chama Jesus de "Senhor" três vezes. Ele diz que a fé no Senhor Jesus, mais a confissão dessa fé ao mundo, nos traz salvação!

Soberano Senhor, tu és aquele a quem escolho servir.
Ajuda-me a meditar nessa verdade enquanto realizo
minhas tarefas relativas ao mundo hoje.

A.W. Tozer

A VERDADE É UMA PESSOA

*Disse, pois, Jesus... e conhecereis a verdade,
e a verdade vos libertará.* JOÃO 8:31,32

Deixe-me dizer ousadamente que não é a dificuldade de descobrir a verdade, mas a indisposição de obedecê-la que a torna algo tão raro entre os homens.

Nosso Senhor disse: "Eu sou... a verdade..." (JOÃO 14:6). E novamente Ele disse: "Porque o Filho do Homem veio buscar e salvar o perdido" (LUCAS 19:10). A Verdade, portanto, não é algo difícil de encontrar, justamente porque ela está nos procurando!

Então, descobrimos que a Verdade não é algo que devemos buscar, mas uma Pessoa a quem devemos ouvir atentamente! No Novo Testamento, multidões foram a Jesus pedindo ajuda física, mas muito raramente alguém o procurou para descobrir a Verdade. A figura predominante nos evangelhos é a de um Salvador que procura, não de homens que o buscam.

A Verdade estava procurando diligentemente aqueles que a receberiam, e relativamente poucos o fizeram, pois "...muitos são chamados, mas poucos, escolhidos" (MATEUS 22:14).

*Obrigado Senhor porque Jesus é a Verdade e porque Ele veio
"...buscar e salvar o perdido".
Não quero deixar essa Verdade escondida em meu bolso.
Dá-me uma oportunidade de
compartilhá-la para que outros se deixem encontrar por ti.*

A.W. Tozer

CRISTO NÃO ESTÁ DIVIDIDO

*Respondeu Jesus: Se alguém me ama, guardará
a minha palavra...* JOÃO 14:23

Muito de nossa literatura cristã e pregação tende a perpetuar uma má interpretação do que a Bíblia diz sobre obediência e discipulado cristão. Penso que a declaração a seguir é fiel ao que fui ensinado no início de minha experiência cristã e antes de começar a orar, estudar e me angustiar com a questão:

"Somos salvos ao aceitar Cristo como nosso Salvador."

"Somos santificados ao aceitá-lo como nosso Senhor."

"Podemos fazer o primeiro sem pôr em prática o segundo."

Que tragédia em nossos dias o fato de, geralmente, ouvirmos o apelo do evangelho feito da seguinte forma:

"Venha a Jesus! Você não precisa obedecer a ninguém. Não precisa abrir mão de nada. Apenas vá até Ele e creia nele como Salvador!"

O fato de ouvirmos isto em todos os lugares não o torna correto! Estimular homens e mulheres a crer em um Cristo dividido é um ensino equivocado — pois ninguém pode receber metade ou um terço ou um quarto da divina Pessoa de Cristo!

*Pai celestial, tu és um Salvador e um Senhor maravilhoso
que merece minha obediência plena a todos os
Teus ensinos. Perdoa-me, Senhor, pelos momentos em que
obedeci apenas a uma porção de Tua Palavra.
Mostra-me as áreas em minha vida em que sou fraco.*

A. W. Tozer

QUEM OUVE O CHAMADO DE DEUS?

...Senhor, para quem iremos?
Tu tens as palavras da vida eterna. JOÃO 6:68

Quem pode negar que há certas pessoas que, apesar de ainda não serem convertidas, destacam-se na multidão, marcadas por Deus, afligidas com uma ferida interna e suscetíveis ao chamado do Senhor?

Na oração de Jesus em João 17:11, Ele disse: "...Pai santo, guarda-os em teu nome...". Certamente, nenhum homem jamais será o mesmo após Deus impor Suas mãos sobre ele. Este terá certas marcas, algumas talvez não fáceis de detectar.

A primeira deve ser uma profunda reverência às coisas divinas. Um senso do sagrado deve estar presente, ou não há receptividade a Deus e à verdade.

Outra marca é uma grande sensibilidade moral. Quando Deus começa a trabalhar em uma pessoa para levá-la à salvação, Ele a torna apuradamente sensível ao mal.

Outra marca da ação do Espírito é um poderoso descontentamento moral. É necessário que Deus aja numa pessoa para que ela se desagrade do mundo e se volte contra si mesma; contudo, até que isso não aconteça, ela é psicologicamente incapaz de se arrepender e de crer!

Senhor, oro para que Teu Espírito continue a me tornar sensível às "coisas divinas" que ocorrem neste
mundo imoral, para que eu possa fazer diferença por Cristo em minha rede de relacionamentos.

A. W. Tozer

QUEM IRÁ A JESUS?

...quem quiser receba de graça a água da vida.
APOCALIPSE 22:17

O convite de Deus aos homens é amplo, porém, não incondicional. As palavras "quem quiser receba", de fato, escancaram as portas, mas a igreja está carregando o convite do evangelho muito além de seus devidos limites, transformando-o em algo mais humano e menos divino do que se verifica nas Escrituras Sagradas.

O que tendemos a negligenciar é que a palavra "quem", nesse contexto, nunca se usa sem complemento. Seu significado é sempre modificado pela palavra "crer", "quiser" ou "vir".

De acordo com os ensinos de Cristo, ninguém quererá ou poderá ir ou crerá a não ser que tenha ocorrido, em seu interior, uma ação prévia de Deus que o permita assim fazer.

No sexto capítulo de João, o Mestre nos ensina que ninguém decide por si só; ele deve primeiro ser atraído pelo Pai. Jesus disse: "O espírito é o que vivifica; a carne para nada aproveita..." (6:63).

Antes que qualquer homem ou mulher possa ser salvo, ele (ela) deve sentir uma fome espiritual consumidora. Onde há um coração faminto podemos ter certeza de que Deus esteve ali primeiro — "Não fostes vós que me escolhestes a mim; pelo contrário, eu vos escolhi a vós outros..." (JOÃO 15:16).

Pai celestial, oro hoje por evangelistas
e missionários em todo o mundo que estão representando o Senhor
em cidades populosas e áreas remotas.
Por meio deles, peço que atraia a ti muitas pessoas que nunca
ouviram a mensagem do evangelho. Amém.

A.W. Tozer

CRISTO VEIO PARA SALVAR

Porquanto Deus enviou o seu Filho ao mundo, não para que julgasse o mundo... JOÃO 3:17

Milhões que rejeitaram o evangelho de Cristo estão geralmente ocupados e comprometidos demais para se perguntarem uma única coisa: "Qual é realmente a intenção de Deus para comigo?"

Eles poderiam ter encontrado a resposta clara e simples oferecida pelo apóstolo João: "Porquanto Deus enviou o seu Filho ao mundo, não para que julgasse o mundo, mas para que o mundo fosse salvo por ele" (3:17).

Esta é uma mensagem muito relevante vinda do coração do próprio Deus! Contudo, mesmo provendo luz plena, as pessoas são indiferentes a ela. Parece ter caído sobre nossos olhos uma estranha obscuridade; em nossos ouvidos, uma estranha surdez. É espantoso termos essa mensagem em nossas mãos e sermos tão pouco movidos por ela!

Confesso que para mim é difícil aceitar o fato de que agora é muito raro que alguém entre à casa de Deus e confesse silenciosamente: "Amado Senhor, estou pronto e disposto a ouvir o que o Senhor quer falar comigo hoje!"

Amado Senhor, como estou grato porque tu não condenas, mas, por Teu Espírito, convences. Ajuda-me a ouvir e agir segundo as Tuas orientações hoje.

A.W. Tozer

NÃO SOMOS ÓRFÃOS

O Senhor firma os passos do homem bom...
SALMO 37:23

Certa vez escrevi em um editorial que cristãos não são órfãos neste mundo, esclarecendo que o Pastor divino vai adiante de nós e que viajamos por um caminho designado.

Um leitor escreveu-me para questionar minha alusão a viajar por um caminho "designado", perguntando: "Cresci como metodista. Em seus comentários, você estaria dizendo que isso é uma preordenação? É nisso que os presbiterianos acreditam. O que exatamente você quis dizer?"

Respondi que não quis dizer que deveríamos nos aprofundar tanto na doutrina — que eu não estava pensando em preordenação, predestinação ou decretos eternos.

"Eu simplesmente fico satisfeito com o seguinte fato: Se um cristão consagrado colocar-se nas mãos de Deus, até mesmo os acidentes podem ser transformados em bênçãos", eu lhe disse.

De qualquer forma, tenho certeza que o irmão metodista pôde ir dormir sabendo que ele não precisa se tornar presbiteriano para ter certeza de que Deus está cuidando dele!

Amado Senhor, nestes silenciosos momentos
desta manhã, desperta minha mente e meu coração para
os encontros que preparaste para mim hoje.

A.W. Tozer

PENSE COMO DEUS PENSA

Sonda-me, ó Deus... prova-me e conhece os meus pensamentos. SALMO 139:23

Se Deus sabe que sua intenção é adorá-lo com todo o seu ser, Ele promete cooperar com você. Da parte dele vêm o amor e a graça, as promessas e a propiciação, a ajuda constante e a presença do Espírito Santo.

De sua parte há a determinação, a busca, o render-se, o crer. Seu coração se torna um aposento, um santuário, um templo onde pode haver comunhão constante e ininterrupta com Deus. Sua adoração sobe até Deus momento após momento!

Todos nós descobrimos que Deus não habita em pensamentos maliciosos, orgulhosos e egoístas. Ele valoriza nossos pensamentos puros, amorosos, mansos, generosos e gentis. São pensamentos como os que Ele tem!

Se Deus habita em seus pensamentos, você estará o adorando — e Ele aceitará. O Senhor sentirá o cheiro do incenso de suas elevadas intenções mesmo quando as preocupações da vida foram intensas e houver muita agitação ao seu redor.

Não há o que argumentar. Sabemos o que Deus quer que sejamos. Ele quer que sejamos adoradores.

Senhor, te adoro nesta manhã. Espero pelo nosso momento de comunhão durante as atividades deste dia atarefado.

A.W. Tozer

NOSSA MAIS ELEVADA ALEGRIA

*Ora, se sabeis estas coisas, bem-aventurados sois
se as praticardes.* JOÃO 13:17

Quero chamar sua atenção para o fato de que a felicidade de todas as criaturas morais está em obedecer a Deus, o Criador.

O salmista aclama no Salmo 103:20: "Bendizei ao SENHOR, todos os seus anjos, valorosos em poder, que executais as suas ordens e lhe obedeceis à palavra."

Os anjos no céu encontram sua liberdade completa e mais elevada alegria em obedecer aos mandamentos de Deus. Não acham que seja uma tirania — consideram um deleite!

Aqui está algo que deveríamos saber e compreender: O céu é um lugar de entrega à vontade plena de Deus e por isso é que é o céu.

Agradeço ao Senhor porque a habitação celestial é o lar dos filhos obedientes de Deus. Por mais que falemos de seus portões perolados, ruas de ouro e muros de jaspe, o céu é o céu porque os filhos do Altíssimo percebem que estão em sua atmosfera natural por serem obedientes e morais.

*Amado Senhor, obrigado por Tua paciência
comigo enquanto aprendo a obedecer-te mais plenamente
em minha caminhada diária contigo.*

A.W. Tozer

ATIVIDADE NÃO É O SUFICIENTE

E ele lhes disse: Vinde repousar um pouco, à parte...
MARCOS 6:31

Aqueles que tentam advertir à igreja cristã nunca são muito populares. Ainda assim, devo levantar a voz em alerta: Nosso entusiasmo por "atividade" traz pouco benefício enriquecedor aos nossos círculos cristãos. Olhe para as igrejas e você encontrará grupos de pessoas meio salvas, meio santificadas e carnais que sabem mais sobre minúcias sociais do que sobre o Novo Testamento.

É fato que muitos em nossas igrejas são ativistas — comprometidos com várias programações religiosas — mas eles não parecem se aproximar de Jesus no coração e no espírito.

Essa moderna ênfase religiosa nas atividades me lembra dos camundongos japoneses que vi na vitrine de uma loja de bichos de estimação. Eles são chamados de camundongos de valsa — mas eles não sabem valsar. Eles apenas correm ininterruptamente!

Muitos em nossas igrejas esperam fazer parte de "algo grande e empolgante". Mas Deus nos chama de volta — de volta à simplicidade da fé, à simplicidade de Jesus Cristo e Sua Pessoa imutável.

Amado Senhor, ajuda-me a encontrar alguns
momentos calmos em meio à programação de hoje para focar meus
pensamentos em Tua bondade e misericórdia.

A.W. Tozer

SIMULANDO RELIGIOSIDADE

*...porque todo o que é nascido de Deus
vence o mundo...* 1 JOÃO 5:4

Quando nossa fé se transforma em obediência ao nosso Salvador, ela é, de fato, fé verdadeira! A dificuldade que nós, cristãos modernos, enfrentamos não é a má compreensão da Bíblia, mas a dificuldade de persuadir nosso coração indomável a aceitar sua clara instrução. Nosso problema é conseguir o consentimento de nossa mente, amante do mundo, a fazer de Jesus nosso Senhor, em ação e palavra. Pois uma coisa é dizer "Senhor, Senhor" e outra coisa é obedecer aos mandamentos de Deus.

Podemos cantar "Coroado é Ele, Senhor de todos" e nos alegrar com o som do estrondoso órgão e a profunda melodia em harmoniosas vozes, porém, ainda assim não teremos feito nada, até que deixemos o mundo e voltemos nossa face para a Cidade de Deus, de modo real, prático e firme.

O espírito do mundo é forte e pode simular a religiosidade com toda a aparência de sinceridade. Pode ter surtos de consciência (principalmente durante a quaresma!). Pode contribuir com causas caridosas e campanhas em prol dos pobres, mas tudo com sua própria condição: "Que Cristo se mantenha à distância e nunca reivindique Seu senhorio." Isso certamente não durará!

*Amado Senhor, quero ser um autêntico seguidor de Jesus Cristo.
Não quero jogar "jogos religiosos" com minha fé.*

A.W. Tozer

VEMOS O PROPÓSITO DE DEUS

*...de fazer convergir nele... todas as coisas,
tanto as do céu como as da terra.* EFÉSIOS 1:10

Confiamos na Palavra de Deus — e a revelação inspirada deixa claro para os cristãos que creem que todas as coisas no Universo derivaram sua forma de Cristo, o Filho eterno!

Temos a certeza de que, se um arquiteto reunir os materiais necessários para dar forma à estrutura que projetou, também Deus, no fim das contas, unirá todas as coisas sob um cabeça, Cristo (EFÉSIOS 1:9,10).

Tudo no Universo recebeu seu sentido pelo poder de Sua Palavra; e tudo manteve seu lugar e ordem por meio dele.

Jesus Cristo é Deus criando!

Jesus Cristo é Deus redimindo!

Jesus Cristo é Deus completando e harmonizando!

Jesus Cristo é Deus unindo todas as coisas segundo o conselho de Sua vontade!

Posso apenas esperar que conforme crescermos, amadurecermos e nos deleitarmos em nossa fé, comecemos a ganhar uma nova estima pelo grande propósito eterno de Deus!

*Teu projeto magistral do Universo é perfeito
ainda que a humanidade tenha negligenciado Tua criação e Teu
desejo de comunhão. Oro que pelo Teu Espírito nossas
igrejas se tornem "como um exército poderoso" e ajudem a guiar
muitas pessoas no mundo à fé em ti.*

A. W. Tozer

POTENCIAL HUMANO DESPERDIÇADO

...Apartai-vos de mim, malditos, para o fogo eterno, preparado para o diabo e seus anjos. MATEUS 25:41

Deus deixou claro que o inferno é um lugar real — uma habitação final para as pessoas que não querem amar a Deus e servi-lo!

A tristeza e a tragédia desse fato é que esses são seres humanos, todos amados por Deus, pois Ele os criou à Sua imagem. Nada mais na criação foi descrito como tendo sido criado à imagem de Deus!

Devido ao homem caído e deteriorado ainda estar mais próximo da semelhança a Deus do que qualquer outra criatura na Terra, Deus oferece a ele a conversão, a regeneração e o perdão. Foi certamente por causa desse grande potencial na personalidade humana — a imagem de Deus — que a Palavra eterna pôde se tornar carne e habitar entre nós.

De várias formas recebemos a garantia nas Escrituras de que Deus, o Criador, não quer desperdiçar a personalidade humana, mas é definitivamente uma das mais severas tragédias da vida que ela queira desperdiçar a si mesma!

Um homem pode desperdiçar-se a si mesmo por seu próprio pecado, ou seja, negligenciar e perder aquilo que na Terra é mais semelhante a Deus. O homem que morre fora de Cristo é considerado perdido e dificilmente haverá uma palavra em nosso idioma que expresse sua condição com maior exatidão!

Senhor, torna-me sensível hoje às oportunidades de compartilhar Teu amor com alguém que não tem um relacionamento pessoal contigo.

A.W. Tozer

TAMBÉM FOMOS EXCLUÍDOS

Como o Pai me amou, também eu vos amei...
JOÃO 15:9

Confessamos que temos uma responsabilidade cristã de crer na Palavra de Deus e obedecer à Verdade de Deus, não é verdade?

Deveríamos, então, aceitar o fato de que é nossa tarefa praticar as virtudes cristãs no poder do Espírito Santo, enquanto aguardamos a vinda daquele que virá.

As grandes necessidades espirituais ao nosso redor deveriam nos levar de volta aos registros nos evangelhos a respeito da vida e do ministério de nosso Senhor Jesus. Quando homens maus crucificaram e mataram a Cristo, eles não tinham poder para modificá-lo. Não puderam alterar a Pessoa ou a personalidade do Filho de Deus. Colocá-lo na cruz não extraiu nada de Sua afeição divina pela raça perdida.

A melhor coisa que sabemos sobre nosso Senhor e Salvador é que Ele ama o pecador. Ele sempre amou o excluído — e por isso deveríamos ser gratos, pois nós também já estivemos entre os excluídos! Somos descendentes do primeiro homem e da primeira mulher que falharam com Deus e desobedeceram a Ele. Eles foram expulsos do jardim e o Senhor estabeleceu uma espada flamejante para impedi-los de retornar!

Amado Pai celestial, o fato de sermos amados por ti é incrível! Mas pensar que desceste para a Terra para nos redimir é quase inconcebível. Tal amor é digno de todo o meu louvor e minha obediência.

A.W. Tozer

A ELEVADA VONTADE DE DEUS

*...então, acrescentou: Eis aqui estou para fazer, ó Deus,
a tua vontade...* HEBREUS 10:9

Consideremos três coisas simples, reforçadas na Palavra de Deus, para aqueles que desejam discernir a Sua vontade.

Primeiro, esteja disposto a descartar o pecado conhecido!

Segundo, afaste-se de todas as atrações do mundo, da carne e do mal!

E finalmente, ofereça-se a seu Deus e Salvador, em fé confiante!

Até hoje o Senhor nunca rejeitou uma pessoa honesta e sincera que passou a conhecer o valor eterno da propiciação e a paz que é prometida por meio da morte e da ressurreição de Jesus Cristo.

A única pessoa que nunca será purificada e completa é aquela que insiste em não precisar de correção. Aquele que vai a Deus em fé e confessa: "Sou impuro, estou doente pelo pecado; sou cego", encontrará misericórdia, justiça e vida.

Nosso Senhor Jesus Cristo é o Salvador, aquele que nos limpa. Ele é o purificador, aquele que nos cura. É o doador de visão e vida. Somente Ele é o caminho, a verdade e a vida!

*Amado Senhor, ajuda-me a pagar o preço para ver
Tua vontade se cumprindo em minha vida. Ajuda-me a revelar
Teu amor ao mundo por meio de uma vida pura.*

A.W. Tozer

TODO IMPEDIMENTO REMOVIDO

Justificados, pois, mediante a fé, temos paz com Deus por meio de nosso Senhor Jesus Cristo. ROMANOS 5:1

Há muitas razões legais e governamentais para justificar que homens e mulheres perdidos não deveriam ir para o céu!

Não deveria ser difícil para nós reconhecermos que um Deus santo e justo deve reger o Seu Universo segundo leis santas — e que nós não temos lugar neste Universo porque, de alguma forma, violamos todas essas leis santas!

Portanto, deve haver uma redenção efetiva, algum tipo de justificação para estarmos em Deus e Ele estar em nós!

Graças a Deus isso foi consumado!

A linguagem do Novo Testamento é a mais clara possível — em Cristo, por meio de Sua morte e ressurreição, todo impedimento legal foi invalidado; retirado! Não há nada que possa nos afastar dessa garantia a não ser nós mesmos.

Deixemos de pensar ou argumentar à nossa maneira.

A única forma válida é crer nele com nosso coração para sempre!

Sim, Senhor, muito obrigado por proveres uma "redenção efetiva" para que possamos ter comunhão contínua contigo — agora e por toda a eternidade. Louvado seja Teu santo e justo nome!

A. W. Tozer

TEMOS TUDO

...buscai, pois, em primeiro lugar, o seu reino... e todas estas coisas vos serão acrescentadas. MATEUS 6:33

Quanto tempo em sua vida cristã você investiu em meditar na instrução clara de nosso Salvador? — "...buscai, pois, em primeiro lugar, o seu reino e a sua justiça, e todas estas coisas serão acrescentadas."

O Deus que se revelou a homens carentes quer que saibamos que quando o temos, temos tudo — temos todo o restante!

Qualquer um de nós que experimentou a vida e o ministério de fé pode testificar sobre como o Senhor supre as necessidades — até mesmo alimento e necessidades básicas da vida.

Irmãos, devemos aprender, e aprender logo, que é muito melhor ter o próprio Deus em primeiro lugar, mesmo que possuamos uma só moeda, do que ter todas as riquezas e toda a influência neste mundo e com tudo isto não ter Deus!

Prossigamos em conhecê-lo e amá-lo mais ternamente, não por Suas dádivas e benefícios, mas pela pura alegria de Sua presença. Assim cumpriremos o propósito para o qual Ele nos criou e nos redimiu!

Amado Senhor, ajuda-me a fazer a transição do querer mais e mais "coisas" para o estar satisfeito — e repleto de alegria — apenas com a Tua presença em minha vida.

A.W. Tozer

O VALOR DO INDIVÍDUO

Porque o fim da lei é Cristo, para justiça de todo aquele que crê. ROMANOS 10:4

Nossa raça perdida sempre foi propensa a desconsiderar e rejeitar a maravilhosa verdade de haver um fator individual no amor de Deus. Muitos homens e mulheres estão convencidos de que o amor de Deus pelo mundo é apenas uma grande massa informe — e que não há espaço para o amor individual.

Precisamos apenas olhar ao nosso redor observando seriamente para confirmar o fato de que o diabo tem tido sucesso em plantar sua mentira de que ninguém se importa com o indivíduo.

Até mesmo na natureza ao nosso redor parece haver pouco cuidado individual. A preocupação é sempre voltada para o cuidado com as espécies.

Mas Jesus não ensinou às multidões como se elas fossem um aglomerado sem rostos. Ele pregava conhecendo os fardos e as necessidades de cada um. Nosso Salvador não veio ao mundo para lidar com estatísticas!

Cada um de nós deve ir a Ele com confiança plena de que Deus pronunciou uma palavra pessoal a nós em Cristo, para que "...todo o que nele crê não pereça...".

Senhor, Tua Palavra diz que cada um de nós foi formado
"...por modo assombrosamente maravilhoso..."
e que Tu estás preocupado com uma ovelha perdida em um
rebanho de cem. Obrigado por comprares minha
redenção por Tua morte e ressurreição. Eu te amo, Senhor.

A.W. Tozer

O ESPÍRITO ILUMINA

...para que a vossa fé não se apoiasse em sabedoria humana, e sim no poder de Deus. 1 CORÍNTIOS 2:5

Quando estudamos o Novo Testamento, vemos claramente que o conflito de Cristo era com os racionalistas teológicos de Seus dias.

O registro do evangelho de João é, na verdade, um relato longo, inspirado e apaixonadamente efusivo tentando nos salvar do racionalismo evangélico — que afirma que o texto é suficiente.

A revelação divina é a base sobre a qual nos posicionamos. A Bíblia é o livro de Deus e me apoio nela com todo o meu coração; mas antes que eu possa ser salvo, deve haver iluminação, arrependimento, renovo, libertação interior.

Em nossa cristandade, temos tentado facilitar a entrada de muitos no reino sem que nenhum deles tenha sido renovado interiormente. O apóstolo Paulo disse aos coríntios que sua fé não deveria se fundamentar na sabedoria de homens, mas no poder de Deus! Há uma diferença.

Devemos insistir que a conversão a Cristo é um ato miraculoso de Deus pelo Espírito Santo — deve ser forjado no Espírito. Deve haver iluminação interior!

Senhor, oro por minha família, meus vizinhos e amigos que ainda não te conhecem. Ilumina seus corações e mentes pelo Teu Espírito Santo.

A.W. Tozer

DÊ TEMPO A DEUS

...na sua lei medita de dia e de noite.
SALMO 1:2

Eu já desejei muitas vezes que houvesse algum jeito de levar cristãos modernos a uma vida espiritual mais profunda de modo indolor, por lições curtas e fáceis; mas tais desejos são vãos. Não existe atalho!

Deus não se curvou à nossa precipitação agitada, nem adotou os métodos de nossa era de máquinas. É bom que aceitemos agora a dura verdade: O homem que deseja conhecer a Deus deve dar-lhe tempo!

Ele não deve considerar perdido o tempo que se investe cultivando familiaridade com Deus.

Ele deve se entregar a horas de meditação e oração como um fim. Assim o fizeram os antigos santos, o glorioso grupo de apóstolos, a piedosa irmandade de profetas e os cristãos da Igreja santa em todas as gerações.

E assim nós devemos agir e desejar seguir esse mesmo curso!

Não permitamos que nossa experiência espiritual tenha vestígios de nosso hábito de saltar pelos corredores do reino como crianças pequenas nos corredores do mercado, tagarelando sobre tudo, em vez de parar para aprender o valor de algo.

Amado Senhor, ajuda-me a ordenar meu tempo
para que eu possa conhecer-te e a Tua Palavra mais intimamente.

A.W. Tozer

"AGORA É O SENHOR"

…em Cristo Jesus, o qual se nos tornou, da parte de Deus… santificação… 1 CORÍNTIOS 1:30

É possível apaixonar-se tanto pelas dádivas de Deus que acabemos falhando em adorar o Doador?

Dr. Albert B. Simpson, o fundador da Aliança Cristã e Missionária, convidado para pregar em uma conferência bíblica na Inglaterra, descobriu, ao chegar, que deveria falar em seguida a dois outros mestres em Bíblia. Todos receberam o mesmo tópico: "Santificação."

No púlpito, o primeiro palestrante deixou clara sua posição de que a santificação significa erradicação — a antiga natureza carnal é removida. O segundo, um repressor, alertou: "Sente-se sobre a tampa e mantenha a velha natureza lá embaixo!"

O Dr. Simpson, por sua vez, disse calmamente à plateia que ele só podia apresentar o próprio Jesus Cristo como resposta de Deus.

"Jesus Cristo é seu Santificador, seu tudo e em tudo! Deus quer que você tire seus olhos das dádivas. Quer que seu olhar esteja fixo no Doador — o próprio Cristo", disse.

Esta é uma palavra maravilhosa para aqueles que desejam adorar corretamente:

Antes era a bênção;
Agora é o Senhor!

Pai, nesta manhã eu te louvo por Tua santa presença em minha vida. Glorifica-te por meio de mim hoje.

A.W. Tozer

"AQUIETAI-VOS E SABEI"

Aquietai-vos e sabei que eu sou Deus...
SALMO 46:10

A oração entre cristãos evangélicos está sempre correndo o risco de degenerar-se em uma "corrida do ouro" glorificada. Quase todos os livros sobre oração lidam essencialmente com o elemento "obter". Como obter as coisas que queremos de Deus ocupa a maior parte do nosso tempo.

Os cristãos não deveriam esquecer jamais que o tipo mais elevado de oração nunca é a petição.

Orar, em seu sentido mais santo, é entrar na presença de Deus, um lugar de tamanha união bendita que, por comparação, faz os milagres parecerem controláveis e as notáveis respostas de oração parecerem algo muito longe de ser maravilhoso.

Deveríamos ter a consciência de que há um tipo de escola que a alma deve frequentar para aprender suas melhores lições eternas. É a escola do silêncio. "Aquietai-vos e sabei...", disse o salmista (46:10).

Para alguns cristãos pode ser uma revelação o fato de terem que permanecer completamente quietos por um tempo — um tempo para ouvir, no silêncio, a profunda voz do Deus Eterno!

Pai celestial, desejo que meu tempo de oração seja mais do que uma "lista de desejos". Ajuda-me investir mais tempo ouvindo a Tua voz do que fazendo pedidos pessoais.

A.W. Tozer

O FIM DA ERA

*Visto que todas essas coisas hão de ser assim desfeitas,
deveis ser tais como os que vivem em santo procedimento e piedade.*

2 PEDRO 3:11

Por todos os lugares ao nosso redor estamos experimentando uma grande e nova onda de interesse da humanidade pelo espiritismo e pela adoração demoníaca. Preciso tomar esse como um dos sinais de que a era da graça e da misericórdia de Deus está chegando ao fim. Isso nos diz que pode estar próximo o tempo em que Deus proclamará: "Vi o suficiente do pecado e da rebelião da humanidade. É hora das trombetas do julgamento soarem!"

Se estivermos dispostos a acrescentar as súplicas do livro de Apocalipse ao peso de outros textos das Escrituras, descobriremos Deus dizendo-nos que a Terra em que vivemos não é autoexplicativa e certamente não é autossuficiente.

Ainda que a Terra em que vagueamos seja grandemente povoada por uma raça rebelde, ela teve uma origem divina. Agora Deus está prestes a impingir Seu direito sobre ela e julgar aqueles que são usurpadores. Ele diz que há outro mundo melhor, outro reino que está sempre vigiando o mundo que habitamos!

*Senhor, ajuda-me a ser sensível ao reino espiritual que coexiste
com o mundo físico. Sou grato, pois Tu ainda estás no trono deste
Universo e porque Tu és aquele que mantém todas as coisas.*

A.W. Tozer

28 DE FEVEREIRO

SOLDADOS DE CRISTO

Participa dos meus sofrimentos como bom soldado de Cristo Jesus. 2 TIMÓTEO 2:3

É possível ser açoitado até que seu corpo adormeça. Você pode sorrir e louvar ao Senhor e dizer: "Jesus, tomei minha cruz", por um certo tempo. Mas então você é lentamente espancado até que seu corpo adormeça e entra num estado em que não consegue revidar.

Timóteo havia estado com Paulo por um longo tempo e o apóstolo tinha passado por longos períodos de lutas. Timóteo o seguia nos mesmos problemas, e Paulo havia notado em seu discípulo uma pequena tentação de envergonhar-se da cruz. Essencialmente recomendou: "Não tenha vergonha da cruz. Não recue da aflição do evangelho. Deus não nos deu o espírito de medo." Então, em 2 Timóteo 2:3 ele disse: "Participa dos meus sofrimentos como bom soldado de Cristo." É como se ele tivesse detectado no jovem uma pequena tentação de recuar um pouco da vida difícil para a qual fora chamado.

Senhor, ensina-me a autodisciplina para que eu seja um bom soldado de Jesus Cristo. Ajuda-me a ser ousado por amor à Tua cruz.

A.W. Tozer

O QUE É A VERDADEIRA RELIGIÃO?

...Se eles não falarem desta maneira, jamais verão a alva. ISAÍAS 8:20

Para o cristão convicto há apenas uma religião verdadeira. O cristão cuja conversão é superficial pode esquivar-se da beatice e intolerância que teme ser parte de uma devoção exclusiva ao cristianismo, porém, aquele que se converteu verdadeiramente não terá tais aflições. Para ele Cristo é tudo e a fé em Jesus é a última palavra de Deus para a humanidade. Para ele só há um Deus Pai, um Senhor e Salvador, uma fé, um batismo, um corpo, um espírito, um aprisco e um Pastor. Para ele não há outro nome debaixo do céu, dado entre homens, pelo qual sejamos salvos. Para ele Cristo é o único caminho, a única verdade e a única vida. Para esse cristão, Cristo é a única sabedoria, a única justiça, a única santificação e a única redenção.

Quando, porém, faço a seguinte pergunta: "Estamos tendo um reavivamento da verdadeira religião?" Só tenho uma religião em mente. Quero dizer: a fé do Novo Testamento guardada e experimentada pelos patriarcas. Falo da religião sobre a qual Moisés e todos os profetas escreveram, essa religião que se originou no coração do Deus Pai, que foi efetivada por meio da morte e ressurreição de Deus, o Filho, e é vitalizada pelo Deus Espírito Santo. Dessa religião as Escrituras hebraicas e cristãs são o livro-fonte, a primeira e a última palavra a qual não ousamos acrescentar nada e da qual não nos atreveríamos a excluir nada.

Senhor, Tu és tudo o que tenho, és minha justiça. Oro para que eu não seja envolvido com acessórios religiosos, mas que meu foco esteja sempre no Pai, no Filho e no Espírito Santo.

A. W. Tozer

COMECE COM DEUS

...não para que agrademos a homens, e sim a Deus, que prova o nosso coração. 1 TESSALONICENSES 2:4

Fico realmente triste pelas grandes multidões de homens e mulheres que nunca conheceram a satisfação de crer no que Deus diz sobre todas as boas dádivas que criou e sobre o fato de que tudo tem seu propósito!

Essa é uma área em que você deve iniciar com Deus. Então começará a entender tudo em seu contexto próprio. Tudo se ajusta em forma e aspecto quando você começa com Deus!

Em círculos cristãos, há agora uma deferência inadequada ao conhecimento e à realização intelectuais. Insisto que isso deve ter um equilíbrio. Estimamos os esforços e as horas que são despendidos para o progresso acadêmico, mas devemos ter sempre em mente a sabedoria e as repreensões de Deus.

Pesquisando e estudando, descobriremos que aprendemos apenas fragmentos da verdade. Por outro lado, o cristão mais novo na fé, em pouco tempo aprende muitas coisas maravilhosas e centrais com respeito à verdade. Ele encontrou e conheceu a Deus!

Essa é a questão primária, meus irmãos. É por isso que chamamos com toda seriedade homens e mulheres à conversão, recebendo Jesus Cristo como seu Salvador e Senhor!

Senhor, sou privilegiado por conhecer-te —
o princípio e o fim de tudo neste mundo. Permita-me compartilhar
Tua verdade com alguém que precise ouvi-la hoje.

A.W. Tozer

A DIVINDADE — PARA SEMPRE UMA

...Pai, nas tuas mãos entrego o meu espírito!
LUCAS 23:46

Quando Jesus Cristo morreu pela humanidade, naquela cruz profana infestada de insetos, Ele nunca dividiu a divindade! Temos a garantia dos patriarcas da igreja primitiva de que o Pai, no céu, Seu Filho eterno e o Espírito Santo são, para sempre, Um — inseparáveis, indivisíveis — e nunca poderão ser algo diferente.

Nem todas as espadas de Nero poderiam jamais atravessar a essência da divindade para separar o Pai do Filho.

Foi o Filho de Maria que clamou: "...por que me desamparaste?" Foi o corpo humano que Deus havia dado a Ele. Foi o sacrificado que clamou — o Cordeiro prestes a morrer! O Filho do Homem se viu abandonado. Deus despejou sobre a alma do Salvador aquela vasta, imunda e repugnante massa de pecado humano — e então se afastou.

Creia que a eterna e atemporal deidade nunca foi dividida. Ele ainda estava no seio do Pai quando clamou: "...nas tuas mãos entrego o meu espírito!" (LUCAS 23:46).

Não é de surpreender que todos os dias nos maravilhamos com o prodígio da antiga teologia da Igreja cristã!

Senhor, algumas vezes Tua natureza é um
mistério para o meu pensamento limitado. Mas como sou grato
por Tua disposição de carregar o meu pecado —
e o de toda a raça humana — na cruz do Calvário.

A.W. Tozer

# 3 DE MARÇO

GLÓRIA DA TRINDADE

Pois há três que dão testemunho no céu: o Pai, a Palavra e o Espírito Santo; e estes três são um. 1 JOÃO 5:7

Quanto mais leio minha Bíblia, mais creio no Deus trino! Como o profeta Isaías, fico intrigado com a visão das criaturas celestiais, os serafins ao redor do trono de Deus, envolvidos com sua adoração e louvor.

Frequentemente pergunto-me porque os rabinos, santos e compositores de hinos dos tempos antigos não chegaram a ter conhecimento da Trindade apenas com base no coro dos serafins: "Santo! Santo! Santo!"

Sou trinitariano — creio em um Deus, o Pai Todo-Poderoso, Criador do céu e da terra. Creio em um Senhor, Jesus Cristo, Filho do Pai, gerado dele antes de todos os séculos. Creio no Espírito Santo, Senhor e doador da vida, que juntamente com o Pai e o Filho é adorado e glorificado.

Isaías ficou atônito e conseguiu apenas testemunhar o seguinte: "...os meus olhos viram o Rei..." (6:5). Apenas o Rei da glória pode se revelar ao espírito disposto de um homem, para que, assim como Isaías ou qualquer outro, possa dizer com humildade, porém com certeza: "Eu o conheço!"

Senhor, o mundo moderno simplesmente guardou-te em uma pequena caixa e colocou-te no fundo do baú — aproximando-se de ti apenas em eventuais festividades ou eventos especiais de família. Contudo, na verdade, Tu és o grande Deus e hoje curvo-me diante de ti.

A.W. Tozer

PREGUE UM CRISTO COMPLETO

Fiel é Deus, pelo qual fostes chamados à comunhão de seu Filho Jesus Cristo, nosso Senhor. 1 CORÍNTIOS 1:9

Rejeito a insistência humana entre nós de que Cristo deve manter um relacionamento dividido conosco nesta vida.

Tenho consciência de que isso é, nos tempos atuais, tão comumente pregado, que decidir se opor ou contestar significa que estamos correndo um risco e devemos nos preparar para o que virá.

Porém, sou forçado a perguntar: Como podemos insistir e ensinar que nosso Senhor Jesus Cristo pode ser nosso Salvador sem ser nosso Senhor?

Como tantos podem continuar a ensinar que podemos ser salvos sem intenção alguma de obediência ao nosso Senhor Soberano?

Fico satisfeito, em meu coração, por saber que, quando alguém crê no Senhor Jesus Cristo, deve crer no Jesus Cristo completo — sem reserva alguma! Como um ensinamento pode ser justificado quando encoraja pecadores a usar Jesus como um Salvador em seus momentos de necessidade, sem prestar-lhe a obediência e a lealdade devidas?

Creio que precisamos voltar a pregar um Cristo pleno ao nosso mundo necessitado!

Pai celestial, reconheço humildemente Tua graça salvadora em minha vida e é uma honra obedecer-te e servir-te.

A.W. Tozer

SENHOR DA JUSTIÇA

Mas vós sois dele, em Cristo Jesus, o qual se nos tornou, da parte de Deus, sabedoria, e justiça... 1 CORÍNTIOS 1:30

Em meio a todas as confusões de nosso dia, é importante que descubramos que Jesus Cristo é o Senhor de toda a justiça e Senhor de toda a sabedoria.

Justiça não é uma palavra facilmente aceita por homens perdidos em um mundo decaído. Fora da Palavra de Deus, não há livro ou tratado que possa nos dar uma resposta satisfatória sobre justiça, porque o único que é justo Senhor é o nosso Senhor Jesus Cristo. O cetro de justiça é o cetro de Seu reino. Ele é o Único em todo o Universo que, com perfeição, amou a justiça e odiou a iniquidade.

Nosso grande Sumo Sacerdote e Mediador é o Justo e Santo — Jesus Cristo, nosso Senhor ressurreto. Ele não é apenas justo, Ele é o Senhor de toda a justiça!

Então, aí está Sua sabedoria. A soma total da profunda e eterna sabedoria das eras está em Jesus Cristo como um tesouro escondido. Todos os profundos propósitos de Deus residem nele, pois Sua sabedoria perfeita lhe permite planejar com muita antecedência! Portanto, a história, em si, se torna o lento desenvolvimento de Seus propósitos.

Senhor, admito que minha mente, algumas vezes, tem dificuldade de assimilar a profundidade da Tua sabedoria e justiça. Constranjo-me com o fato de que pensas em mim, preocupas-te comigo e me amas.

A.W. Tozer

O ALERTA DO EVANGELHO

Dissertando ele acerca da justiça, do domínio próprio e do Juízo vindouro, ficou Félix amedrontado... ATOS 24:25

Nós que nos regozijamos nas bênçãos que vieram a nós por meio do Salvador, precisamos ter em mente que o evangelho não é apenas boas-novas!

A mensagem da cruz é, de fato, de boas-novas para o penitente, mas para aqueles que não obedecem ao evangelho, ela carrega um tom elevado de alerta.

O ministério do Espírito para com o mundo impenitente é falar do pecado, da justiça e do juízo. Para pecadores que não desejam mais ser pecadores voluntários e se tornarem filhos obedientes de Deus, a mensagem do evangelho é de paz irrestrita, contudo, é também, por sua própria natureza, um árbitro do destino futuro do homem.

Na verdade, a mensagem do evangelho pode ser recebida de uma das seguintes formas: Em palavra apenas, sem poder, ou em palavra com poder.

A verdade recebida em poder muda o fundamento da vida que antes era como o de Adão e passa a ser como o de Cristo — um Espírito novo e diferente entra na personalidade e faz do homem que crê alguém novo em todos os aspectos de seu ser!

Amado Pai, obrigado por seres paciente e amoroso. Oro novamente por aqueles em minha comunidade e por todo o mundo que não conhece a ti. Que o Teu Espírito convença muitos deles hoje.

A.W. Tozer

A ETERNA VERDADE

Jesus Cristo, ontem e hoje, é o mesmo e o será para sempre. HEBREUS 13:8

Nos últimos tempos tem havido muita discussão a respeito da falta de poder espiritual em nossas igrejas cristãs. E os modelos do Novo Testamento?

Irmãos, o método apostólico foi prover um fundamento de boas e saudáveis razões bíblicas para seguirmos o Salvador, para que nossa boa vontade deixe o Espírito de Deus exibir as grandes virtudes cristãs em nossa vida.

É por isso que abordamos, em fé e gozo, a eterna verdade de Hebreus 13:8: "Jesus Cristo, ontem e hoje, é o mesmo e o será para sempre." Essa proclamação concede importância a qualquer outra parte do ensinamento e da exortação contida na carta aos Hebreus. Nesse versículo a verdade passará a ser moral e espiritualmente dinâmica se exercitarmos a fé com a disposição de demonstrá-la ao nosso mundo carente.

Acredito que esta verdade de que Jesus Cristo quer ser conhecido em Sua Igreja como Senhor eternamente vivo e imutável, poderia restaurar o poder e o testemunho como havia na igreja primitiva!

Senhor, oro por meu pastor, minha igreja e por mim, para que compreendamos novamente a verdade de que tu és eternamente vivo e imutável.

A. W. Tozer

CONHECEMOS QUE CREMOS

...se é que permaneceis na fé, alicerçados e firmes, não vos deixando afastar da esperança do evangelho... COLOSSENSES 1:23

A esperança da igreja cristã ainda está na pureza de sua teologia — ou seja, suas crenças sobre Deus, o homem e sua relação com seus semelhantes.

É fato que crenças positivas não são populares nos dias de hoje. Percebo que os esforços modernos para popularizar a fé cristã foram extremamente danosos a essa fé. O propósito tem sido simplificar a verdade para as massas, utilizando a linguagem das massas, em lugar da linguagem da igreja. Não foi algo bem-sucedido e ainda acrescentou, em vez de reduzir, a confusão religiosa.

Um desejo enganoso de manter um espírito de tolerância entre todas as religiões produziu uma espécie de cristãos Jano [N.E.: Divindade que possui duas faces e era muito cultuada pelos romanos.], excessivamente flexíveis, pessoas notáveis apenas por sua habilidade de voltar-se para qualquer direção graciosamente!

Nossas crenças cristãs foram reveladas pela inspiração do Espírito Santo nas Escrituras Sagradas. Tudo que ali está registrado é nítido e preciso. Não ousemos ser menos do que acurados em nosso tratamento a respeito de algo tão precioso!

Senhor, Tua Palavra é sagrada e verdadeira, tantas pessoas atualmente a desconsideram e a desrespeitam. Oro para que haja uma explosão de interesse pela Bíblia nesta geração.

A.W. Tozer

SANTOS "AUTOMÁTICOS"?

...levando sempre no corpo o morrer de Jesus, para que também a sua vida se manifeste em nosso corpo. 2 CORÍNTIOS 4:10

Nem todos concordam comigo no aspecto de que a qualificação plena para a eternidade não é instantânea, automática ou indolor.

Posso apenas esperar que você seja sábio o suficiente, tenha desejo suficiente e seja espiritual o suficiente para enfrentar a verdade de que cada dia é mais um dia de preparação espiritual, mais um dia de teste e disciplina, com nosso destino celestial em mente.

Espero também que você comece a entender por que muitas igrejas evangélicas são tão desordenadas. Passou a ser popular pregar o cristianismo indolor e a santidade automática. Tornou-se parte de nossa cultura "instantânea" — "apenas acrescente um pouco de água, mexa delicadamente, pegue um trecho do evangelho e você estará no modo de vida cristão!"

"Vejam", nos dizem, "este é o cristianismo bíblico!"

"De modo algum!"

Depender desse tipo de fórmula é experimentar apenas a orla externa, a margem do que o cristianismo realmente é. Pois quando o novo nascimento é verdadeiro e a maravilha da regeneração toma lugar, o que vem a seguir é uma vida inteira de preparação com a orientação do Espírito Santo!

Amado Senhor, não estou interessado em uma fachada religiosa para que as pessoas a vejam. Quero progredir no objetivo de tornar-me mais semelhante a ti hoje.

A. W. Tozer

NORMAL — OU NOMINAL?

...porque, onde está o vosso tesouro, aí estará também o vosso coração. LUCAS 12:34

O Senhor Jesus Cristo é o seu tesouro mais precioso em todo este mundo? Se sim, inclua-se no grupo de cristãos "normais" e não "nominais"!

Meu antigo dicionário dá a seguinte definição para o significado de *nominal*:

Existe apenas em nome, não é real ou verdadeiro; consequentemente tão pequeno, insignificante, a ponto de dificilmente ser digno do nome.

Tendo isso como definição, aqueles que sabem que são cristãos "apenas no nome" não deveriam jamais ter a ambição de ser cristãos normais. Felizmente aqueles que são "normais" estão constantemente sendo atraídos ao louvor e à adoração, encantados pela beleza moral que é encontrada apenas em Jesus.

Não consigo entender como alguém pode professar ser seguidor e discípulo de nosso Senhor Jesus Cristo e não ficar fascinado por Seus atributos. Esses atributos divinos atestam fielmente que Ele é, de fato, Senhor de tudo, completamente digno de nossa adoração e nosso louvor!

Pai celestial, tu és o Criador do céu e da Terra.
Tu és santo e justo em todos os Teus caminhos. Tu és meu
tesouro hoje e será todos os dias.

A.W. Tozer

O GRANDE MÉDICO

*Jesus, vendo-o... perguntou-lhe: Queres
ser curado?* JOÃO 5:6

Caso você seja um cristão desencorajado e derrotado, pode ter aceitado a racionalização de que sua condição é "normal para todos os cristãos".

Você pode agora estar satisfeito com a postura de que uma vida cristã progressiva e vitoriosa seja adequada para alguns poucos cristãos — mas não para você! Participou de conferências bíblicas; esteve no altar — mas as bênçãos são para outra pessoa.

Veja, essa atitude, vinda de um cristão, não está relacionada nem com modéstia nem com mansidão. É um desencorajamento crônico resultante da descrença. É muito característico daqueles que permanecem doentes por longo tempo, já não acreditarem que podem ser saudáveis novamente.

Jesus ainda diz, como disse ao homem que jazia à porta do tanque em Jerusalém: "...Queres ser curado?" (JOÃO 5:6). Jesus o curou — por causa do desejo do homem! Sua necessidade era grande, mas ele não havia entrado naquele estado de desencorajamento crônico.

*Obrigado, Senhor, porque uma vida cristã
vitoriosa pode ser a regra — mesmo neste mundo caótico e
malevolente. Enche-me novamente com
o Teu Espírito e brilha por meio de mim hoje.*

A. W. Tozer

SABEDORIA DE DEUS

...as que se veem são temporais, e as que se não veem são eternas. 2 CORÍNTIOS 4:18

O pensamento de nossa geração frequentemente reflete uma disposição de trocar uma visão elevada da eternidade de Deus por um conceito de curto prazo chamado "aqui e agora". A tecnologia supostamente deve ser soberana, mas as respostas que a ciência nos dá são respostas de curto prazo.

Os cientistas podem conseguir nos manter vivos por alguns anos a mais, mas os cristãos sabem algumas coisas que Einstein não sabia!

Por exemplo: sabemos por que estamos aqui. Podemos dizer por que nascemos. Sabemos também o que cremos sobre o valor do que é eterno.

Somos gratos por termos encontrado a promessa do Deus de toda a graça, que lida com o que tem na natureza eterna e de longo prazo. Pertencemos à companhia de pessoas comuns que acreditam na verdade revelada na Bíblia.

De fato, a pessoa mais sábia no mundo é a pessoa que conhece mais sobre Deus — a pessoa que percebe que a resposta à criação, à vida e à eternidade é uma resposta teológica e não científica!

Amado Senhor, oro para que te reveles de alguma forma a esta geração incrédula, tendo como resultado muitos corações voltados a ti.

A. W. Tozer

A IMAGEM QUE PROJETAMOS

Vinde, adoremos e prostremo-nos...
Ele é o nosso Deus... SALMO 95:6,7

Estamos perdendo elementos importantes da adoração em nossas igrejas? Falo da oferta genuína e sagrada, nós mesmos nos ofertando ao adorarmos o Deus e Pai de nosso Senhor Jesus Cristo.

Precisamos fazer essa pergunta, ainda que estejamos construindo grandes igrejas e vastas congregações. Estamos nos gloriando em altos padrões e falando de reavivamento. Contudo, como cristãos evangélicos, estamos preocupados como deveríamos estar com a imagem que realmente projetamos na comunidade ao nosso redor? Não se pode negar que muitos que professam o nome de Cristo, ainda falham em demonstrar Seu amor e Sua compaixão!

Deveria chamar nossa atenção o fato do tão citado Jean Paul Sartre [N.E.: Filósofo, escritor e crítico francês (1905-80).] descrever sua entrada na filosofia e na desesperança como um afastamento de uma igreja secularista.

Sua acusação foi: "Eu não reconhecia no Deus em voga que me fora ensinado, Aquele que esperava por minha alma. Precisava de um Criador e me foi dado um homem de negócios!"

Ó Senhor, convença-me, por Teu Espírito Santo,
se estou professando uma falsa impressão de ti para outros.
Expressa Teu amor e compaixão por meio de mim
de modo que outros sejam atraídos a ti.

A.W. Tozer

ADORAÇÃO — E PALAVRA

...e o Senhor vos faça crescer e aumentar no amor uns para com os outros e para com todos... 1 TESSALONICENSES 3:12

Devo me opor àqueles, nas igrejas, que insistem que os santos, ao adorarem, não conseguem nada além de adorar! Tal atitude revela que não sabem o que falam. A parte bela da adoração é que ela nos prepara e capacita a voltarmos nossa atenção para as coisas importantes que devem ser feitas para Deus.

Ouça-me! Praticamente todo grande feito executado na Igreja de Cristo, desde os apóstolos, foi executado por pessoas resplandecendo com a radiante adoração do seu Deus!

O coração de discípulos adoradores e compassivos se afastou de ministrar em grandes hospitais e clínicas psiquiátricas. É também verdade que quando uma igreja sai de sua letargia e adentra as marés de reavivamento e renovo espiritual, há sempre um adorador nos bastidores.

Uma pesquisa na história da igreja provará que aqueles que eram adoradores fervorosos também se tornaram grandes trabalhadores e servos altruístas. Se nos entregarmos ao chamado de Deus à adoração, todos farão mais para o Salvador do que estão fazendo agora!

Senhor, adoro-te nesta manhã. Louvo-te por
Tua fidelidade e bondade. Glorifica a ti mesmo hoje na vida de
todo adorador verdadeiro em todo o mundo.

A.W. Tozer

"LÁGRIMAS DE ALEGRIA — AMÉM!"

...ele vos batizará com o Espírito Santo e com fogo.
LUCAS 3:16

Não precisamos ter medo de uma visitação genuína do Espírito de Deus!

Blaise Pascal, o célebre cientista e filósofo francês do século 17, experimentou um encontro pessoal e surpreendente com Deus que mudou sua vida. Aqueles que compareceram ao seu funeral viram um papel enrugado e gasto em suas roupas, próximo a seu coração — aparentemente um lembrete do que ele havia sentido e compreendido na presença de Deus.

No papel, estava a mensagem escrita pelo próprio Pascal:

Das dez e meia da noite até meia-noite e meia — fogo! Ó Deus de Abraão, Deus de Isaque, Deus de Jacó — não o Deus de filósofos ou sábios. O Deus de Jesus Cristo que só pode ser conhecido por meio do Evangelho. Segurança. Ternura. Paz. Alegria. Lágrimas de alegria — amém!

Essas expressões foram de um fanático, um extremista? Não; foi a elocução de êxtase de um homem rendido, durante duas incríveis horas, à presença de Deus. O Pascal abismado só pôde descrever tal visitação com uma palavra — "Fogo!"

Amado Senhor, oro para que eu experimente o "fogo" de Tua santa presença em minha vida. Queime todo refugo pelo Teu Espírito. Quero viver para ti e somente para ti.

A. W. Tozer

A NÃO SER QUE SE ARREPENDAM

Os outros homens... não se arrependeram...
APOCALIPSE 9:20

Há muitas lições instigantes que podem ser retiradas das Escrituras; e uma das mais claras é que pessoas rebeldes e corrompidas jamais podem ser forçadas a se arrepender. O mesmo ato que pode fazer uma pessoa arrepender-se e crer, fará outros odiarem e desprezarem a Deus!

Os mesmos sermões bíblicos que levam a pessoa à submissão, em prantos, em um altar de oração, afastarão outros, com orgulho e uma decisão de agir conforme seus modos humanos.

Os estudantes das Escrituras têm consciência de que os profetas do Antigo Testamento e os apóstolos do Novo Testamento previram e proclamaram o dia do julgamento de Deus que estava por vir — a consumação da prestação de contas entre o Deus soberano e Sua criação rebelde e pecadora.

Quão desesperadamente gostaríamos de acreditar que às vistas do julgamento vindouro, todos os homens e mulheres perdidos clamarão a Deus, mas esse não será o caso: "Os outros homens, aqueles que não foram mortos por esses flagelos, não se arrependeram das obras das suas mãos..." (APOCALIPSE 9:20).

Senhor, oro hoje para que um grande número
de pessoas que ainda não te conhece, afaste-se do seu pecado
e receba a nova vida em Jesus Cristo.

A. W. Tozer

RESPOSTA À PALAVRA

Porque a palavra de Deus é... mais cortante do que qualquer espada de dois gumes... HEBREUS 4:12

Homens e mulheres que leem e estudam as Escrituras simplesmente por sua beleza literária perderam todo o propósito pelo qual elas nos foram concedidas.

A Palavra de Deus não deve ser apreciada como alguém poderia "apreciar" uma sinfonia de Beethoven ou um poema de Wordsworth.

O motivo: a Bíblia exige ação imediata, fé, entrega, esforço. Caso isso não esteja garantido, nada de positivo terá sido feito pelo leitor, mas sua responsabilidade terá aumentado e a apreciação que seguirá terá aprofundado.

A Bíblia foi chamada à existência pela queda do homem. É a voz de Deus chamando os homens para casa, para longe do deserto do pecado; é um mapa para pródigos regressarem. É instrução em justiça, luz na escuridão, informação sobre Deus e o homem, vida e morte, céu e inferno.

Além disso, o destino de cada indivíduo depende de sua resposta a essa voz na Palavra!

Pai, Tua Palavra contém as preciosas palavras de vida.
Oro para que eu não só a conheça, mas também que a pratique
e pregue efetivamente às pessoas ao meu redor.

A.W. Tozer

A MULTIDÃO RECUA

À vista disso, muitos dos seus discípulos o abandonaram e já não andavam com ele. JOÃO 6:66

Nosso Senhor Jesus Cristo chamou homens para segui-lo, mas Ele ensinava claramente que "...ninguém pode vir a mim, se por meu Pai não lhe for concedido" (JOÃO 6:65).

Não é surpreendente que muitos de Seus primeiros seguidores, ao ouvirem Suas palavras, recuaram e não mais caminharam com Ele. Tal ensinamento não pode ser nada além de profundamente incômodo para a mente natural. Para homens pecadores é necessário muito do poder de autodeterminação. O chão sob sua autoajuda é retirado e são atirados novamente para o bom gozo soberano de Deus — e é exatamente aí que não querem estar!

Estas afirmações de nosso Senhor vão contra as atuais suposições do cristianismo popular. Os homens estão dispostos a serem salvos pela graça, mas para preservar sua autoestima devem crer que o desejo de serem salvos originou-se neles.

A maioria dos cristãos hoje parece ter medo de falar sobre essas claras palavras de Jesus com relação à ação soberana de Deus — então usam o simples truque de ignorá-las!

Amado Senhor, não quero ser contado entre aqueles que voltam as costas para ti. Quero seguir-te, Senhor. Guia-me hoje.

A.W. Tozer

DINHEIRO NÃO É VERDADE

*A bênção do S<small>ENHOR</small> enriquece, e, com ela,
ele não traz desgosto.* PROVÉRBIOS 10:22

É fato na história humana que não foram muitos os homens e mulheres que buscaram a verdade.

O fluxo de jovens que transitam por nossos corredores de aprendizado todos os anos confessam não ter mais do que um interesse efêmero e acadêmico na verdade. A maioria admite que frequenta a universidade apenas para melhorar sua posição social e aumentar sua renda.

Então, a pessoa comum confessará que o que mais quer é sucesso em seu campo de atuação escolhido; e quer sucesso tanto para prestígio como para segurança financeira.

O ponto nefasto em tudo isso é que tudo o que os homens desejam pode ser comprado com dinheiro, e seria difícil pensar em uma acusação mais terrível que essa!

Aqueles que verdadeiramente buscam a verdade são quase tão raros quanto um animal albino!

Por quê? Porque a verdade é um mestre glorioso, porém severo. Jesus disse: "Eu sou... a verdade..." (JOÃO 14:6) e seguiu a verdade até a cruz. Aquele que busca a verdade deve segui-lo até esse ponto, e por esta razão poucos homens buscam a Verdade!

*Senhor, é tão fácil envolver-se com as coisas deste mundo.
Ajuda-me a encontrar equilíbrio no trabalho para a provisão das
necessidades de minha família e confiá-las todas a ti.*

A.W. Tozer

CONTE-ME TODA A VERDADE

...na esperança da vida eterna que o Deus que não pode mentir prometeu antes dos tempos eternos. TITO 1:2

Diz-se que, de fato, há líderes cristãos entre nós que são acanhados demais quando se trata de falar a verdade por completo às pessoas.

Eles agora pedem a homens e mulheres que deem a Deus apenas aquilo que não lhes custe nada!

O clima moral contemporâneo não favorece uma fé firme e consistente como a ensinada por nosso Senhor e Seus apóstolos.

Cristo chama as pessoas para carregarem Sua cruz; nós as chamamos para se divertirem em Seu nome!

Ele as chama para sofrer; nós as chamamos para usufruir de todos os confortos burgueses que a civilização moderna fornece!

Ele as chama para a santidade; nós as chamamos para uma felicidade barata e espalhafatosa que teria sido rejeitada com desprezo pelo menor dos filósofos estoicos!

Quando os cristãos aprenderão que para amar a justiça é necessário odiar o pecado? Que para aceitar a Cristo é necessário negar-se a si mesmo? Que um amigo do mundo é inimigo de Deus? Não nos choquemos com a sugestão de que há desvantagens em um viver em Cristo!

Ó Senhor, é tão difícil para o espírito humano negar-se ou rejeitar-se. Oro para que Teu Espírito tome o controle do leme de minha vida hoje.

A.W. Tozer

DERRAME-SE

...quando vier, porém, o Espírito da verdade, ele vos guiará a toda a verdade... JOÃO 16:13

A ciência declara que a natureza abomina o vazio. Deveria nos alegrar então, saber que esse mesmo princípio é verdadeiro no reino de Deus — quando você se esvazia, o Deus Todo-Poderoso rapidamente adentra!

O Deus Criador que preenche o Universo e transborda em imensidão jamais pode ser concebido por essa pequena coisa que chamamos de cérebro, mente, intelecto. Jamais podemos nos levantar para encarar Deus por aquilo que somos e o que sabemos!

Apenas por amor e fé nos tornamos capazes de conhecê-lo e adorá-lo!

Que momento feliz quando somos atraídos para fora de nós mesmos, e nesse vazio entra rapidamente a bendita Presença!

Quão maravilhoso é, em nossa humanidade, perceber a realidade do convite do Espírito Santo: "Derrame-se! Entregue-se para mim! Esvazie-se! Traga seus vasos terrenos vazios! Venha em mansidão como uma criança!"

Esvaziem-se de si mesmos pelo Espírito Santo de Deus — pois quem, além do Espírito Santo, conhece as realidades de Deus?

Somos libertos de nós mesmos quando finalmente buscamos a Deus, tendo-o como alvo exclusivo!

Sim, Senhor, liberta-me de mim mesmo hoje!
Ajuda-me a viver para ti e para os outros.

A.W. Tozer

VENCEDORES DE DEUS

São estes os que... lavaram suas vestiduras e as alvejaram no sangue do Cordeiro. APOCALIPSE 7:14

Insisto que, se estamos sobrecarregados com preocupação genuína, temos a responsabilidade de examinar a verdadeira condição espiritual dos homens e mulheres dentro de nossas igrejas.

Nós vivemos em um momento de cristianismo superficial e banal. É uma era marcada por educadas "mordidelas" nas bordas da Palavra de Deus. Há um modo de pensar no cristianismo atual que pressupõe que se deve ter problemas ou sofrer dificuldades por amor a Cristo!

Meus irmãos, o que significa ser leal a Jesus Cristo? Confessar que Jesus é mais importante para nós do que qualquer outra coisa no mundo?

Muitos acham difícil entender a quantidade de cristãos que poderiam ter morrido por sua fé, em nossa geração! Com um remoto senso de admiração, nós os chamamos de cidadãos sinceros. Deus os chama de vencedores!

Cristãos professos, em nossas igrejas, dificilmente conseguiriam compreender um preço tão alto pela fé que valorizamos tão pouco. A prosperidade material e a aceitação popular minaram a vitalidade de nosso testemunho cristão!

Senhor, quero ser contado entre Teus vencedores e oro especialmente por meus irmãos em Cristo que professam Teu nome em culturas hostis.

A.W. Tozer

ESTAMOS AQUI E É NOSSA VEZ

...e quem sabe se para conjuntura como esta é que foste elevada a rainha? ESTER 4:14

Assim como aqueles que viveram no passado tiveram o privilégio de, naquela época, ser o povo de Deus pela fé, nós também temos este privilégio nos dias de hoje! É bom ter o entendimento de que ainda que Deus queira que sejamos santos e cheios do Espírito, Ele não espera que tenhamos a aparência de Abraão ou que toquemos harpa como Davi ou que tenhamos o mesmo esclarecimento espiritual dado a Paulo.

Todos os antigos heróis da fé estão mortos. Você está vivo em sua geração. Um provérbio da Bíblia diz que um cão vivo é melhor do que um leão morto (ECLESIASTES 9:4). Você pode desejar ser Abraão, Isaque ou Jacó, mas lembre-se de que eles dormem há séculos e você ainda está aqui!

Você pode testemunhar por nosso Senhor hoje! Ainda pode orar! Pode doar do que tem para ajudar os que necessitam!

Nesta geração, a sua geração, dê a Deus todo o seu amor, toda a sua devoção. Você não sabe qual segredo santo e feliz Deus pode querer sussurrar ao coração que é submisso!

Obrigado Senhor pelo encorajamento deste devocional hoje. É o que eu precisava ouvir. Usa-me para promover o Teu reino, Senhor. Sussurra e obedecerei.

A.W. Tozer

"NASCIDO DE DEUS!"

...pelo seu próprio sangue, entrou no Santo dos Santos...
HEBREUS 9:12

Acredito que a maioria de nós se lembra, com segurança, das palavras do hino de Charles Wesley, que eram seu próprio testemunho:

Seu Espírito se submete ao sangue,
E me diz que sou nascido de Deus!

Wesley comprovou aqui, e em muitos outros hinos, ter uma iluminação interior!

Quando me tornei cristão, ninguém precisou vir a mim e me explicar o que Wesley quis dizer. É por isso que Jesus ensinou que quem estiver disposto a fazer Sua vontade terá a revelação em seu coração. Ele terá um testemunho interior que lhe dirá que é filho de Deus.

Muitas pessoas tentam fazer de Jesus Cristo uma conveniência. Elas o reduzem a um simples Grande Amigo que nos ajudará quando estivermos com problemas.

Esse não é o cristianismo bíblico! Jesus Cristo é Senhor, e quando um indivíduo vai a Ele, em arrependimento e fé, a verdade reluz. Pela primeira vez esse indivíduo dirá: "Farei a vontade do Senhor mesmo que morra por isso!"

Senhor, oro hoje por amigos e familiares
que podem estar questionando seu relacionamento contigo.
Atrai-os para ti, Pai celestial.

A.W. Tozer

CONVICÇÃO E DOR

*Então, lhe perguntou Nicodemos: Como pode
suceder isto?...* JOÃO 3:9

Considero positivo que algumas pessoas ainda façam perguntas como estas em nossas igrejas: "O que deveria acontecer em uma conversão genuína a Cristo?" e "o que uma pessoa deveria sentir no processo do novo nascimento?"

Caso faça-me essas perguntas, minha resposta é a seguinte: "Deve haver um clamor de dor real e genuíno!"

É por isso que não fico impressionado com o tipo de evangelismo que tenta convidar pessoas para a comunhão com Deus pela assinatura em um papel. Deveria haver um nascimento interior, um nascimento que vem do alto. Deveria haver o terror de nos vermos em violento contraste com o santo, santo Deus!

A menos que cheguemos nesse lugar de convicção e dor a respeito do nosso pecado, não sei quão profundo e real nosso arrependimento será.

O homem a quem Deus usará, deve estar liquidado, ser humilde e ensinável. Ele precisa ser, como o Isaías atônito, um homem que viu o Rei em Sua beleza!

*Senhor, oro para que muitos incrédulos, em nações
difíceis de serem alcançadas, percebam sua necessidade de um
Salvador e clamem Teu santo Nome para encontrar salvação.*

A.W. Tozer

ROMPA COM ESTE MUNDO

*Por isso, retirai-vos do meio deles, separai-vos,
diz o Senhor...* 2 CORÍNTIOS 6:17

Ouso dizer que cristãos que passaram a amar Jesus Cristo e nele confiar genuinamente, também renunciaram a este mundo e escolheram um novo modelo segundo o qual padronizaram sua vida.

Ademais, deveríamos dizer que esse é o aspecto da vida cristã de que muitas pessoas não gostam. Elas querem conforto. Querem bênção. Querem paz. Mas rechaçam essa quebra radical e revolucionária com o mundo.

Seguir a Cristo nesse caminho difícil e radical é demais para elas!

O verdadeiro cristão, de fato, diverge do mundo porque sabe que o mundo não pode cumprir suas promessas. Como discípulo que crê em Cristo, ele não fica sem uma "norma" segundo a qual procura se ajustar. O próprio Senhor Jesus Cristo é a norma, o modelo idealmente perfeito; e a alma adoradora anseia ser como Ele. De fato, todo o impulso por trás da vida cristã é o anseio por estar conformado à imagem de Cristo!

*Amado Senhor, é difícil ser um futuro cidadão do
céu e ainda viver e ter funções neste mundo. Ajuda-me a viver cada
dia de modo digno de Jesus Cristo* (FILIPENSES 1:27).

A.W. Tozer

O "VÍRUS" DO MUNDO

*Longe de vós, toda amargura, e cólera, e ira,
e gritaria...* EFÉSIOS 4:31

Como cristãos, precisamos nos posicionar, juntos, contra algumas questões. Então, se você ouvir alguém dizer que muito do que A. W. Tozer prega é negativo, apenas sorria e concorde: "Isso é porque ele prega a Bíblia!"

Aqui estão algumas das questões a que nos opomos: somos contra os muitos ídolos modernos que tiveram permissão para entrar lentamente nas igrejas; somos contra o "fogo ilícito" que está sendo oferecido nos altares do Senhor; somos contra os deuses modernos que estão sendo adotados em nossos santuários.

Somos contra os modos do mundo e seus falsos valores. Somos contra suas loucuras e seus prazeres vãos. Opomo-nos a avareza e às ambições pecaminosas. Combatemos seus vícios e seus hábitos carnais.

Cremos que isto detalha claramente a verdade de separação da Bíblia. Deus nos pede que nos posicionemos ousadamente contra qualquer fato ou pessoa que fira ou obstrua esse corpo de cristãos do Novo Testamento. Onde a igreja não for curada, será enfraquecida. A Palavra de Deus é o único medicamento que pode destruir o vírus que infesta a vida da igreja!

*Senhor, que nossas igrejas sejam fiéis a toda a
Palavra de Deus e que aqueles que as frequentam se separem
dos valores impiedosos do mundo.*

A. W. Tozer

DEIXE O MEDO SE TORNAR CONFIANÇA

Porque não recebestes o espírito de escravidão, para viverdes, outra vez, atemorizados... ROMANOS 8:15

O que podemos fazer a não ser orar pelas multidões de homens e mulheres hostis que acreditam que sua visão humanística da vida é mais que suficiente? Acreditam que são "capitães" responsáveis por sua própria alma.

O triste fato é que, mesmo ao juntar-se à antiquíssima rejeição de Jesus Cristo — "Não aceitaremos que este Homem nos governe" — ainda estão perturbados com medos interiores.

O atual mundo competitivo e sua sociedade egoísta trouxeram muitos novos temores à raça humana. Compadeço-me daqueles seres perturbados que permanecem acordados durante a noite, preocupando-se com a possível destruição da raça, por meio de algum mal uso do suprimento mundial de armas nucleares. A tragédia é que perderam todo o senso da soberania, da onipotência e da fidelidade do Deus vivo.

Ainda que o mundo material nunca a tenha entendido, nossa fé está bem fundamentada nas Escrituras! Aqueles que consideram seriamente a Palavra de Deus estão convencidos de um verdadeiro domínio espiritual, tão real como este mundo em que habitamos!

Amado Senhor, obrigado por seres uma torre forte onde podemos encontrar abrigo e proteção. Escolho colocar minha confiança em ti.

A.W. Tozer

NOSSA FUTURA RECOMPENSA

...cada um receberá o seu galardão... 1 CORÍNTIOS 3:8

Nossos motivos na vida cristã deveriam ser justos e genuínos. Deus é Aquele que é fiel. Devemos amá-lo e servi-lo porque Ele é Deus — não devido aos atos graciosos que Ele realiza por nós ou pelas recompensas que nos promete!

Entretanto, deve ser dito que Deus não espera que esqueçamos ou ignoremos as graciosas promessas futuras que Ele nos fez. É uma verdade gloriosa que, se crermos em Deus e honrarmos Sua Palavra, se andarmos pela fé, em amor e obediência, haverá recompensas eternas para cada um de nós, naquele grande dia vindouro. As recompensas terão diferenças. Sabedoria, conhecimento e amor residem nele que é nosso Deus. Ele executará os julgamentos corretos para o Seu povo.

Eu não me surpreenderei se alguns dos fiéis a Deus, que o servem hoje, se levantarem e resplandecerem como os heróis da fé listados no livro de Hebreus.

Digo isso com toda veracidade porque não acredito que todos os heróis da fé estão extintos!

Louvo-te Senhor pela promessa da futura recompensa em Cristo!
Adoro-te hoje, ó poderoso Deus de toda a criação!

A.W. Tozer

QUE CRUZ CARREGAMOS?

*...havendo feito a paz pelo sangue da
sua cruz...* COLOSSENSES 1:20

Uma das coisas estranhas debaixo do sol é um cristianismo "sem cruz". A cruz da cristandade é uma "não cruz", representa apenas um símbolo eclesiástico. A cruz de nosso Senhor Jesus Cristo é um lugar de morte!

Que cada um tenha cuidado com a cruz que carrega!

Milhares podem voltar-se contra Jesus Cristo porque não aceitarão Suas condições. Ele olha enquanto se vão, mas não fará concessões.

Aceite uma alma no reino fazendo concessões e esse reino já não é mais seguro. Cristo será Senhor ou Ele será juiz. Todo homem deve decidir se o receberá como Senhor agora, ou o enfrentará como Juiz no futuro!

"Se alguém quer... siga-me" (MATEUS 16:24). Alguns se levantarão e o seguirão, mas outros não darão atenção à Sua voz. Então, uma grande distância se abrirá entre homem e homem, entre aqueles que querem e os que não querem.

O Homem, o amável Desconhecido que andou nesta Terra, é Sua própria testemunha. Ele não se colocará novamente em julgamento; Ele não argumentará. Mas a manhã do julgamento confirmará o que os homens decidiram no crepúsculo!

Pai celestial, obrigado por Tua paciência ao esperar que pessoas arrependidas se voltem para ti. Que este seja um dia em que muitos respondam à Tua voz chamando-os para seguir-te.

A. W. Tozer

O PODER DA CRUZ

*...a cruz... pela qual o mundo está crucificado para mim,
e eu, para o mundo.* GÁLATAS 6:14

Apenas uma pessoa com conhecimento perfeito da humanidade poderia ter ousado estabelecer os termos de discipulado que o nosso Senhor Jesus Cristo estabeleceu para Seus seguidores.

Apenas o Senhor dos homens poderia ter arriscado o efeito de tais demandas tão rigorosas: "...a si mesmo se negue..." (MATEUS 16:24).

Poderia o Senhor estabelecer regras tão severas às portas de Seu reino? Ele pode — e assim o faz!

Se Ele quer salvar o homem, deve salvá-lo de si mesmo. É o "si mesmo" que escravizou e corrompeu o homem. A libertação vem apenas pela negação do eu.

Nenhum homem, com sua própria força, pode destruir as correntes com as quais o eu o aprisiona; porém, depois de tomar fôlego, o Senhor revela a fonte de poder que liberta a alma: "...tome a sua cruz...".

A cruz era um instrumento de morte — sua única função era matar um homem. Jesus disse: "...tome a sua cruz..."; e assim conhecerá a libertação de si mesmo!

*Amado Senhor, tenho muito a aprender sobre negar a mim mesmo
e carregar a minha cruz diariamente — especialmente em meio a
tantas atividades mundanas. Senhor, toma conta do meu ser.*

A. W. Tozer

PRESENÇA DE DEUS

*Assim, os justos renderão graças ao teu nome;
os retos habitarão na tua presença.* SALMO 140:13

Os gigantes espirituais da antiguidade eram aqueles que, em algum ponto, passaram a ser intensamente conscientes da presença de Deus e mantiveram essa consciência por toda sua vida.

De que outra maneira os santos e os profetas podem ser interpretados? De que outra forma podemos considerar o incrível poder para o bem que exercitaram por incontáveis gerações?

Não é fato que se tornaram amigos de Deus? Não caminharam em comunhão consciente com a Presença real e dirigiram suas orações ao Senhor, com a convicção sincera de que estavam verdadeiramente falando a Alguém que realmente estava ali?

Permita-me dizer novamente, pois certamente não é segredo: honramos mais a Deus por acreditar no que Ele disse sobre si mesmo e ir ao Seu trono da graça com ousadia, do que em nos escondermos em uma humildade autoconsciente!

Esses homens singulares, escolhidos por nosso Senhor como Seus discípulos mais próximos, podem ter hesitado ao alegar amizade com Cristo. Mas Jesus lhes disse: "Vocês são meus amigos!"

*Senhor, minha oração nesta manhã é que eu me torne
intensamente consciente da Tua presença.*

A.W. Tozer

DEUS TEM UMA SOLUÇÃO

Se confessarmos os nossos pecados,
ele é fiel e justo para nos perdoar os pecados... 1 JOÃO 1:9

Aqueles que costumam fazer questionamentos geralmente proclamam esta profunda e inquietante questão: "Por que Deus perdoa? E como Deus perdoa o pecado?"

Há um ensino claro por todo o Antigo e o Novo Testamentos com relação à disposição de Deus de perdoar e esquecer. Entretanto, há segmentos da igreja cristã que parecem ser pobremente ensinados sobre a solução clara de Deus para o cristão que cedeu à tentação e falhou com seu Senhor, no que diz respeito à expiação de Cristo.

Deus sabe que o pecado é a sombra escura que se coloca entre Ele e Sua criação mais sublime: o homem. O Senhor está mais disposto a remover essa sombra do que nós desejamos que seja removida!

Ele quer nos perdoar — e esse desejo é uma parte do caráter do Senhor. Na morte sacrificial de um cordeiro no Antigo Testamento, Deus estava nos dizendo que um dia um Cordeiro perfeito viria para verdadeiramente nos purificar do pecado.

É dessa maneira e com base nesses fundamentos que Deus perdoa o pecado. Nas palavras de João: "...temos Advogado junto ao Pai, Jesus Cristo, o Justo; e ele é a propiciação pelos nossos pecados..." (1 JOÃO 2:1,2).

Sou verdadeiramente grato, Senhor, por Tua constante disposição
de perdoar-me quando tropeço em minha caminhada contigo.

A. W. Tozer

UNANIMIDADE ESPIRITUAL

*Finalmente, sede todos de igual ânimo,
compadecidos, fraternalmente amigos.* 1 PEDRO 3:8

O Espírito Santo sabia o que estava fazendo quando moveu o apóstolo Pedro a escrever à igreja cristã primitiva sobre a realidade de ser de "igual ânimo" no que diz respeito à comunhão.

Pedro não estava pedindo a todos os irmãos e irmãs que aceitassem algum tipo de uniformidade regularizada. Ele estava recomendando uma unanimidade espiritual — o que significa que o Espírito de Deus, ao tornar Cristo real no interior de nosso ser, também nos dará uma unidade em certas qualidades e disposições.

Pedro deixa pouca dúvida sobre os frutos da genuína unanimidade cristã: Sejam semelhantes em compaixão, amor, piedade, cortesia e perdão!

E então ele resume tudo: "Finalmente, sede todos de igual ânimo!"

O amor de Deus derramado amplamente em nosso coração — compaixão e amor que só podem ser encontrados em Jesus Cristo — é o único elemento de unidade verdadeira entre homens e mulheres hoje!

*Senhor, oro por unidade espiritual entre todos
os verdadeiros cristãos e por harmonia espiritual entre todas
as igrejas que honram a Cristo.*

A.W. Tozer

ESPERANÇA — OU DESESPERO?

*...O homem não pode receber coisa alguma
se do céu não lhe for dada.* JOÃO 3:27

João Batista deu a seus inquiridores uma breve afirmação que eu teria chamado de "a esperança e o desespero" da humanidade. Ele lhes disse que "o homem não pode receber coisa alguma se do céu não lhe for dada".

João não estava se referindo a presentes de homens. Ele falava da verdade espiritual. A verdade divina é da natureza do Espírito Santo e, por essa razão, pode ser recebida apenas por revelação espiritual.

Em suas cartas no Novo Testamento, o apóstolo Paulo declara, vez após vez, a incapacidade do intelecto humano de descobrir ou compreender a verdade divina. Nessa incapacidade vemos o desespero humano.

João Batista disse: "...se do céu não lhe for dada" — e essa é nossa esperança! Essas palavras certamente significam que há algo como um dom de conhecimento, um dom que vem do céu. Jesus prometeu a Seus discípulos que o Espírito Santo da verdade viria e lhes ensinaria todas as coisas (JOÃO 16:13,14).

Jesus também orou: "...Graças te dou, ó Pai, Senhor do céu e da terra, porque ocultaste estas coisas aos sábios e instruídos e as revelaste aos pequeninos..." (LUCAS 10:21).

Senhor, enquanto leio Tua Palavra, que Teu Espírito me ajude a perceber Tua verdade espiritual e a aplicá-la à minha vida.

A.W. Tozer

O TRIUNFO DA PÁSCOA

Por que buscai entre os mortos ao que vive?
Ele não está aqui, mas ressuscitou... LUCAS 24:5,6

Não me importo de revelar a você que, em meu interior, acho a mensagem da Páscoa e a realidade da Ressurreição mais belas e gloriosas do que a história do Natal.

O Natal nos conta que Jesus nasceu — que Ele nasceu para a humilhação do sofrimento, para a morte e para a expiação.

Mas a Páscoa é a celebração radiante e repleta da glória do poderoso triunfo de Cristo sobre a sepultura, a morte e o inferno!

Quando a Páscoa chega, nossa voz se ergue em coro triunfante:

Rapidamente se foram três dias dolorosos
Dos mortos, Ele ressuscita glorioso!

Aí está a verdadeira beleza! Isto é mais do que a beleza das cores; mais do que a beleza do traçado ou da forma; mais do que a beleza da proporção física.

No Cristo vivo está a perfeição; e porque Ele vive, nós também viveremos na presença de Sua beleza e das glórias do céu para sempre!

Senhor ressurreto, que privilégio é chamar-te
de meu Salvador e Rei! O fato de que triunfaste contra a morte
é maravilhoso e incompreensível.

A.W. Tozer

O PODER DA RESSURREIÇÃO

Jesus, aproximando-se, falou-lhes, dizendo:
Toda a autoridade me foi dada no céu e na terra. MATEUS 28:18

Sejamos confiantes, irmãos, de que nosso poder não está na manjedoura em Belém ou nas relíquias da cruz. O poder espiritual verdadeiro está na vitória do Senhor da glória, poderoso e ressurreto, que pôde pronunciar após destruir a morte: "...Toda a autoridade me foi dada no céu e na terra."

O poder do cristão está no triunfo da glória eterna do Salvador!

A ressurreição de Cristo trouxe à tona uma espantosa mudança de direção para os cristãos. A tristeza, o medo e o lamento marcaram a direção de sua religião antes de saberem que Jesus havia ressuscitado dos mortos — iam em direção à sepultura. Quando ouviram o testemunho angelical: "...ressuscitou, como tinha dito..." sua direção imediatamente mudou e eles se afastaram do túmulo — "Ele ressuscitou de fato!" Se esse não é o significado da Páscoa, a igreja cristã está apenas realizando uma celebração superficial em um dia específico, todos os anos.

Felizmente, a manhã da ressurreição foi apenas o começo de uma grande conquista que nunca acabou — e não acabará até que nosso Senhor Jesus Cristo volte!

Amado Pai celestial, promove a triunfante mensagem
da ressurreição em áreas ainda não alcançadas pelo evangelho.
Fortalece, encoraja e equipa Teus servos para essa incrível tarefa.

A. W. Tozer

RESSURREIÇÃO: UM FATO

*...estejais certos da verdade já presente... não vos demos
a conhecer o poder e a vinda de nosso Senhor Jesus Cristo
seguindo fábulas engenhosamente inventadas...* 2 PEDRO 1:12,16

A ressurreição de Cristo e o fato do túmulo vazio não são parte das complexas e incessantes mitologias deste mundo. Isso não é um conto do Papai Noel — é história e é uma realidade!

A verdadeira Igreja de Jesus Cristo é necessariamente estabelecida sobre a crença e a verdade de que houve uma morte real, um túmulo real e uma pedra real!

Mas, graças a Deus, havia um Pai soberano no céu, um anjo enviado para rolar a pedra e um Salvador vivo em um corpo ressurreto e glorificado, capaz de proclamar a Seus discípulos: "...Toda autoridade me foi dada no céu e na terra" (MATEUS 28:18).

Irmãos, Ele morreu por nós, mas desde o momento da ressurreição, Ele é o poderoso Jesus, o poderoso Cristo, o poderoso Senhor!

Nossa tarefa é agradecer a Deus com reverência e contrição pela cruz, mas continuar caminhando para um entendimento correto do que a ressurreição significa para Deus e para os homens. Entendemos e reconhecemos que a ressurreição colocou uma coroa gloriosa sobre todos os sofrimentos de Cristo!

*Senhor, eu te louvo porque a ressurreição de Jesus Cristo
é um fato e não uma lenda. Porque Ele vive, tenho propósito real
nesta vida e posso olhar adiante para a vida futura.*

A.W. Tozer

PÁSCOA — E MISSÕES

Para o conhecer, e o poder da sua ressurreição... FILIPENSES 3:10

Realmente acreditamos que a ressurreição de Jesus Cristo serve para algo mais do que nos tornar os "camaradas mais felizes na comemoração de Páscoa"?

Devemos apenas ouvir a brilhante cantata e nos unirmos ao cantar: "Da sepultura saiu" [N.E.: HCC 140.], sentir o aroma das flores, ir para casa, e depois esquecer tudo?

Não, certamente não!

A ressurreição é uma verdade e uma promessa com uma aplicação moral específica. Ela certamente nos comissiona com toda a autoridade do compromisso soberano — o compromisso missionário!

Não posso ceder à tática capital e enganosa do diabo que deixa muitos cristãos satisfeitos com uma "celebração de Páscoa", em vez de experimentarem o poder da ressurreição de Cristo.

É trabalho do inimigo manter os cristãos lamentando e pranteando com aflição ao lado da cruz, em vez de demonstrar que Jesus Cristo, de fato, ressuscitou.

Quando a igreja cristã se levantará na dependência de Sua promessa e poder e entrará na ofensiva pelo Salvador ressurreto que ascendeu?

Senhor, Tua ressurreição é um chamado para a ação.
Nenhuma outra religião pode requerer o poder que tu demonstraste naquela primeira manhã de Páscoa.
Tu és o único Deus verdadeiro! Dá-me oportunidades para falar a outros sobre Teu poder salvador.

A. W. Tozer

"NÃO TE ABANDONAREI!"

*...E eis que estou convosco todos os dias
até à consumação do século.* MATEUS 28:20

Os homens sem Deus sofrem sozinhos e morrem sozinhos em momentos de guerra e em outras circunstâncias da vida. Completamente sozinhos!

Mas jamais pode se dizer que qualquer verdadeiro soldado da cruz de Jesus Cristo, nenhum homem ou mulher, como missionário ou mensageiro da Verdade, saiu para um ministério sozinho!

Houve muitos mártires cristãos — mas nenhum deles esteve nesse campo de missões sozinho. Jesus Cristo mantém Sua promessa de levá-los pela mão e guiá-los triunfantemente para o mundo além da morte.

Podemos resumir, observando que Jesus Cristo pede apenas para nos entregarmos ao Seu senhorio e obedecer aos Seus mandamentos. Quando o Espírito de Deus lida com nossos jovens com relação à sua responsabilidade missionária, Cristo lhes garante Sua presença e poder enquanto se preparam para ir: *Toda autoridade me foi dada no céu e na terra! Não estou mais na sepultura. Eu o protegerei. Darei suporte a você. Irei à sua frente. Darei a você eficácia para o seu testemunho e seu ministério. Vá, e faça discípulos em todas as nações — não o deixarei, nem o desampararei!*

*Obrigado, Senhor, por estares tão próximo de mim
e de meus amados, em todos os momentos.*

A. W. Tozer

INCLINANDO-SE PARA A HERESIA

*Fala o Poderoso, o Senhor Deus...
pensavas que eu era teu igual...* SALMO 50:1,21

Quando um grande número de partidários nas igrejas cristãs passa a crer que Deus é diferente do que Ele realmente é, esse conceito se torna uma heresia do tipo mais pérfido e fatal!

Quando a igreja cristã rende seu conceito antes elevado de Deus e o substitui por ideias tão baixas, tão ignóbeis a ponto de serem completamente indignas, sua situação passa a ser, de fato, trágica. Toda uma nova filosofia se desenvolve com respeito à vida e às práticas da igreja; e o senso da Presença divina e da majestade de Deus já não é mais conhecido.

Embora a "moralidade" não seja mais uma palavra popular em nosso mundo, é evidente que tais conceitos vis e indignos sobre a Pessoa de Deus verdadeiramente constituem uma calamidade moral para cristãos professos nos grandes segmentos do cristianismo. Os registros da história sagrada e secular revelam que as vis concepções sobre Deus certamente destruirão o apelo do cristão para todos que as considerem verdadeiras!

A todos os pecadores, Jesus disse: "...Importa-vos nascer de novo." Ele sabia que os deuses forjados nos pensamentos sombrios dos filhos caídos de Adão naturalmente não teriam semelhança verdadeira com o Deus vivo e real!

*Amado Senhor, impeça-me de algum dia diminuir Tua grandeza.
Que tu reveles um vislumbre de Teu forte poder
a todos aqueles no mundo que pouco te valorizam.*

A.W. Tozer

PECAR É SE REBELAR

...o pecado, uma vez consumado, gera a morte.
TIAGO 1:15

Alguns de vocês irão se opor ao que vou dizer — porém, minha opinião é que no cristianismo temos enfatizado demasiadamente a psicologia da condição do pecador perdido.

Gastamos tempo descrevendo os "ais" do pecador e o grande fardo que ele carrega, ao ponto de quase esquecermos o fato principal de que o pecador está, na verdade, rebelando-se contra a autoridade devidamente constituída!

É isso que faz o pecado ser pecado! Somos rebeldes e filhos da desobediência. O pecado é a violação da lei e nós somos fugitivos da justa lei de Deus e do julgamento divino, enquanto formos pecadores.

Contudo, felizmente o plano de salvação reverte essa realidade e restaura o relacionamento original, de modo que a primeira coisa que o pecador faz é confessar: "...Pai, pequei contra o céu e diante de ti; já não sou digno de ser chamado teu filho" (LUCAS 15:21).

Portanto, arrependidos, revertemos esse relacionamento e nos submetemos por completo à Palavra de Deus e à vontade de Deus, como filhos obedientes!

Amado Senhor, Tu não vieste a este mundo para condenar, mas para salvar pecadores. Que Teu Espírito opere Sua obra de convicção nos corações de muitos que te buscam hoje.

A.W. Tozer

A VIDA TRANSFORMADA

E quem não toma sua cruz... não é digno de mim.
MATEUS 10:38

Muitos dos grandes evangelistas que alcançaram o mundo para Deus, incluindo homens como Jonathan Edwards e Charles Finney, declararam que a igreja está sendo traída por aqueles que insistem em um cristianismo "fácil demais".

Jesus estabeleceu os termos do discipulado cristão e há alguns entre nós que criticam: "Essas palavras de Jesus soam severas e cruéis."

É aqui que nos posicionamos: Receber Jesus Cristo em sua vida significa que você estabeleceu uma conexão com a Pessoa de Cristo, uma conexão revolucionária, no sentido de que ela reverte a vida e a transforma completamente! Ela é completa no sentido de que não deixa pontos da vida intatos. Não isenta nenhuma área da vida do homem integral.

Pela fé e por meio da graça, você agora estabeleceu um relacionamento exclusivo com o seu Salvador, Jesus Cristo. Todos os seus outros relacionamentos estão condicionados e determinados por esse único relacionamento com o seu Salvador.

Receber Jesus Cristo, então, é nos conectarmos para sempre, pela fé, à Sua santa pessoa, para viver ou morrer! Ele deve ser o primeiro e o último, deve ser tudo!

Senhor, Teu chamado para minha vida é pleno.
Mas há momentos em que me sinto impelido para direções que
podem não ser agradáveis a ti. Dá-me graça
e força para manter-te em primeiro lugar em minha vida.

A.W. Tozer

A CORRIDA DA VIDA

...corramos, com perseverança, a carreira que nos está proposta.
HEBREUS 12:1

O escritor de Hebreus nos dá um bom conselho no Novo Testamento: "...corramos, com perseverança...".

O Espírito Santo descreve aqui os cristãos como corredores na raia, participantes da corrida que é a vida cristã. Ele fornece tanto o forte alerta quanto o encorajamento afetuoso, pois sempre há o perigo de perder a corrida; contudo, há também a recompensa do vencedor esperando por aqueles que correm com perseverança e paciência. Portanto, há coisas importantes que cada um de nós deveria saber e compreender sobre nossas lutas como povo fiel de Deus.

Por exemplo, é fato que a corrida cristã é uma competição. Mas de forma alguma é uma competição entre cristãos ou entre igrejas! Ao vivermos pela fé, nós, cristãos, jamais devemos competir com outros cristãos. A Bíblia deixa isso muito claro!

As igrejas cristãs nunca receberam ordens de fazer a proclamação do Salvador com um espírito de competição em relação a outras igrejas que servem a Jesus. O Espírito Santo nos diz para manter os olhos em Cristo, não em outros que também estão correndo a carreira da fé!

Senhor Jesus, ajuda-me a manter meus olhos em ti enquanto corro a carreira da vida cristã.

A.W. Tozer

ESTAMOS ENCURRALADOS?

Conheço as tuas obras, que nem és quente nem frio...
APOCALIPSE 3:15

Deus falará conosco se lermos, estudarmos e obedecermos à Sua Palavra! Mas quando Ele realmente fala, deveríamos falar também com Ele, em oração e devoção. Caso contrário, estaremos entre os cristãos que estão atolados em um mesmo ponto.

Muitos, em nossas congregações, envelheceram e, ainda assim, não galgaram nem um centímetro rumo à montanha. Estão no mesmo ponto em que estavam no dia em que o sol se levantou sobre eles na conversão. Na verdade, alguns não estão avançando e nem mantiveram o avanço na caminhada com Deus que tinham há alguns anos.

Se essas coisas são verdadeiras, só posso concluir que há cristãos "comuns", aqueles homens e mulheres que já não ouvem mais o Senhor falando com eles como deveriam.

Será que realmente pensam que essa caminhada da vida cristã, que não passa da metade do caminho, é o melhor que podemos conhecer?

À luz do que Cristo nos oferece, como podemos aceitar tão pouco? É uma tragédia de nosso tempo que tantos têm aceitado menos do que o Senhor está disposto a conceder!

Amado Senhor, algumas vezes minha vida espiritual parece estar estagnada. Quero continuar crescendo em meu relacionamento contigo, Senhor.

A. W. Tozer

CRISTIANISMO MEDÍOCRE

*Eu, porém, irmãos, não vos pude falar como a espirituais,
e sim como a carnais...* 1 CORÍNTIOS 3:1

Leia o Novo Testamento novamente e você concordará que a mediocridade na vida cristã não é o melhor que Jesus oferece. Certamente Deus não é honrado por nosso desenvolvimento espiritual interrompido — nossa permanente espiritualidade parcial.

Todos nós sabemos que a Bíblia nos diz que honramos a Deus ao caminharmos para a maturidade plena em Cristo!

Por que, então, aceitamos esses pequenos prazeres que divertem os poucos santos e encantam as fantasias dos carnais?

É porque certa vez ouvimos um chamado para tomarmos a cruz e, em vez de seguir em direção às alturas, barganhamos com o Senhor como vendedores ambulantes! Sentimos um ímpeto de nos dedicarmos por completo a Cristo, mas em vez de seguirmos esse impulso, começamos a questionar. Passamos a brigar e barganhar com Deus por causa de Seus padrões para as conquistas espirituais.

Essa é a pura verdade — não em relação a incrédulos "liberais" — mas em relação àqueles que nasceram de novo e que ousam perguntar: "Senhor, o que me custará?"

*Ó Senhor, em meu coração desejo honrar-te,
alcançando a maturidade em Cristo. Ajuda-me a não
me satisfazer com a mediocridade.*

A. W. Tozer

INSTRUA E ENTÃO EXORTE

*Habite, ricamente, em vós a palavra de Cristo;
instruí-vos e aconselhai-vos mutuamente...* COLOSSENSES 3:16

Os homens piedosos da antiguidade, por meio de quem as Escrituras chegaram a nós, eram fiéis em suas exortações sobre fé pessoal e piedade, características da igreja primitiva.

O método apostólico de ensinar, instruir e encorajar alicerçava-se sobre a doutrina cristã sólida e fundamental. Esse foi o método de Paulo em suas cartas no Novo Testamento. Primeiramente, ele deu a seus leitores razões escriturísticas para certas ações e atributos cristãos. Ele proveu a base e a razão — e, então, exortou os leitores a responder adequadamente.

Não sabemos se Paulo era o escritor do livro de Hebreus, mas o método de exortação é semelhante ao de Paulo. Temos garantia de que Cristo é maior do que Moisés e maior do que os anjos; e que Ele comprou a salvação da humanidade.

E então a exortação: se todas essas coisas são verdadeiras, deveríamos, então, continuar amando-nos e orando uns pelos outros. É um argumento bom e gracioso: quando temos razões para fazer algo, devemos executá-lo sem atraso e sem reservas!

*Senhor, oro hoje por toda a instrução bíblica apresentada
por mestres em nossas instituições cristãs e por pastores em nossas
igrejas. Que Tua Palavra seja ensinada com clareza e poder,
advinda da unção do Teu Espírito. Amém.*

A.W. Tozer

NÃO ESTÁ PREPARADO PARA O CÉU?

Seja-lhe agradável a minha meditação; eu me alegrarei no
Senhor. SALMO 104:34

Posso dizer seguramente, com a autoridade de tudo o que é revelado na Palavra de Deus, que qualquer homem ou mulher, nesta Terra, que se entedie e seja indiferente à adoração, não está pronto para o céu!

Eu quase consigo ouvir alguém dizer: "Será que Tozer está se afastando da justificação pela fé?"

Garanto a você que creio na justificação pela fé tanto quanto Martinho Lutero cria. Mas, hoje em dia, há uma qualidade mortal e automática com relação a ser salvo.

Isto me incomoda grandemente: "Pecador, basta colocar uma moeda de fé no caça níqueis, puxar a alavanca e retirar o pequeno cartão de salvação. Guarde-o em sua carteira e lá vai um cristão justificado!"

Contudo, verdadeiramente, meu irmão, somos levados a Deus, à fé e à salvação para que adoremos a Ele. Não vamos a Deus para sermos cristãos automaticamente estampados com um cunho!

Deus proveu Sua salvação para que sejamos, individual e pessoalmente, filhos vigorosos de Deus, amando-o de todo o nosso coração e adorando-o na beleza de Sua santidade!

Senhor, curvo-me diante de ti nesta manhã como meu Senhor
e Rei. Tu mereces todo o meu amor, louvor e adoração.

A.W. Tozer

CONHECENDO SUA PRESENÇA

*E eis que estou convosco todos os dias até
à consumação do século.* MATEUS 28:20

Não tente inventar um atalho para os planos de Deus a respeito de seu discipulado e sua maturidade espiritual. Se você e eu já estivéssemos preparados para o céu no momento de nossa conversão, Deus nos levaria para casa instantaneamente!

Precisamos nos lembrar de que Deus existe em Si mesmo. Sua santa natureza é tal que não o compreendemos com nossa mente. Ele é de uma essência da qual nenhum outro ser compartilha. Consequentemente, Deus só pode ser conhecido quando Ele próprio se revela!

Descobri que isto é um fato: todo ser humano redimido precisa de humildade de espírito que só pode ser revelada pela presença manifesta de Deus.

Esta misteriosa e, entretanto, graciosa Presença é o ar da vida eterna. É a música da existência, a poesia da vida cristã. É a beleza e a maravilha de pertencer a Cristo — um pecador nascido de novo, regenerado, criado novamente para trazer glória a Deus!

Viver cercado por esse senso de Deus não é apenas belo e desejável, mas é imperativo!

*Senhor, sou tão grato porque revelaste um pouco da Tua natureza
a Teus filhos. Mas quero conhecer-te ainda mais!*

A.W. Tozer

VENHA COMO ESTÁ

...a fim de que, justificados por graça, nos tornemos seus herdeiros, segundo a esperança da vida eterna. TITO 3:7

Deixe-me dizer isto a qualquer um de vocês que ainda esteja tentando acrescentar algo a seus méritos humanos — olhe, pela fé, para o Senhor de misericórdia abundante!

Tentar consertar-se e ajeitar-se nunca será suficiente — você precisa ir a Jesus como está!

Nosso Senhor falou de dois homens que subiram ao templo para orar. Um deles disse: "Deus, aqui estou completamente arrumado. Cada fio de cabelo está no lugar certo!"

O outro disse: "Ó Deus, saí engatinhando do pior lugar possível. Tenha misericórdia de mim!"

Deus perdoou o parasita dos becos, mas mandou o outro homem embora, endurecido, sem arrependimento e sem perdão.

Nós vamos a Ele como estamos, mas em estado de humilde arrependimento. Quando o espírito humano vai a Deus sabendo que tudo o que recebe vem da misericórdia divina, então o arrependimento fez seu trabalhado apropriadamente!

O Senhor promete perdoar, esquecer e levar esse homem até Seu coração e ensiná-lo que toda a bondade de Deus se deve à Sua misericórdia. O que mais um pecador pode pedir?

Amado Senhor, tu me conheces como realmente sou, entretanto, estendeste Tua grande misericórdia a mim. Obrigado por Teu amor e perdão divinos.

A.W. Tozer

BUSCANDO A VERDADE

*...nós... temos recebido... o Espírito que vem de Deus,
para que conheçamos o que por Deus nos foi dado gratuitamente.*
1 CORÍNTIOS 2:12

Vivemos em um mundo confuso em que muitas pessoas não têm certeza alguma sobre o que creem ou o que deveriam crer.

Algumas igrejas apregoam o seguinte: você não precisa crer em nada: "Apenas seja alguém que busca a verdade." Alguns realmente se acomodam com a poesia, como Edwin Markham [N.E.: Poeta americano, 1852–1940.] que "viu sua reluzente mão enviando sinais do sol".

Eu, por exemplo, nunca tive tais sinais de Deus. Temos Bíblias em todos os lugares e o evangelho é pregado fielmente. Entretanto, homens e mulheres buscam a Deus em antigos altares e túmulos — em lugares escuros e empoeirados, e finalmente acabam acreditando que Deus está enviando sinais do sol.

Alguns ficam furiosos comigo quando digo que esse tipo de "busca pela verdade" precisa ser exposto. Precisamos redobrar nossos esforços em dizer ao mundo que Deus é espírito e aqueles que o adoram devem adorá-lo em espírito e em verdade.

Deve ser a Verdade de Deus e o Espírito de Deus! Longe de serem um luxo opcional em nossa vida cristã, a presença e o poder do Espírito Santo são uma necessidade!

Amado Senhor, que Tua verdade se estabeleça cada vez mais em meu coração e se espalhe por todo o mundo como uma poderosa onda de salvação. Oro especialmente para que isto aconteça em nações muçulmanas, budistas e hinduístas.

A.W. Tozer

PROVAÇÃO ESPIRITUAL

Cuidareis em fazerdes como vos mandou o Senhor, vosso Deus; não vos desviareis, nem para a direita, nem para a esquerda. DEUTERONÔMIO 5:32

Nos relatos das Escrituras, há muitos exemplos de homens e mulheres que foram provados, e eu acredito que está claro que o Espírito Santo raramente diz a um cristão que ele está prestes a ser provado.

Abraão passou por uma prova quando o Senhor pediu-lhe que levasse seu único filho até a montanha. Ele achou que estava recebendo uma ordem. Não sabia que estava sendo provado.

Pedro foi provado sem saber. Paulo foi provado e tentado. Chega, então, um momento em que ouvimos verdade suficiente e o Espírito Santo diz: "Hoje este discípulo vai passar pela prova."

O povo de Israel, em seus momentos de prova, chegou a Cades Barneia e, em vez de seguir para a Terra Prometida, disse: "Não avançaremos!" Deus simplesmente deixou que eles passassem pela prova e eles fracassaram!

Há alguém entre nós que tem desejo sincero de ser semelhante a Cristo? Deveríamos todos estar cientes de que todos os dias são dias de provas. Alguns chegam à sua Cades Barneia e recuam.

Que grave consideração: Muitas das pessoas a quem Deus está provando, fracassarão!

Senhor, instrui-me por Teu Espírito e ajuda-me a "passar" com sucesso pelos momentos de prova. Sozinho não conseguirei.

A.W. Tozer

GLORIOSAS CONTRADIÇÕES

...e esse viver que, agora, tenho na carne, vivo pela fé no Filho de Deus, que me amou... GÁLATAS 2:20

Deus revelou tantas contradições gloriosas na vida e na conduta de cristãos genuínos que não é de admirar que sejamos tão surpreendentes para este mundo.

O cristão está morto e, entretanto, vive para sempre. Ele morreu para si mesmo e, no entanto, vive em Cristo.

O cristão salva sua vida ao perdê-la e corre o perigo de perdê-la ao tentar salvá-la.

É estranho, mas verdadeiro, que o cristão é mais forte quando está mais fraco e é mais fraco quando está mais forte. Quando se coloca de joelhos, pensando estar fraco, ele é sempre fortalecido.

O cristão corre menos perigo quando está temente e confiante em Deus e corre mais perigo quando se sente o mais autoconfiante possível.

Ele está mais puro quando se sente mais pecador, e é mais pecador quando se sente mais puro.

O cristão, na verdade, tem o máximo quando abre mão de tudo; e em todos esses dias ele está simplesmente colocando em prática diária os ensinos e o exemplo de Jesus Cristo, seu Salvador e Senhor!

Pai celestial, a maior contradição é que sou um pecador e tu és santo. Entretanto, Tu me redimiste por Tua morte e ressurreição. Eu te louvo Senhor.

A.W. Tozer

ALEGRANDO-SE NAS TRIBULAÇÕES

...pelo contrário, alegrai-vos na medida em que sois coparticipantes dos sofrimentos de Cristo... 1 PEDRO 4:13

O apóstolo Pedro afirmou uma grande verdade cristã na forma de um incrível paradoxo: O cristão obediente continuará a alegrar-se e a louvar a Deus, mesmo em meio a contínuos sofrimentos e provas nesta vida cristã!

O povo de Deus sabe que as coisas nesta Terra não são como deveriam, mas se recusa a juntar-se à brigada da preocupação.

Todos estão ocupados demais, alegrando-se na perspectiva graciosa de tudo o que ocorrerá quando Deus cumprir Suas promessas a Seus filhos redimidos.

Essa habilidade de alegrar-se é demonstrada por toda a Bíblia, e no Novo Testamento ressoa como um sino de prata!

A vida normal do filho de Deus que crê, não pode se tornar uma vida de melancolia e pessimismo, pois é o Espírito Santo de Deus que nos mantém acima da resignação melancólica que marca o secularismo destes dias.

Ainda somos capazes de amar o indesejável e chorar com aqueles que choram, pois nas palavras de Pedro: "...para que também, na revelação de sua glória, vos alegreis exultando" (1 PEDRO 4:13).

Senhor, obrigado por me ajudares não apenas a enfrentar as dificuldades, mas a elevar-me acima das situações difíceis que surgem no trabalho, em casa e na igreja.

A. W. Tozer

CONFESSANDO NOSSO AMOR

Leva-me à sala do banquete, e o seu estandarte sobre mim é o amor. CÂNTICO DOS CÂNTICOS 2:4

Considere comigo a encantadora história do Antigo Testamento sobre a jovem em Cântico dos cânticos. Profundamente apaixonada pelo jovem pastor, ela também é alvo da busca ativa do rei, que exige que ela lhe conceda seu favor. A moça permanece leal ao simples pastor, que colhe lírios e vai buscá-la e a chama através da treliça.

Em vários aspectos, essa é uma bela imagem do Senhor Jesus, de Seu amor e cuidado por Sua Noiva, a Igreja. No relato das Escrituras, ela não rejeita seu amado com desculpas simples. Mas com o coração contrito, ela se levanta para procurá-lo. Enquanto procura, perguntam-lhe: "...Que é o teu amado mais do que outro amado, que tanto nos conjuras?" (5:9).

"[Ele] é totalmente desejável..." (5:16), responde ela. *Ele veio e chamou-me, mas eu não tive coragem de ir.*

Mas finalmente consegue confessar: "...encontrei logo o amado da minha alma..." (3:4).

Ele estava sofrendo, mas não estava distante. Assim o é com o nosso Amado — Ele está muito próximo de nós e espera que o busquemos!

Senhor, tu és "totalmente desejável". Obrigado por buscares a raça humana mesmo em nosso estado de falta de amabilidade.

A.W. Tozer

COMO FUI, ASSIM SEREI

...como fui com Moisés, assim serei contigo...
JOSUÉ 1:5

Deus é o grande Antecessor de todas as coisas!

Porque Ele é, nós somos e tudo mais o é.

Não há como pensar sobre Deus corretamente até que o reconheçamos como alguém que sempre esteve presente — e que estava presente antes de todas as coisas!

Josué precisava aprender isso. Ele havia sido servo de Moisés, o servo de Deus, por tanto tempo, e havia recebido a Palavra de Deus pela boca de Moisés com tanta segurança, que Moisés e o Deus de Moisés se misturaram em seu pensamento, mesclados de tal forma que ele mal podia separar as duas concepções. Por esta associação, eles apareciam juntos na mente de Josué.

Agora que Moisés havia morrido, e para que o jovem Josué não fosse tomado pelo desespero, Deus falou com ele a fim de dar-lhe confiança: "...como fui com Moisés, assim serei contigo...".

Moisés estava morto, mas o Deus de Moisés ainda estava vivo! Nada havia mudado e nada havia sido perdido, pois nada que vem do Senhor morre quando um homem de Deus morre.

"Como fui... assim serei." Apenas o Deus eterno poderia dizer isto!

Deus Todo-Poderoso, oro hoje por líderes cristãos e pastores em terras estrangeiras que precisam ser lembrados de que tu és o Deus eterno que permanece fielmente com eles em todos os seus desafios.

A.W. Tozer

CAMINHADA DE FÉ

Andou Enoque com Deus... Deus o tomou para si.
GÊNESIS 5:24

Há lições espirituais para todo cristão na vida do piedoso Enoque, da sétima geração de Adão, da linhagem de seu filho Sete.

É impressionante que ele conseguisse resistir ao diabo e encontrar comunhão com seu Deus Criador, pois ele vivia em uma sociedade mundana que rumava à destruição.

A caminhada diária de Enoque era uma caminhada de fé, uma caminhada de comunhão com Deus. As Escrituras estão tentando nos garantir que, se Enoque podia viver e caminhar com Deus, pela fé, em meio a uma geração pecadora, nós, da mesma forma, deveríamos poder seguir seu exemplo, porque a raça humana é a mesma e Deus é o mesmo!

Além disso, Enoque nos lembra de que a qualidade e a ousadia de nossa fé serão da medida de nossa preparação para o retorno de Jesus Cristo a esta Terra. Caminhamos pela fé, como fez Enoque; e ainda que [21] séculos tenham se passado, após a curta permanência de Cristo no mundo, apegamo-nos firmemente à promessa do Novo Testamento de que nosso Senhor ressurreto retornará à Terra!

Senhor, o exemplo de Teu servo Enoque é um lembrete para mim de que é possível ser piedoso em meio a uma geração perversa. Ajuda-me a permanecer fiel a ti e a Teus caminhos, ó Senhor.

A.W. Tozer

ENOQUE ESCAPOU DA MORTE

*Pela fé, Enoque foi trasladado para não ver a morte...
obteve testemunho de haver agradado a Deus.* HEBREUS 11:5

O registro de Gênesis a respeito de Enoque deveria falar conosco em momentos atribulados, pois esse é o propósito da Palavra de Deus. Deveríamos nos preocupar em ouvir e obedecer!

A fé e a conduta do homem Enoque compõem uma imagem vívida — uma poderosa lição complementar — para encorajar todo cristão em sua fé. Há apenas uma conclusão: Enoque foi transladado à presença de Deus devido à sua fé e, por isso, escapou da morte!

É minha forte convicção de que a experiência de Enoque é um tipo do arrebatamento vindouro da Igreja, a Noiva de Cristo, como descrito nas Escrituras.

É evidente que não houve funeral para Enoque. Talvez os membros de sua família não entendiam plenamente sua caminhada com Deus, mas podiam responder com os fatos! "Ele se foi! Nós achávamos que ele era rígido demais em suas crenças, mas agora ele se foi e nós ainda estamos aqui neste mundo conturbado!"

*Senhor, em certos dias é especialmente bom saber
que haverá uma recompensa eterna para aqueles que
caminham em comunhão estreita contigo.*

A.W. Tozer

UM HOMEM ENVIADO DE DEUS

...entre os nascidos de mulher, ninguém apareceu maior do que João Batista... MATEUS 11:11

O registro da Bíblia é muito claro quando nos garante que João Batista foi um homem enviado de Deus.

Nossa geração provavelmente decidiria que tal homem deveria ser completamente orgulhoso do fato de que Deus o havia enviado. Nós o incitaríamos a escrever um livro. Líderes de seminário fariam fila para agendar palestras.

Na verdade, João Batista nunca teria se encaixado no cenário religioso de nossos dias — jamais! Ele não tinha um terno para usar. Não tinha cuidado para escolher as palavras que não fossem ofender. Não citava belas passagens dos poetas. Os psiquiatras rapidamente o teriam aconselhado: "Você realmente precisa se ajustar aos tempos e à sociedade!"

Ajuste. Essa é uma palavra moderna que passei a odiar. Nunca foi uma expressão usada para falar sobre seres humanos até esquecermos que o homem tem uma alma. Agora temos homens estranhos com "chaves de fenda" mentais, apertando parafusos em uma pessoa e soltando-os em outra. João não precisava de ajuste algum. Ele recuou com alegria para que todos os olhos se voltassem para Jesus, o Cordeiro de Deus!

Senhor, oro para que minha igreja e outras igrejas evangélicas exibam a coragem e a ousadia de João Batista e levem muitas pessoas a Jesus Cristo.

A.W. Tozer

DEMONSTRE SUA FÉ

O espírito é o que vivifica... as palavras que eu vos tenho dito são espírito e são vida. JOÃO 6:63

Sabemos de muitos que foram enganados e acreditaram que aprender e memorizar a doutrina cristã é suficiente. Eles realmente pensam que, de alguma forma, são melhores por terem aprendido as doutrinas da religião.

Deus, na verdade, nos pede o que pediu a Noé há muito tempo! "Demonstre sua fé em sua vida diária!"

É evidente que Deus não disse a Noé: "Dependo de você para manter as doutrinas ortodoxas adequadas. Tudo dará certo se você se posicionar em favor das doutrinas corretas."

Li uma declaração de Martin Lloyd-Jones, pregador e escritor inglês, que dizia: "Aprender a doutrina, por si só, está, para qualquer pessoa, perigosamente próximo do que é pecaminoso."

Concordo com sua conclusão de que a doutrina é sempre melhor quando é encarnada — quando é vista incorporada na vida de homens e mulheres piedosos. Nosso Deus revelou-se em Seu melhor quando veio ao nosso mundo e viveu em nossa carne!

Amado Senhor, permita-me demonstrar minha fé de forma prática hoje. Lembra-me de dar pés à minha fé quando tiver a inclinação de esconder minha "luz" debaixo de um alqueire.

A.W. Tozer

ATENÇÃO AO CHAMADO DE DEUS

...ouvi a voz do Senhor, que dizia: A quem enviarei, e quem há de ir por nós? Disse eu: eis-me aqui, envia-me a mim. ISAÍAS 6:8

Se Abraão tivesse, em algum momento, murmurado contra o Senhor sobre o fato de ter que deixar os miseráveis ídolos de Ur, Deus o teria deixado ir. Temos liberdade para exercer a vontade de Deus, mas Ele nunca faz de nós Seus prisioneiros relutantes. O Senhor chamou Abraão, deu-lhe a Terra Prometida e disse: "Abraão, de sua posteridade virá o Messias na plenitude do tempo!"

Essa é a graciosa razão pela qual deveríamos aconselhar pessoas, em todos os lugares, a ouvirem e prestarem atenção ao chamado de Deus — para que Ele possa guiá-los em tudo que é bom, abençoado e digno.

Deus quer nos chamar para uma vida cristã mais abundante e frutífera que jamais conhecemos!

Senhor, quem sou eu para discutir contigo ou colocar em questão Tua soberana vontade? A decisão não é minha, mas Tua. Que assim seja, Senhor! Seja feita a Tua vontade e não a minha.

A.W. Tozer

SUA VIDA DEVOCIONAL

...sede fortalecidos no Senhor e na força do seu poder.
EFÉSIOS 6:10

Muitos de nós se opõem, talvez inconscientemente, ao fato muito evidente de que manter a disposição para o devocional é indispensável para o sucesso na vida cristã.

E o que é a disposição para o devocional?

Não é nada mais do que o estado de consciência constante da presença envolvente de Deus, a manutenção de conversas interiores com Cristo e a adoração a Deus de modo pessoal em espírito e em verdade!

Para que nosso coração seja firmado na disposição para o devocional precisamos permanecer em Cristo, andar no Espírito, orar sem cessar e meditar na Palavra de Deus dia e noite. É claro que isso implica em separação do mundo e obediência à vontade de Deus, à medida que conseguirmos compreendê-la.

Não importa quanto possamos discutir, a verdadeira santidade e o verdadeiro poder espiritual não são qualidades que podem ser recebidas e depois abandonadas, como alguém que dá corda em um relógio ou toma um comprimido vitamínico.

Qualquer avanço na vida espiritual deve ser feito contra a resistência resoluta do mundo, da carne e do diabo!

Amado Senhor, obrigado por cuidares de mim
e de meus amados no dia de ontem. Anseio por passar
tempo contigo no decorrer deste dia.

A. W. Tozer

PRATICANDO A VERDADE

...Purificai as mãos... e vós que sois de ânimo dobre, limpai o coração. TIAGO 4:8

Os cristãos comumente clamam e oram pela bela verdade, apenas para se afastarem dessa mesma verdade quando chega o difícil momento de colocá-la em prática!

De fato, a igreja comum simplesmente não ousa checar suas práticas contra os preceitos bíblicos. Ela tolera coisas que são diametralmente opostas à vontade de Deus e, se a questão for colocada para seus líderes, eles defenderão as práticas contrárias à Bíblia com uma falsa argumentação semelhante às astúcias verbais dos moralistas romanos.

Você acha que não há conexão vital entre as áreas emocional e volitiva da vida? Considerando que o apelo de Cristo é dirigido diretamente à nossa vontade, somos justificados ao questionarmos se essas almas divididas, em algum momento, fizeram um compromisso verdadeiro com o Senhor? Ou se foram renovadas interiormente?

Parece que muitos cristãos querem desfrutar da emoção de se sentirem justos, mas não estão, de fato, dispostos a suportar a inconveniência de serem justos! O próprio Jesus deixou um alerta: "...tens nome de que vives e estás morto" (APOCALIPSE 3:1).

Senhor, ajuda-me a fazer mais do que simplesmente falar sobre o ensino da Tua Palavra. Convido teu Espírito Santo a mostrar-me qualquer falha que eu esteja desenvolvendo.

A. W. Tozer

UM VÍNCULO EXCLUSIVO

...mas agora que conheceis a Deus... como estais voltando, outra vez, aos rudimentos fracos e pobres...? GÁLATAS 4:9

Não estou tentando diminuir o esforço de qualquer cristão para ganhar almas. Apenas tenho a opinião de que geralmente somos despreocupados demais e de que há muitos truques que podem ser usados para fazer de encontros com Cristo algo completamente "indolor", "sem custo" e sem qualquer "inconveniência".

Alguns dos não-salvos com quem lidamos "rápida e facilmente" têm tão pouco preparo e são tão ignorantes quanto ao plano de salvação, que se disporiam a curvar suas cabeças e "aceitar" Buda ou Zoroastro, se pensassem que, dessa forma, estariam livres de nós.

"Aceitar Cristo" de uma forma que se assemelhe a um relacionamento de salvação é ter um vínculo com a Pessoa de Cristo que é revolucionário, completo e exclusivo!

É mais do que fazer parte de um grupo que você aprecie. É mais do que ter uma agradável comunhão social com pessoas amáveis. Você dá seu coração, sua vida e sua alma a Jesus Cristo — e Ele se torna o centro de sua vida transformada!

Senhor, enquanto Teus seguidores compartilham o evangelho por todo o mundo hoje, oro para que cada um deles tenha o entendimento claro das consequências da decisão de aceitar ou rejeitar Jesus.

A. W. Tozer

NASCIMENTO DO ALTO

Não te admires de eu te dizer: importa-vos nascer de novo.
JOÃO 3:7

Isto pode soar como heresia em alguns lugares, mas cheguei à seguinte conclusão: há muitos entre nós que pensam ter aceitado Cristo, mas nada resultou disso em suas próprias vidas, em seus desejos e hábitos!

Esse tipo de filosofia no que diz respeito a ganhar almas — a ideia de que "aceitar Jesus é a coisa mais fácil do mundo" — permite que se aceite Cristo por um impulso da mente ou das emoções.

Ela nos permite devorar avidamente o que nos é apresentado e percebermos um sentimento que nos envolve e, então, dizemos: "Aceitei a Cristo."

Estas são questões espirituais sobre as quais devemos ser legitimamente honestos e nas quais devemos buscar discernimento do Espírito Santo. Não podemos nos dar ao luxo de errar; estar errado, ainda é estar perdido e longe de Deus.

Não esqueçamos jamais que a Palavra de Deus reforça a importância da convicção, do interesse e do arrependimento quando se trata da conversão, da regeneração espiritual e do nascimento do alto, pelo Espírito de Deus!

Senhor, que novos cristãos sejam firmemente
discipulados na Palavra de Deus e que suas vidas reflitam
a transformação da morte para a vida.

A.W. Tozer

CONFIRMAÇÃO ESPIRITUAL

*...aproximemo-nos, com sincero coração,
em plena certeza de fé...* HEBREUS 10:22

A personalidade humana tem o direito de estar intencionalmente consciente de um encontro com Deus. Haverá uma confirmação espiritual, um conhecimento interior ou um testemunho!

Esse tipo de confirmação e testemunho foi ensinado e estimado pelas grandes personalidades através dos séculos.

Consciência intencional da presença de Deus! Desafio qualquer teólogo ou mestre a privar disto a Igreja de Jesus Cristo!

Mas tenha certeza de que tentarão. E me refiro não apenas aos mestres liberais. O Senhor nos deu a Bíblia por uma razão — para que ela nos guie ao encontro com Deus, em Jesus Cristo, um encontro bem claro e significativo que arderá em nosso coração para todo o sempre.

Quando a Bíblia nos conduzir a Deus e o experimentarmos no momento decisivo do encontro, então ela terá feito sua primeira obra. Isso continuará a evidenciar o agir de Deus em nossa vida cristã!

Amado Senhor, oro por todos os servos cristãos que estão executando o árduo trabalho de traduzir as Escrituras para línguas estrangeiras. Aviva suas mentes e abençoa seu trabalho hoje.

A. W. Tozer

A ÉTICA DE JESUS

...e sereis minhas testemunhas...
ATOS 1:8

Os ensinos de Cristo pertencem à Igreja, não à sociedade; pois na sociedade está o pecado e o pecado é hostilidade a Deus!

Cristo não ensinou que imporia Seus ensinos ao mundo decaído. Ele chamou Seus disípulos para si e os ensinou; e em todos os Seus ensinamentos há a ideia manifesta ou subentendida de que Seus seguidores constituirão um grupo minoritário e impopular em um mundo ativamente hostil.

O procedimento divino é ir ao mundo de homens perdidos, pregar a eles a necessidade de arrependimento e de se tornar discípulo de Cristo e, após fazer discípulos, ensiná-los "a ética de Jesus", que Cristo disse ser "...todas as coisas que vos tenho ordenado" (MATEUS 28:20).

A ética de Jesus não pode ser obedecida ou até mesmo compreendida até que a vida de Deus adentre o coração de um homem ou mulher no milagre do novo nascimento.

A justiça da lei é cumprida naqueles que andam no Espírito. Cristo vive em Seus seguidores redimidos a vida que Ele viveu na Judeia, pois a justiça jamais pode ser separada de sua fonte, que é o próprio Jesus Cristo!

Senhor, derrama Teu Espírito sobre mim e sobre a nossa nação hoje, para que eu viva segundo a Tua ética, e para que homens e mulheres sejam convencidos do pecado e voltem suas vidas para ti.

A.W. Tozer

FÉ E EXPERIÊNCIA

Oh! Provai e vede que o Senhor é bom...
SALMO 34:8

Insisto que a pregação eficaz sobre Jesus Cristo, se for entendida corretamente, produzirá experiência cristã nos crentes. Além disso, se o pregar não estiver produzindo experiência espiritual e amadurecimento nos cristãos, essa pregação não está sendo fiel ao Cristo revelado nas Escrituras.

Deixe-me dizer novamente de outra forma: o Cristo da Bíblia não é corretamente conhecido até que seja experimentado no interior dos cristãos, pois nosso Salvador e Senhor se oferece à experiência humana.

Quando Jesus diz: "Vinde a mim, todos os que estais cansados e sobrecarregados..." (MATEUS 11:28), é um convite a uma experiência espiritual. Ele está dizendo: "Você concorda em vir? Você acrescentou determinação a este consentimento? Então venha, venha agora!"

Sim, nosso Senhor se entrega a nós em experiência. Davi diz no Salmo 34: "Oh! Provai e vede que o Senhor é bom...". Acredito que Davi queria dizer exatamente o que estava afirmando.

Certamente o Espírito Santo estava dizendo por meio desse salmista: "Você tem paladar em sua alma para provar e experimentar coisas espirituais. Prove e veja que Deus é bom!"

Senhor, a grande necessidade das pessoas, dentro e fora de nossas igrejas hoje, é de experimentar aquilo que é "real" — Deus, em todo o Seu poder, majestade e envolvimento pessoal em suas vidas. Ajuda-me a provar de ti e inspirar outros a fazerem o mesmo.

A.W. Tozer

NÃO SOMOS TODOS IGUAIS

*Pois somos feitura dele, criados em Cristo Jesus
para boas obras...* EFÉSIOS 2:10

Devemos estar plenamente cientes de que no Corpo de Cristo não estamos interessados na produção de cristãos "padronizados por uma mesma fôrma".

Esta é uma palavra de advertência com relação à experiência cristã — não há padrão ou fórmula para experiências idênticas. É, na verdade, trágico que tentem ser exatamente iguais uns aos outros em sua fé e vida cristã.

Eu provavelmente tenho sido excessivamente cauteloso com o testemunho de minhas experiências, pois não quero que ninguém seja estimulado a tentar copiar algo que o Senhor tenha feito por mim.

Deus deu a cada um de nós um temperamento individual e caracterísitcas distintas. Portanto, é trabalho do Espírito Santo agir como lhe convier nos detalhes da experiência cristã que deve variar conforme a personalidade.

Podemos ter certeza do seguinte: sempre que uma pessoa encontra Deus verdadeiramente, em fé e comprometimento com o evangelho, terá percepção e nítida consciência dos detalhes dessa ação espiritual!

*Senhor, ajuda-me a ser um mordomo fiel dos dons
que me deste para usar na igreja.*

A.W. Tozer

PERGUNTAS QUE FAZEMOS

...sacrifício vivo, santo e agradável a Deus, que é o vosso culto racional. ROMANOS 12:1

Estou convencido de que qualquer um que levante a questão de consequências na vida cristã é apenas um cristão medíocre e comum!

Conheci alguns que estavam interessados em uma vida mais profunda, mas passaram a fazer perguntas: "O que me custará — em termos de tempo, dinheiro, esforço, em relação às minhas amizades?" Outros perguntam ao Senhor, quando Ele os chama para ir adiante: "Será seguro?" Essa questão surge de nossa constante lamentação por segurança e nosso eterno desejo de proteção acima de tudo.

Uma terceira pergunta que queremos que Ele responda é: "Será conveniente?"

O que nosso Senhor pensará de nós se Sua obra e Seu testemunho dependerem da segurança, da proteção e da conveniência de Seu povo? Nenhum elemento de sacrifício, nenhuma contrariedade, nenhum transtorno — então não estamos chegando a lugar algum com Deus!

Paramos e montamos nossa tenda no meio do caminho entre o pântano e o cume. Somos cristãos medíocres.

Senhor, oro por cristãos em outros países que enfrentam perseguições como eventos rotineiros. Pai, protege-os e fortalece-os. Ajuda-me a, como eles, seguir-te fielmente, não importando o quanto isso me custará.

A.W. Tozer

ALÉM DO PROFESSAR VAZIO

Examinai-vos a vós mesmos se realmente estais na fé; provai-vos a vós mesmos... 2 CORÍNTIOS 13:5

Pregar no púlpito sobre a "vida cristã mais profunda" não produz automaticamente uma igreja e uma congregação de vida mais profunda. A confissão de homens e mulheres declarando que creem na "vida cristã mais profunda" não é garantia de que sua comunidade é uma igreja de vida mais profunda.

Esse padrão de vida espiritual que muitas pessoas dizem querer não é uma mensagem, não é um sermão, não é uma confissão.

Sou pastor e creio que devo ser o primeiro em dizer a verdade. É fato que já é hora de deixarmos de inventar desculpas e de afagar congregações que têm a reputação de serem igrejas de vida espiritual verdadeira.

A vida espiritual mais profunda não é algo de que apenas se fala. É um desfrutar manso da bênção, da paz e da vitória, vivido diariamente, que vai além da confissão vazia e de um ambiente hipócrita!

Senhor, com Cristo vivendo em mim, tenho a fonte de alegria e posso viver uma vida espiritual mais profunda. Obrigado por Tua promessa de bênção e paz diárias. Quero mais de ti, Senhor.

A.W. Tozer

CONFESSE O SENHORIO DE CRISTO

Ora, como recebestes Cristo Jesus, o Senhor, assim andai nele.
COLOSSENSES 2:6

Acredito que nos círculos cristãos há o conceito completamente errôneo de olhar para Jesus como um tipo de enfermeiro divino, a quem podemos recorrer quando o pecado nos adoece e, após recebermos Sua ajuda, dizer: "Até logo Jesus!" — e continuar nossa caminhada.

Suponha que sou internado em um hospital por necessitar de transfusão sanguínea. Após a equipe administrar a mim seus serviços, eu simplesmente desapareço com um e satisfeito "até logo!" — como se não lhes devesse nada e sua ajuda fosse uma atitude de bondade quando precisei?

Isso pode soar estranho para você, mas oferece uma imagem que retrata atitudes que há entre nós hoje em dia.

Porém, a Bíblia jamais nos mostra tal conceito de salvação. Em momento algum somos levados a acreditar que podemos usar Jesus como um Salvador e não o reconhecer como nosso Senhor. Ele é o Senhor, e como Senhor Ele nos salva, porque Ele tem todas as funções de Salvador, Cristo, Sumo Sacerdote, e a Sabedoria, Justiça, Santificação e Redenção!

Ele é todas estas coisas — e todas elas estão personificadas nele como Cristo, o Senhor!

Pai, tu és meu Salvador e meu Senhor. Minha dívida contigo é imensa! Devo-te minha vida.

A.W. Tozer

COMO OUVIMOS?

*Escutarei o que Deus, o Senhor, disser,
pois falará de paz ao seu povo...* SALMO 85:8

O Deus vivo fala à humanidade perdida de maneiras variadas. A resposta geral entre nós tem sido: "Não tínhamos ouvido a Sua voz. E agora ainda não ouvimos nada."

João registrou em seu evangelho as reações de uma plateia de pessoas que ouviu Deus falar audivelmente. Quando Jesus falou de Sua morte iminente, pedindo a Deus que glorificasse Seu nome por meio dela, "...veio uma voz do céu: Eu já o glorifquei e ainda o glorificarei" (JOÃO 12:28).

E quais foram as reações dos que ali estavam? "A multidão, pois, que ali estava, tendo ouvido a voz, dizia ter havido um trovão. Outros diziam: Foi um anjo que lhe falou" (JOÃO 12:29).

As pessoas preferem sua própria lógica, suas próprias habilidades de raciocínio. Mesmo quando Deus fala, elas se recusam a reconhecer Sua voz. Elas não confessarão que Deus falou por meio de Jesus Cristo, o Filho eterno. Quando Ele as confronta a respeito de seu pecado, elas consultam psiquiatras e esperam que suas personalidades possam ser "adequadamente ajustadas".

Mas virá o dia em que todo joelho se dobrará e toda língua confessará que Jesus Cristo é Senhor de tudo!

*Deus Todo-Poderoso, estou tão grato porque enviaste Teu Filho,
Jesus Cristo, para viver entre nós e para nos mostrar
o caminho da vida eterna. Oro para que muitos que te buscam
se prostrem diante de ti hoje.*

A.W. Tozer

IMPURO POR COMPARAÇÃO

Quando o vi, caí a seus pés como morto...
APOCALIPSE 1:17

No Antigo Testamento, sempre que o Deus vivo se revelava de alguma forma à humanidade, as reações eram de terror e estupefação. As pessoas, ao se compararem a Ele, viam-se como culpadas e impuras!

No livro de Apocalipse, o apóstolo João descreve a natureza esmagadora de seu encontro com o Senhor da glória.

Ainda que cristão e apóstolo, João sucumbiu em abjeta humildade e medo quando o Senhor Jesus, ressurreto e glorificado, apareceu diante dele em Patmos.

Nosso Senhor glorificado não condenou João. Ele sabia que a fraqueza de João era a reação à força divina revelada. Ele sabia que o sentimento de indignidade de João era a reação instantânea à santidade plena. Assim como o apóstolo João, todo ser humano redimido precisa da humildade de espírito que só pode surgir pela presença manifesta de Deus.

Jesus rapidamente tranquilizou João, inclinando-se para impor sobre o apóstolo uma de Suas mãos transpassadas por um prego e dizer: "...Não temas; eu sou o primeiro e o último e aquele que vive; estive morto, mas eis que estou vivo pelos séculos dos séculos e tenho as chaves da morte e do inferno" (APOCALIPSE 1:17,18).

Senhor, reconheço minha indignidade como pecador diante da Tua absoluta santidade. Enche-me de gratidão pela salvação que tu trouxeste, ó Senhor.

A. W. Tozer

DEUS CONHECE OS HIPÓCRITAS

Não nos julguemos mais uns aos outros...
ROMANOS 14:13

Não acho que seja meu papel como cristão passar a julgar e chamar outros de "hipócritas".

Nosso Senhor Jesus Cristo é o único homem que foi santo e perfeito o suficiente para chamar os líderes reliogiosos da época de hipócritas.

Eu sou apenas um homem com falhas e defeitos e preciso sempre olhar para mim a fim de que não seja tentado!

Prego para minha congregação sobre nossas falhas e imperfeições, com o alerta de que algumas de nossas confissões de bênçãos e vitória podem entrar no território da "hipocrisia involuntária". Por meio da graça de Deus e da bondade de nossos pais espirituais podemos ter a luz espiritual que alguns outros não têm — mas com toda sinceridade, estamos desgraçadamente abaixo do nível que deveríamos estar vivendo diariamente.

Precisamos ser honestos, francos e humildes em reconhecer que o grande Deus Todo-Poderoso conhece os segredos do coração de todas as pessoas!

Senhor, tu conheces os segredos do meu coração, entretanto, me amas incondicionalmente. Confesso meus pecados a ti, Senhor. Perdoa-me se eu vier a cair.

A.W. Tozer

MAIS QUE RELIGIÃO

...viverdes por modo digno de Deus, que vos chama para o seu reino e glória. 1 TESSALONICENSES 2:12

Ao contrário de muito que tem sido dito e praticado nas igrejas, a verdadeira adoração não é algo que "fazemos" na esperança de parecermos religiosos!

A verdadeira adoração deve ser uma atitude constante e consistente ou um estado de mente no íntimo do cristão, um reconhecimento firme e bendito de amor e admiração. Se tivermos essa consciência em nossa vida e experiência, então ficará evidente que não estamos apenas esperando pela chegada do domingo para irmos à igreja e adorarmos.

Por termos sido feitos à Sua imagem, temos dentro de nós a capacidade de conhecer Deus e o sentimento de que devemos adorá-lo. No exato momento em que o Espírito de Deus nos avivou para a Sua vida na regeneração, todo o nosso ser percebe sua semelhança com o Senhor e se lança em jubilosa identificação!

Essa reação dentro de nosso ser — uma reação ao perdão, ao indulto e à regeneração — sinaliza o milagre do nascimento celestial, sem o qual não podemos ver o reino de Deus. Desse modo, a obra fundamental do Espírito Santo é restaurar a alma perdida à comunhão íntima com o Senhor, por meio do lavar regenerador.

Senhor Jesus, muitas pessoas em nosso país e por todo o mundo ainda não nasceram de novo. Que Teu Espírito traga muitas almas perdidas à comunhão íntima com Deus hoje.

A.W. Tozer

ESPÍRITO SANTO, COMPLETAMENTE DIVINO

E o Espírito é o que dá testemunho, porque o Espírito é a verdade. 1 JOÃO 5:6

Fico me perguntando se algum cristão, em algum momento, pode demonstrar o esplendor transformador do amor de Deus sem uma entrega completa à Pessoa do Espírito Santo que nele habita. Certamente isso estava na mente do compositor ao orar e cantar:

Santo Espírito, luz divina,
Replandece em minha vida;
Contigo a sombra da noite desaparece,
E minha escuridão em dia alvorece.
Santo Espírito, divina Pessoa,
Meu coração com Tua presença coroa;
Destrona os ídolos do meu ser,
Reina supremo, segundo o Teu querer.

Nosso mundo está repleto de ódio e conflito, violência e matança. Por meio do plano de redenção, Deus tratou graciosamente deste problema mundial de ódio no coração de homens e mulheres. Ele enviou a fonte de amor, luz e esplendor ao ser humano; o próprio Paulo testificou: "...o amor de Deus é derramado em nosso coração pelo Espírito Santo, que nos foi outorgado" (ROMANOS 5:5).

Senhor, que Teu divino Espírito seja derramado
no meu coração para que, por meio de mim, o Teu amor seja
ministrado a alguém em sofrimento hoje.

A.W. Tozer

HONRE O ESPÍRITO DE DEUS

E não entristeçais o Espírito de Deus, no qual fostes selados para o dia da redenção. EFÉSIOS 4:30

Acredito que há muitos cristãos que devem ir para casa, ir ao seu lugar de oração e desculpar-se com Deus por suas atitudes aviltantes para com o Espírito Santo.

Inclusos nesse grupo estão mestres em Bíblia que são culpados de nos desviar do caminho. Eles ousaram ensinar aos cristãos que o Espírito Santo nunca falará de Sua pessoa ou posição, como se a terceira Pessoa da Trindade pudesse ser ignorada e Seu ministério diminuído!

Jesus disse: "...quando vier, porém, o Espírito da verdade... não falará por si mesmo, mas dirá tudo o que tiver ouvido..." (JOÃO 16:13).

O Mestre estava, na verdade, dizendo a Seus discípulos: o Consolador não virá sozinho para falar somente em Sua autoridade. Ele os guiará a toda a verdade — Ele falará e agirá na autoridade da sublime Trindade: Pai, Filho e Espírito Santo.

Caso você não se renda e honre o Espírito Santo, sua vida não demonstrará os benditos frutos que Ele produz!

Senhor, oro para que minha vida produza o fruto do Teu Espírito hoje (GÁLATAS 5:22,23).

A.W. Tozer

RESPONDENDO AO ESPÍRITO

Não apagueis o Espírito... retende o que é bom.
1 TESSALONICENSES 5:19,21

Estamos criando toda uma geração de jovens sem qualquer sensibilidade à voz do Espírito Santo de Deus?

Tenho opinião formada e ela não mudará enquanto eu viver: prefiro perder uma perna e mancar pelos cantos, pelo resto da vida, a perder minha sensibilidade a Deus, à Sua voz e às questões espirituais!

Ó, como desejo manter essa sensibilidade dentro em mim — em minha alma!

Estou pensando em uma multidão de homens e mulheres criados em lares cristãos. Foram ensinados na escola dominical, seus filhos provavelmente acalmavam o incômodo da gengiva, no período de nascimento do primeiro dente, mordendo hinários, quando as mães não os estavam observando.

Ainda assim, até hoje, não caminham retamente diante de Deus. Alguns fizeram um tipo de confissão, mas nunca conseguiram deleitar-se no Senhor.

O motivo? Perderam a sensibilidade à mensagem e à voz de Deus. Se o Espírito Santo não puder mover algo dentro de seu ser diariamente, eles não serão efetivamente cristãos — se é que são realmente cristãos!

Senhor, hoje meu coração clama por aqueles cristãos que "conhecem" a verdade do evangelho mas que não experimentaram um relacionamento pessoal contigo. Senhor, impulsiona-os para que encontrem deleite em conhecer-te verdadeiramente!

A. W. Tozer

QUANDO VEIO O PENTECOSTE

...mas recebereis poder, ao descer sobre vós o Espírito Santo, e sereis minhas testemunhas... ATOS 1:8

Ao lermos o Novo Testamento, encontramos uma verdade muito simples, clara e vigorosa — o Espírito Santo faz diferença!

Considere os primeiros discípulos — o próprio Jesus os ensinou por mais de três anos — o melhor de todos os seminários! Contudo, ainda assim, Ele precisou adverti-los e encorajá-los a não dependerem de sua sabedoria e força: "...permanecei... até que do alto sejais revestidos de poder" (LUCAS 24:49). Ele prometeu que eles receberiam a Pessoa do Espírito Santo para executar Seu plano de evangelização mundial.

Após o Pentecoste, o Espírito lhes trouxe uma percepção nova e vívida da real presença de Deus. Ele lhes deu os dons da alegria e paz divinas. Deu-lhes grande e contínuo deleite na oração e na comunhão com Deus!

Finalmente, nos lembramos de que antes do Pentecoste os discípulos podiam apenas fazer perguntas. Conforme registrado no livro de Atos, após o Pentecoste, eles se posicionaram na autoridade do Espírito e responderam todas as perguntas do povo, referentes ao plano de salvação de Deus por meio do Cristo crucificado e ressurreto!

Senhor, que Teu Espírito "visite" nossas igrejas locais e as unja com uma percepção renovada de urgência para se envolverem em Teu plano de evangelização mundial.

A.W. Tozer

A PROMESSA DO ESPÍRITO

A este Jesus... Exaltado, pois, à destra de Deus, tendo recebido do Pai a promessa do Espírito Santo... ATOS 2:32,33

Os eventos miraculosos originados pelo Espírito Santo em Jerusalém, no dia de Pentecoste, indicaram aos discípulos que Jesus Cristo, o Messias Salvador, tinha, de fato, tomado Seu lugar à destra da Majestade nas alturas.

Cercado por críticos judeus por todos os lados, Pedro ergueu sua voz e disse que todos que estavam em Jerusalém naquele dia estavam vendo o cumprimento da profecia — as palavras de Jesus quando disse que enviaria o Espírito Santo após Sua morte, ressurreição e exaltação.

Pedro bradou: "Esteja absolutamente certa, pois, toda a casa de Israel de que a este Jesus, que vós crucificastes, Deus o fez Senhor e Cristo" (ATOS 2:36).

Muitos não conseguiram notar a ênfase pentecostal de Pedro: o fato importante no plano de Deus era que Jesus havia sido exaltado no céu e que Sua glorificação fora o sinal para a vinda do prometido Espírito Santo.

Que lição! A presença do Espírito não precisa ser invocada — Ele se manifesta quando o Salvador é honrado e exaltado!

Pai, Teu Espírito habita em todos aqueles que recebem o Teu dom de salvação por meio da fé em Jesus Cristo.
Que fonte de poder possuímos! Senhor, acorda Tua igreja para esta realidade hoje, peço com fervor!

A. W. Tozer

AJUSTADO AO QUE É ETERNO

...Cristo, que, pelo Espírito eterno, a si mesmo se ofereceu sem mácula a Deus... HEBREUS 9:14

A vinda do Espírito Santo no dia de Pentecoste foi uma experiência graciosa de cumprimento, bênção e direção para a igreja cristã.

Foi a ênfase persistente para os cristãos de que precisamos viver para nos ajustar àquilo que é eterno e viver a vida do céu na Terra. Precisamos render nossa obediência e lealdade primárias a Jesus Cristo, a qualquer custo!

Tudo que tentarmos oferecer a Deus que seja menos do que isso, é, na verdade, uma degradação da igreja cristã.

Francamente, eu preferiria ser membro de um grupo que se encontra em uma pequena sala, em uma ruela, do que fazer parte de uma grande atividade que não tenha o Novo Testamento em sua doutrina, seu espírito, seu viver, sua santidade, em toda a sua estrutura e conteúdo. A congregação cheia do Espírito e por Ele guiada será um povo jubiloso. Além disso, será útil, atenciosa e compassiva! Eu creio que a igreja cristã deve ser uma influência útil a toda comunidade!

Senhor, capacita as igrejas locais nessa comunidade a alcançar, em Teu nome, com amor e compaixão, aqueles que são carentes espiritualmente.

A. W. Tozer

DEUS É SOBERANO

...estamos no verdadeiro, em seu Filho, Jesus Cristo...
1 JOÃO 5:20

Ó, como gostaria de poder exibir adequadamente a glória daquele que é digno de ser o objeto de nossa adoração!

Creio que se nossos novos convertidos — os bebês em Cristo — pudessem ver Seus milhares de atributos e compreender, mesmo que parcialmente, Seu ser, eles desfaleceriam com um desejo intenso de adorá-lo, honrá-lo e reconhecê-lo, agora e para sempre!

Sei que muitos cristãos desencorajados não creem verdadeiramente na soberania de Deus. Neste caso, não estamos cumprindo nosso papel como humildes e confiantes seguidores do Senhor e de Seu Ungido.

E, no entanto, foi por isso que Cristo veio ao nosso mundo. Os antigos teólogos nomeiam isso de "teoantropismo" — a união das naturezas divina e humana em Jesus. Isso é um grande mistério que me maravilha!

A teoantropia é o mistério de Deus e homem unidos em uma Pessoa — não duas pessoas, mas duas naturezas. Então, a natureza de Deus e a natureza do homem estão unidas nesse que é o nosso Senhor Jesus Cristo!

Senhor Jesus, tu és a única esperança para este mundo.
Tu proveste o plano perfeito para nossa redenção. Ainda que Teu
ser sobrenatural esteja além de nossa compreensão humana,
Tua graça, misericórdia e amor são dignos de todo nosso louvor.

A.W. Tozer

CULPE OUTRA PESSOA

*Então, disse o homem: A mulher... ela me deu da árvore,
e eu comi.* GÊNESIS 3:12

Naquele primeiro dia de fracasso e tragédia no jardim do Éden, Adão saiu do esconderijo conhecendo muito bem sua culpa e vergonha.

Ele confessou: "...A mulher que me deste por esposa, ela me deu da árvore, e eu comi" (GÊNESIS 3:12).

Quando Deus perguntou a Eva: "...Que é isto que fizeste?...", ela respondeu: "...A serpente me enganou e eu comi" (3:13).

Nesse breve momento, nossos primeiros ancestrais aprenderam a arte de colocar a culpa em outra pessoa. Esse é um dos grandes e reveladores indícios do pecado — e nós aprendemos diretamente de nossos primeiros pais. Não aceitamos a culpa de nosso pecado e de nossa iniquidade. Culpamos outra pessoa.

Se você não é o homem que deveria ser, provavelmente culpará sua esposa ou seus ancestrais. Se você não é o jovem que deveria ser, você pode sempre culpar seus pais. Se você não é a esposa que deveria ser, pode culpar seu marido ou talvez seus filhos.

Sendo o pecado o que é, nós preferimos colocar a culpa em outros.

Nós culpamos, culpamos, culpamos! Por isso estamos onde estamos.

*Senhor, ajuda-me a reconhecer rapidamente meus pecados
e não tentar escondê-los de ti — o que, na verdade,
é impossível de ser feito. Quero receber o Teu perdão e continuar
aprofundando meu relacionamento contigo.*

A. W. Tozer

PROFANO, INJUSTO E INFELIZ

...a morte passou a todos os homens, porque todos pecaram.
ROMANOS 5:12

Toda a história e os jornais diários testificam que a raça humana está arruinada — espiritual, moral e fisicamente.

O longo cortejo de deuses, tanto virtuoso quanto obsceno, e milhares de práticas religiosas vãs e sem sentido declaram nossa decadência espiritual, enquanto a doença, a velhice e a morte testificam, infelizmente, sobre nosso completo declínio físico.

Por natureza, homens e mulheres são profanos e, por prática, são injustos. O fato de também sermos infelizes é uma pequena consequência.

Contudo, é de suma importância que nós busquemos o favor de Deus enquanto ainda é possível encontrá-lo, e que nos coloquemos sob a plena autoridade de Jesus Cristo, em obediência completa e voluntária.

Não fazê-lo é o mesmo que nos predispormos aos transtornos de um mundo hostil e atrair sobre nós a infelicidade, que naturalmente virá como consequência. Acrescente a tentação do diabo e a luta constante com a carne e ficará óbvio que precisaremos adiar a maioria de nossas alegrias para um momento mais adequado!

Pai amado, não há nada mais importante a fazer enquanto estamos vivos do que aceitar-te como nosso Salvador.
Oro hoje especialmente por cristãos em países hostis, para que sua alegria interior em conhecer-te sobrepuje
qualquer dor que seja infligida a eles ou às suas famílias.

A.W. Tozer

VANGLORIANDO-SE DE DEUS

...para que, em todas as coisas, seja Deus glorificado, por meio de Jesus Cristo, a quem pertence a glória e o domínio... 1 PEDRO 4:11

As crenças básicas sobre a Pessoa e a natureza de Deus mudaram tanto, que agora há entre nós homens e mulheres que acham fácil vangloriar-se dos benefícios que recebem de Deus — sem nem um pensamento ou desejo de conhecer o verdadeiro significado da adoração!

Tenho reações imediatas a tal extrema falta de compreensão da verdadeira natureza do Deus santo e soberano, pois creio que a última coisa que o Senhor deseja é que cristãos mundanos e de mentes superficiais se orgulhem de tê-lo.

Além disso, não parece ser muito bem reconhecido que o desejo mais elevado de Deus é que cada um de Seus filhos que nele creem, o amem e o adorem com tanta intensidade, que permaneçam contiuamente em Sua presença, em espírito e verdade.

Algo maravilhoso, miraculoso e capaz de transformar vidas ocorre na alma humana quando Jesus Cristo é convidado a tomar Seu lugar de direito. Foi isso que Deus considerou quando traçou o plano de salvação. Ele planejou transformar rebeldes em adoradores; restaurar o lugar de adoração que nossos primeiros ancestrais conheceram quando foram criados!

Senhor, nesta manhã quero dar-te o primeiro lugar novamente em minha vida. Tudo está relacionado a ti, Senhor. Tu mereces toda a minha adoração.

A. W. Tozer

A VISÃO QUE O HOMEM TEM DESTE MUNDO

...escolhei, hoje, a quem sirvais... Eu e a minha casa serviremos ao Senhor. JOSUÉ 24:15

Se você, em algum momento, parou para pensar neste mundo em que vivemos, você tem alguma ideia do poder da interpretação. O mundo é um fato estável, relativamente inalterado pelo passar dos anos, mas como é diferente a visão que o homem contemporâneo tem do mundo daquela que nossos pais tinham.

Para todos nós o mundo não é apenas o que é, mas aquilo que acreditamos ser; e uma tremenda carga de bem e mal pesa sobre a integridade dessa nossa interpretação!

Nos dias passados, quando o cristianismo exercia uma influência dominante no pensamento, os homens reconheciam este mundo como um campo de batalha. O homem, assim pensavam nossos pais, precisava escolher um dos lados. Ele não podia ser neutro — para ele deveria ser vida ou morte, céu ou inferno!

Em nossos dias, a interpretação mudou completamente. Não estamos aqui para lutar, mas para nos divertir! Não estamos em uma terra estrangeira e hostil; estamos em casa! Torna-se agora o dever sagrado de todo cristão reexaminar sua filosofia espiritual à luz da Bíblia. Tanta coisa depende disso que não podemos nos dar ao luxo de sermos descuidados!

Senhor, como Josué eu hoje digo a ti:
"Eu e minha casa serviremos ao Senhor."

A.W. Tozer

O LUGAR HUMILDE

...no trato de uns com os outros, cingi-vos todos de humildade...
1 PEDRO 5:5

Conheço dois tipos de cristãos: o orgulhoso que imagina ser humilde e o humilde que tem medo de ser orgulhoso!

Deveria haver outra classe: a dos homens e mulheres que se esquecem de si mesmos e vivem por completo nas mãos de Cristo, recusando-se a desperdiçar tempo tentando tornar-se bons. Esses atingirão o objetivo muito à frente do restante.

A pessoa verdadeiramente humilde não espera encontrar virtude em si mesma, e quando não encontra virtude alguma, não se decepciona. Ela sabe que qualquer boa obra que possa executar é resultado da ação de Deus em seu interior.

Quando essa crença se tornar parte de qualquer homem ou mulher, a ponto de operar como um tipo de reflexo inconsciente, eles serão liberados do fardo de tentar viver conforme a opinião que têm de si mesmos. Eles podem relaxar e contar com o Espírito Santo para cumprir a lei moral em seu interior.

Não esqueçamos jamais que as promessas de Deus são feitas aos humildes: o homem orgulhoso, por seu orgulho, é privado de todas as bênçãos prometidas ao coração humilde, e da mão de Deus só pode esperar justiça!

Senhor, é muito difícil "vestir a humildade" em uma cultura que idolatra a autopromoção e a individualidade.
Eu te convido para agires em mim, moldando minha vida para que ela seja um instrumento útil em Tuas mãos.

A. W. Tozer

ENVERGONHADO DO PECADO

*...Na verdade, todo homem, por mais firme que esteja,
é pura vaidade. Com efeito, passa o homem como uma sombra...*
SALMO 39:5,6

Irmãos, não tenho vergonha deste mundo que Deus criou — tenho vergonha apenas do pecado do homem!

Se pudéssemos tirar deste mundo todo o pecado, não haveria do que nos envergonharmos e nada a temer.

Nossa justificativa deve ser pela humanidade — e por nossos pecados. Continuo repetindo que não precisamos criar justificativas para Deus.

Hoje em dia é popular falar sobre Cristo como um convidado. Ouso dizer às pessoas que elas deveriam deixar de depreciar Jesus Cristo!

Ele não é o convidado — é o Anfitrião!

Temos apologetas que escrevem livros e dão palestras, desculpando-se pela pessoa de Cristo, tentando "explicar" à nossa geração que a Bíblia não quer dizer "exatamente" o que está afirmando. Mas Deus se revelou em Jesus Cristo e, portanto, sabemos onde devemos nos colocar, crendo que todas as cosias foram feitas por Ele e "...sem ele, nada do que foi feito se fez" (JOÃO 1:3).

*Senhor, cedo o controle de minha vida ao Teu Espírito
que vive dentro de mim. Destrói minha vaidade, Senhor.*

A.W. Tozer

UMA GRANDE ASNEIRA MORAL

...em nome de Jesus Cristo, o Nazareno,
a quem vós crucificastes... Este Jesus é pedra rejeitada por vós,
os construtores... ATOS 4:10,11

De todos os povos na Terra, a nação de Israel certamente era a mais preparada para receber o Cristo de Deus. Os filhos de Abraão foram chamados para ser um povo escolhido em uma aliança eterna com Deus, o Pai.

Entretanto, eles fracassaram e não reconheceram Jesus como Messias e Senhor. Não há dúvida de que sua asneira moral foi a maior na história da humanidade. Ele veio para o Seu próprio povo e eles o rejeitaram!

Jesus ensinou francamente que Ele estava pedindo a Seus seguidores que se lançassem nos recursos de Deus. Para a multidão Ele estava pedindo demais. Ele havia vindo de Deus, mas eles não o receberam!

Parece ser um consolo para alguns cristãos poder sentar-se e culpar e ridicularizar os judeus, recusando-se a reconhecer que eles próprios possuem informação, benefícios e luz espiritual que os judeus jamais tiveram.

É completamente errado tentarmos consolar nosso coração carnal enfatizando qualquer forma de rejeição com que Israel rejeitou Jesus. Se fizermos isso, nós simplesmente reconstruímos os sepulcros de nossos pais, como Jesus afirmou!

Senhor, será que eu teria zombado de ti? Negado o Senhor?
Ignorado quem realmente foste? Sei apenas que hoje, te adoro
sinceramente como Rei dos reis e Senhor dos senhores!

A.W. Tozer

REVERÊNCIA ATÔNITA

Vinde, ouvi, todos vós que temeis a Deus, e vos contarei o que tem ele feito por minha alma. SALMO 66:16

Em meu ser, eu não poderia existir por muito tempo como cristão sem a consciência interior da presença e da proximidade de Deus! Eu só posso me manter íntegro ao conservar o temor de Deus em minha alma e me deleitar no fascinante arrebatamento da adoração.

Sinto muito que a poderosa percepção do temor divino esteja perdendo a qualidade nas igrejas atualmente.

O temor de Deus é essa "reverência atônita" da qual o padre Faber [N.E.: Primeiro padre jesuíta, 1506-46.] escreveu. Eu diria que ela pode ser graduada em algum ponto entre seu elemento mais básico — o terror da alma culpada diante do Deus santo — até o fascinado arrebatamento do santo adorador.

Há poucas coisas irrestritas em nossa vida, mas creio que o temor reverencial a Deus, mesclado com amor, fascinação, admiração e adoração, é o estado mais agradável e a emoção mais purificadora que a alma humana pode conhecer. Um verdadeiro temor ao Senhor é algo belo, pois é adoração, é amor, é veneração. É uma felicidade moral elevada porque Deus existe!

Senhor, nosso mundo, em geral, perdeu qualquer percepção do temor a Deus. Até mesmo algumas de nossas igrejas têm uma visão pequena de Tua grandiosidade. Oro por avivamento espiritual em nosso país, Senhor.

A. W. Tozer

VIVA CORRETAMENTE OU MORRA

*...Bem-aventurados os mortos que, desde agora,
morrem no Senhor... para que descansem das suas fadigas...*
APOCALIPSE 14:13

Nós, cristãos contemporâneos, parecemos ser uma raça estranha em muitas de nossas atitudes. Estamos tão completamente satisfeitos com coisas terrenas e desfrutamos nossos confortos de criatura de tal forma que poderíamos ficar aqui por muito, muito tempo!

A maioria de nós, provavelmente, ao orar, não fala com Deus sobre esse tipo de desejo. Mas criei a prática de escrever muitas de minhas orações mais fervorosas em uma caderneta — um livro agora bem gasto. Frequentemente, lembro Deus de como minhas orações têm sido.

Uma das orações registradas na caderneta — e Deus já a conhece bem — é uma súplica honesta:

"Ó Senhor, que eu morra em vez de passar os dias vivendo do modo errado. Não quero me tornar um velho negligente e carnal. Quero viver de modo justo para morrer de modo justo! Senhor, não quero que minha vida seja estendida se isso significar que deixarei de viver de modo justo e falharei em minha missão de glorificar-te todos os meus dias!"

Prefiro ir para casa agora a continuar vivendo — se continuar vivendo for um desperdício do tempo de Deus e do meu!

*Senhor, é verdade que o abrigo e a segurança são buscas humanas
fundamentais em nossa luta por provisão
para nós e nossas famílias. Contudo, ajuda-me a encontrar
equilíbrio entre focar minha atenção
em mim mesmo, em ti e em Teu plano para este mundo.*

A. W. Tozer

A GRAÇA DE DEUS É ETERNA

...muito mais a graça de Deus e o dom pela graça de um só homem, Jesus Cristo, foram abundantes sobre muitos.
ROMANOS 5:15

É um ensino típico e aceito em igrejas cristãs, que Moisés e o Antigo Testamento conheciam apenas a lei de Deus, e que Cristo e o Novo Testamento conhecem apenas a graça.

Repito: esse é o ensino "aceito" no momento — porém, também me apresso a acrescentar que é um conceito equivocado e que nunca foi o conceito sustentado e ensinado pelos antigos pais da igreja cristã.

Deus sempre foi o Deus de toda graça e Ele não muda. Imutabilidade é um atributo de Deus, assim sendo, o Senhor, em todas as épocas e em toda a história, não se contradiz!

Ele é o Deus de toda graça, portanto, a graça não tem fluxo e refluxo como as marés. Sempre houve a plenitude da graça no coração de Deus. Não há mais graça agora do que havia previamente e nunca haverá mais graça do que há agora!

O fluir da graça de Deus não começou quando Cristo veio para morrer por nós. Era parte do antigo plano redentor e foi manifesta no sangue, nas lágrimas, na dor e na morte de Seu Filho na cruz do Calvário!

Senhor, sou receptor de Tua abundante graça e sem ela eu pereceria. Oro para que outros a vejam em minha vida hoje.

A. W. Tozer

SUA CRUZ É MINHA CRUZ

O discípulo não está acima do seu mestre, nem o servo, acima do seu senhor. MATEUS 10:24

Receber Jesus Cristo em sua vida sem reservas é aceitar Seus amigos e saber que os inimigos dele serão seus inimigos! Significa que aceitamos Sua rejeição como nossa. Aceitamos conscientemente Sua cruz como nossa cruz.

Então, se você se encontra em uma área onde Cristo não tem amigo algum, você não terá amigos — exceto pelo único Amigo que se manterá mais próximo que um irmão. Eu me decidi há muito tempo: Aqueles que se declaram inimigos de Jesus Cristo devem me enxergar como inimigo, e deles não espero clemência! E se são amigos de Cristo, são meus amigos — e não me importo com a cor de sua pele ou a qual denominação pertencem.

Se os pregadores dissessem fielmente às pessoas o que realmente significa receber Cristo, obedecer-lhe e viver para Ele, teríamos menos convertidos apostatando e naufragando na fé.

Pregadores que não são fiéis um dia estarão diante do trono de julgamento de Cristo e responderão ao fiel Salvador por que traíram Seu povo dessa forma!

Senhor, oro para que hoje envies encorajamento
a Teus filhos que vivem ou servem em uma área onde Cristo
não é verdadeiramente bem-vindo.

A.W. Tozer

RAÍZES DO NOVO TESTAMENTO

Pois, em um só Espírito, todos nós fomos batizados em um corpo... E a todos nós foi dado beber de um só Espírito.
1 CORÍNTIOS 12:13

É realmente algo bendito em nossa comunidade cristã e em nossas congregações que Deus nunca se importa com o fato de uma igreja ser grande ou pequena!

Um jovem pastor, quando foi apresentado a um líder de uma igreja muito conhecida, disse: "Você não me conhece. Eu sou o pastor de uma pequena igreja rural."

Acho que a resposta do clérigo foi sábia: "Meu jovem, não existem igrejas pequenas; todas as igrejas têm o mesmo tamanho aos olhos de Deus!"

Mas seja grande ou pequena, deve ser uma assembleia de cristãos reunidos em nome de Jesus para adorar na presença de Deus — e com o direito de receber tudo o que o Senhor concede.

Com base nestas raízes, deveríamos nos perguntar se estamos realmente interessados em realizações espirituais como estavam os cristãos do Novo Testamento. Precisamos confessar que a temperatura espiritual entre nós pode, geralmente, estar mais baixa do que na igreja primitiva. Mas nos apegamos à mensagem de que aqueles que verdadeiramente honram a presença do Salvador estão incluídos nesse relacionamento que se origina no Novo Testamento e nos apóstolos!

Senhor, mesmo igrejas pequenas podem ser grandes faróis em suas comunidades por meio da oração e do serviço. Glorifica-te hoje por meio das boas obras de Tua Igreja.

A. W. Tozer

CRISTÃOS ESPECTADORES

...sede, antes, servos uns dos outros, pelo amor.
GÁLATAS 5:13

Já ouvimos isto: "Sou um cristão nascido de novo e sou feliz, pois meus pecados foram perdoados e vou à igreja no domingo porque gosto da comunhão!"

Perguntamos: "Você não vai à igreja para se colocar no caminho da bênção espiritual?"

A resposta: "Não, sou salvo e não preciso de nada!"

Perguntamos: "Você já se ofereceu para testemunhar, orar, encorajar, auxiliar, participar da vida de sua igreja e do evangelismo?"

A resposta: "Não. Minha igreja parece ir bem sem a minha ajuda!"

Irmãos, esta fé do tipo "não participativa" é uma estranha paródia no cristianismo bíblico. Homens e mulheres que simplesmente se dizem cristãos, anulam-se reciprocamente. Seria algo que aprendemos em eventos esportivos? — A grande maioria é de espectadores. Eles vêm e se sentam!

Se houver algum resquício de vida espiritual verdadeira dentro de nós, Deus nos dará algum tipo de dom, e a alma humilde encontrará algo para fazer para Deus!

Senhor, oro por minha igreja local hoje para que muitos frequentadores que são "expectadores" desejem participar da vida e ministério de nossa igreja.

A. W. Tozer

OS BENS MATERIAIS NOS POSSUEM?

...nem depositem a sua esperança na instabilidade da riqueza, mas em Deus, que tudo nos proporciona ricamente para nosso aprazimento. 1 TIMÓTEO 6:17

Acho que muitas pessoas em nossas congregações ficam confusas quando algum irmão instruído nos aconselha a nos unirmos em uma luta fervorosa contra o "materialismo".

Se homens e mulheres não sabem o que é o materialismo, como podemos esperar que entrem na batalha?

O materialismo ocorre quando homens e mulheres, criados à imagem de Deus, olham para a matéria e a aceitam como a realidade "máxima" — a única realidade.

O conselho: "Devemos lutar contra o materialismo" não significa que todos deveriam tomar uma espada e correr atrás de um camarada chamado Material e despedaçá-lo. O que realmente exprime é que devemos começar a acreditar no fato de que a criação de Deus e a matéria são apenas uma criatura do Deus completamente sábio e repleto de amor! O cristão não é ludibriado a acreditar que as coisas físicas que conhecemos e das quais desfrutamos são, em si mesmas, o objetivo supremo.

Amado Senhor, tu és a realidade que tantas pessoas não conseguem ver. Torna-me mais sensível ao Teu domínio espiritual ao meu redor.

A.W. Tozer

SEM SENTIMENTOS?

...entoando e louvando de coração ao Senhor...
EFÉSIOS 5:19

Eu conheço um pouco da vida emocional que faz parte de uma conversa com Jesus Cristo. Eu vim para o reino de Deus com alegria, sabendo que fui perdoado.

Algumas pessoas já me disseram, de modo muito dogmático, que nunca permitirão que o "sentimento" tenha papel algum em sua vida e experiência espiritual.

"Sinto muito por você!", é a minha resposta.

Digo isso porque expressei uma definição muito real do que acredito ser a verdadeira adoração: "Adoração é sentir no coração!"

Na fé cristã, deveríamos ser capazes de usar a palavra *sentir* de modo ousado e sem que precisemos nos justificar. Que coisa pior poderia ser dita de nós como igreja cristã, se for dito que somos um povo sem sentimentos?

Acho que precisamos concordar que aqueles entre nós que têm sido abençoados interiormente, não fariam parte de uma cruzada para "seguir seus sentimentos". Mas se não há sentimento algum em nosso coração, então estamos mortos!

Senhor, se não tivéssemos sentimentos,
seríamos todos como robôs. Obrigado por nos criares
como um povo completo — intelectual, emocional
e espiritualmente. É uma alegria adorar-te com sentimentos!

A.W. Tozer

QUEM É SEU EXEMPLO?

"...torna-te padrão dos fiéis, na palavra, no procedimento, no amor, na fé, na pureza." 1 TIMÓTEO 4:12

As igrejas cristãs de nossos dias sofreram grande perda ao rejeitar o exemplo de bons homens, escolhendo a "celebridade do momento" como seu padrão.

Devemos concordar que é inteiramente improvável que saibamos quem são nossos "grandes" homens.

Uma coisa, entretanto, é certa: o maior homem vivo hoje é o melhor homem vivo hoje. Isso é indiscutível.

As virtudes espirituais correm silenciosas nas profundezas. O homem santo e humilde não se anunciará nem permitirá que outros o façam por ele.

O cristão que é zeloso ao promover a causa de Cristo pode começar vivendo no poder do Espírito de Deus e, assim, reproduzir a vida de Cristo aos olhos dos homens. Em profunda humildade e sem ostentação, ele pode deixar sua luz brilhar.

Resumindo: o argumento mais eficaz em prol do cristianismo ainda é a vida justa daqueles que o professam!

Senhor, oro para que me capacites a ser um exemplo do Teu amor e da Tua humildade em todas as situações hoje, amanhã e nas semanas seguintes.

A.W. Tozer

FAÇAMOS DA VONTADE DE DEUS A NOSSA

E ele, tremendo e atônito, disse:
Senhor, que queres que eu faça?... ATOS 9:6 ARC

O mistério do livre-arbítrio do homem é grande demais para nós! Deus disse a Adão e Eva: "...da árvore do conhecimento do bem e do mal não comerás..." (GÊNESIS 2:16,17). Aqui estava uma condição divina que chamava à obediência aqueles que tinham o poder de escolha e resolução. Quando desobedeceram, eles usurparam o direito que não lhes pertencia!

O poeta Tennyson [N.E.: poeta inglês do século 19.] deve ter pensado sobre isso, pois escreveu em seu *In Memoriam*: "Nossas vontades são nossas, não sabemos como; nossas vontades são nossas e entregamo-las a ti!"

"Não sabemos como", e então Tennyson cinge-se e continua: "Nossas vontades são nossas e entregamo-las a ti!"

Como seres criados, esse é nosso único direito — transformar nossas vontades na vontade de Deus, fazer da vontade do Senhor nossa vontade! Deus é soberano e nós somos as criaturas. Ele é o Criador e tem o direto de nos comandar com o compromisso de que nós deveríamos obedecer.

É um compromisso feliz, devo dizer, pois "seu jugo é suave e seu fardo é leve"! É importante concordar que a verdadeira salvação restaura o direito de um relacionamento Criador-criatura, reconhecendo o direito que Deus tem à nossa comunidade e comunhão!

Pai celestial, intelectualmente é fácil dizer
que quero fazer Tua vontade, mas para realmente fazê-la preciso
da ajuda do Teu Espírito. Fortalece-me Senhor, sou Teu.

A. W. Tozer

POR QUE SE ACOMODAR?

...para que sejais tomados de toda a plenitude de Deus.
EFÉSIOS 3:19

Por que um cristão deveria "acomodar-se" assim que passa a conhecer o Senhor?

Eu culpo a interpretação errônea do Novo Testamento por deter muitos cristãos, deixando-os mortos em seus percursos, fazendo-lhes agir com indiferença a qualquer sugestão de que ainda há avanço e progresso espiritual acenando adiante.

É a postura de alguns aspirantes a mestres afirmar que todos que passam a fazer parte do reino de Deus por meio da fé, imediatamente obtêm tudo o que há da provisão espiritual de Deus.

Creio que tal ensinamento é tão mortal como cianeto para a vida cristã individual. Mata toda esperança de avanço espiritual e faz muitos cristãos adotarem o que chamo de "credo do contentamento".

Tenho certeza de que você concorda comigo que há sempre alegria real no coração da pessoa que se torna filho de Deus. O ensino da Palavra irá, então, sustentar o objetivo de caminhar adiante, assemelhando-se ao desejo do apóstolo Paulo de tornar-se um cristão verdadeiro!

Senhor, há várias áreas em minha vida espiritual
nas quais eu gostaria de avançar. Guia-me neste processo por meio
da Tua Palavra e da Tua igreja.

A.W. Tozer

FALSOS E MENTIROSOS

Tendo, porém, o jovem ouvido esta palavra, retirou-se triste, por ser dono de muitas propriedades. MATEUS 19:22

Todas as pessoas que estão alienadas em relação a Deus e fora de Cristo estão, em parte, grandemente iludidas!

Elas são chamadas a fingir que conseguem ter paz de espírito e que podem ser relativamente felizes e fazer de suas vidas um grande sucesso, se tiverem juventude, riquezas, moralidade e posições elevadas.

Pensando no que acontece ao nosso redor, Davi nunca precisou se desculpar por escrever que "...todo homem é mentiroso!" (SALMO 116:11). Todo conceito humano de sucesso, felicidade e paz interior fundamentado no que somos e no que temos é completamente falso.

O jovem rico que foi questionar Jesus possuía riquezas, moralidade, posição e juventude. Mas sua primeira pergunta revelou o vazio interior de sua vida: "...Que farei para herdar a vida eterna?" (LUCAS 18:18).

Ele sabia muito bem que não há uma pessoa viva que tenha juventude, posição ou retidão eternas. Então, como qualquer outro homem, ele teve que fazer uma escolha!

Senhor, torna-me sensível àqueles em minha esfera de influência cujos objetivos para o sucesso e a felicidade estejam firmados em um alicerce imperfeito. Oro por essas pessoas, Senhor, para que seus olhos sejam abertos à verdade e para que se arrependam completamente.

A.W. Tozer

A CONCESSÃO É CUSTOSA

...peço... que os guardes do mal.
JOÃO 17:15

Hoje o cristianismo está tão emaranhado com este mundo que milhões nunca perceberão quão radicalmente perderam o padrão do Novo Testamento.

A concessão está em todos os lugares — mas na verdade não é possível uma união real entre o mundo e a Igreja. Quando a Igreja se une ao mundo, já não é mais a Igreja verdadeira, mas apenas um híbrido deplorável, um objeto de desdém sorridente ao mundo e uma abominação ao Senhor!

Nada poderia ser mais claro do que as declarações das Escrituras sobre a relação do cristão com o mundo. A confusão que se forma em torno dessa questão é resultado da má vontade de cristãos professos em levar a Palavra de Deus a sério.

Tudo isso é espiritual em sua essência. Um cristão é o que é não por manipulação eclesiástica, mas pelo novo nascimento. Ele é cristão devido ao Espírito que nele habita. Apenas aquele que é nascido do Espírito é espírito, não importa quantos dignitários da Igreja trabalhem para isso!

Senhor, oro para que os líderes em minha igreja
se posicionem firmemente nos princípios bíblicos quando estiverem
diante de questões sociais e políticas de importância moral.

A. W. Tozer

CRISTO CRIOU O MUNDO

Deus... nos falou pelo Filho... pelo qual também fez o universo.
HEBREUS 1:1,2

Pense no mundo ao qual nosso Senhor Jesus Cristo veio — é realmente o mundo de Cristo!

Cada porção desta Terra que compramos ou vendemos, que descuidamos ou tomamos à força, é parte do mundo de Cristo. Ele criou tudo e é dono de tudo.

Jesus Cristo, a Palavra eterna, criou o mundo. E fez os átomos dos quais Maria foi feita; os átomos dos quais Seu próprio corpo foi feito. Ele mesmo criou a palha que estava na manjedoura em que Ele foi colocado quando nasceu.

Deixe-me entrar em uma digressão. Às vezes, ouço uma prática devocional no rádio em que os participantes pedem: "Maria, mãe de Deus, rogai por nós!" O correto seria que expressássemos nossa posição fundamentada na Palavra de Deus e a verdade é: Maria está morta e não é a "mãe de Deus".

Maria foi a mãe de um pequeno bebê porque Deus, em Seu plano de redenção amoroso e sábio, usou o corpo da virgem Maria como a matriz para dar ao Filho eterno um corpo humano. Nós a honramos adequadamente quando nos referimos a ela como Maria, mãe de Cristo.

Senhor, ajuda-nos, para que eu e minha família façamos escolhas adequadas a fim de sermos excelentes mordomos neste mundo que criaste para usufruirmos.

A.W. Tozer

AMAR SOMENTE A DEUS

*E, por se multiplicar a iniquidade, o amor se esfriará
de quase todos.* MATEUS 24:12

O primeiro e maior mandamento é amar a Deus com todas as forças do nosso ser. Onde existe tal amor não pode haver lugar para um segundo objeto.

Entretanto, o cristianismo popular tem como um de seus pontos críticos a ideia de que Deus existe para ajudar as pessoas a tomarem as rédeas deste mundo! O Deus dos pobres tornou-se o Deus de uma sociedade emergente. Ouvimos que Cristo já não se recusa a ser juiz ou aquele que estabelece fronteiras entre irmãos famintos e donos de riquezas. Ele pode agora ser persuadido a auxiliar o irmão que o aceitou a conseguir o melhor daquele que não o aceitou!

Quem busca ao Senhor como um meio para um fim desejado não o encontrará. Deus não será um entre muitos tesouros. Sua misericórdia e graça são infinitas e Sua compreensão paciente vai além da medida, contudo, Ele não auxiliará homens em esforços egoístas para obter ganho pessoal. Se amamos a Deus tanto quanto deveríamos, certamente não poderíamos sonhar com um objeto de amor superior a Ele e que para obtê-lo precisaremos de Sua ajuda!

*Senhor, mostra-me o que significa amar-te como ordenaste —
de todo o meu coração, de toda a minha alma, de todas
as minhas forças e de todo o meu entendimento* (LUCAS 10:27).

A.W. Tozer

NINGUÉM MUDA A LEI DE DEUS

*...agrada-me fazer a tua vontade, ó Deus meu;
dentro do meu coração, está a tua lei.* SALMO 40:8

Por vivermos em um período conhecido como a era da graça de Deus, tornou-se popular declarar que os Dez Mandamentos já não são válidos ou relevantes em nossa sociedade. Nesse contexto tornou-se evidente que as igrejas cristãs não estão prestando atenção aos Dez Mandamentos.

Mas Dwight L. Moody frequentemente pregava sobre eles. John Wesley dizia que pregava os mandamentos da Lei para preparar o caminho para o evangelho. R. A. Torrey [N.E.: Pastor americano do século 19.] dizia aos ministros que, caso não pregassem a Lei, eles não teriam resposta à pregação do evangelho. É a Lei que mostra nossa necessidade do evangelho da salvação e perdão!

É correto dizer que nossa obrigação não é guardar a Lei do Antigo Testamento. Como cristãos sinceros estamos sob a lei elevada de Cristo — a que é representada em Seu amor e graça. Porém, tudo que é moralmente ordenado nos Dez Mandamentos ainda abrange os princípios morais que são a vontade de Deus para o Seu povo. E eles não mudaram!

Senhor, oro para que em minha vida eu não seja hostil à ideia de seguir Tua lei. O engano existente em meu coração é prova suficiente para sugerir que Tua lei moral é para o meu bem.

A. W. Tozer

ATRIBUIÇÃO DE GLÓRIA

...mas crendo, exultais com alegria indizível e cheia de glória.
1 PEDRO 1:8

Estou descobrindo que muitos cristãos não se sentem realmente confortáveis com os santos atributos de Deus. Em tais casos, sou forçado a questionar a qualidade de sua adoração.

A palavra *santo* é muito mais do que um adjetivo que afirma que Deus é santo. É uma atribuição extática de glória ao Deus triúno. Tudo que parece ser bom entre homens e mulheres não deve ser levado em conta, pois somos humanos. Abraão, Davi e Elias, Moisés, Pedro e Paulo — todos eram homens bons, mas cada um, como membros da raça de Adão, tinha suas falhas e fraquezas humanas. Cada um precisava encontrar seu próprio lugar de humilde arrependimento. Porque Deus conhece nosso coração e nossas intenções, Ele pode restaurar Seus filhos na fé!

Então, deveríamos ser honestos e confessar que muitos dos nossos problemas para manter a comunhão com o Deus santo é que muitos cristãos apenas se arrependem do que fazem, em vez de arrepender-se do que são!

Senhor, confesso diante de ti que em minha essência sou um pecador — porém, um pecador que foi salvo por Tua graça. Desejo agradar-te, Pai, como um filho adotado em Tua família.

A. W. Tozer

O MISTÉRIO NA ADORAÇÃO

...eis que a sarça ardia no fogo e a sarça não se consumia.
ÊXODO 3:2

Considere a experiência de Moisés no deserto, ao observar o fogo que queimava a sarça sem a consumir. Moisés não hesitou em ajoelhar-se diante da sarça e adorar a Deus. Ele não estava adorando a sarça; mas a Deus e Sua glória manifestos na sarça a quem Moisés adorou!

Esta é uma ilustração imperfeita, pois quando se apagou, a sarça voltou a ser um simples arbusto.

Mas esse Homem, Cristo Jesus, é eternamente o Filho. Na plenitude deste mistério, nunca houve um apagar, exceto aquele terrível momento em que Jesus clamou: "...Deus meu, Deus meu, por que me desamparaste?" (MATEUS 27:46). O Pai voltou as costas por um momento, quando o Filho tomou sobre si aquela massa putrefata de pecado e culpa, morrendo na cruz, não por Seu pecado, mas pelo nosso.

A deidade e a humanidade nunca se separaram, e até hoje permanecem unidas nesse Homem.

Quando nos ajoelhamos diante dele e dizemos: "Meu Senhor e meu Deus, Teu trono, ó Senhor, é para todo o sempre", estamos falando com Deus!

Senhor, posso não ter te visto em uma sarça ardente como Moisés, mas ainda me ajoelho diante de ti e te adoro como meu Rei.

A. W. Tozer

"AINDA QUE MORRA, VIVERÁ."

…Quem crê em mim, ainda que morra, viverá.
JOÃO 11:25

Isto pode soar estranho — mas é fato que a morte não é a pior coisa que pode acontecer a um cristão!

Consigo me lembrar da primeira vez em que ouvi essa afirmação, em uma calma conversa com Harry M. Shuman, por muitos anos presidente da Aliança Cristã e Missionária Internacional.

Ele era um cortês homem de Deus e, entretanto, vigoroso, rico na sabedoria da Palavra. Estávamos falando de questões sérias de vida e morte. Quando tinha algo especialmente importante a dizer, o Dr. Shuman tinha um modo singular de baixar seu tom de voz e erguer levemente a cabeça. Ainda consigo vê-lo olhando por debaixo de suas espessas sobrancelhas, diretamente para meus olhos.

"Lembre-se, Tozer", dizia ele, "a morte não é a pior coisa que pode acontecer a uma pessoa!"

Para o cristão, a morte é uma jornada para o mundo eterno. É uma vitória, um descanso, um deleite. Tenho certeza de que meu pequeno sofrimento físico é brando se comparado ao sofrimento de Paulo, mas sinto o que ele sentia: "…tendo o desejo de partir e estar com Cristo, o que é incomparavelmente melhor" (FILIPENSES 1:23).

Obrigado, Senhor, por ofereceres o dom da vida eterna por meio de Teu Filho Jesus Cristo. Considerando que tenho vida eterna agora, por que deveria temer a morte, que para o cristão é simplesmente uma jornada para um lugar muito melhor?

A. W. Tozer

A VERDADE TEM ALMA

*...e ninguém conhece o Pai, senão o Filho e aquele a quem
o Filho o quiser revelar.* MATEUS 11:27

Creio que há um alerta positivo nos evangelhos com relação ao fato de que a fé de uma pessoa pode estar fundamentada no texto bíblico revelado e, ainda assim, estar tão sem vida quanto um cadáver!

Considere em Mateus 11:27 a oração de nosso Senhor: "Tudo me foi entregue por meu Pai. Ninguém conhece o Filho, senão o Pai; e ninguém conhece o Pai, senão o Filho e aquele a quem o Filho o quiser revelar."

Existe mais do que só um corpo físico da verdade e se não chegarmos à alma da verdade, teremos apenas um corpo morto.

Quando o poder de Deus se move em um texto e ateia fogo ao sacrifício, então temos o cristianismo genuíno! Tentamos chamar isso de avivamento, mas de forma alguma é avivamento. É simplesmente o cristianismo do Novo Testamento.

Pessoas que acreditavam ser salvas são salvas! Estas são as pessoas que apenas acreditavam em um código e que agora colocam sua fé e confiança na pessoa de Cristo. Não é uma edição de luxo do cristianismo — é simplesmente o cristianismo do Novo Testamento tomando seu lugar!

*Senhor, sou grato pelo dia em que me chamaste para ti.
Convido-te para operar Tua obra purificadora em minha alma
para que eu possa ser um servo mais útil.*

A. W. Tozer

AS CONDIÇÕES DA PAZ

...o carcereiro... trêmulo, prostrou-se diante de Paulo e Silas... disse: Senhores, que devo fazer para que seja salvo? ATOS 16:29,30

Em um mundo como o nosso, com as condições que ele apresenta, o que um homem ou uma mulher de posicionamento sério deveria fazer?

Primeiro, aceitar a verdade sobre si mesmo. Você não vai a um médico para buscar consolo, mas para descobrir o que está errado e fazer algo em relação a isso.

Depois, buscar o reino de Deus e Sua justiça. Buscar, por meio de Jesus Cristo, um relacionamento reto com o Senhor e, então, insistir em manter um relacionamento justo com os outros homens. Dedicar-se reverente e honestamente a corrigir suas ações. Exaltar a Deus, mortificar a carne, simplificar sua vida. Tomar sua cruz e aprender com Jesus Cristo a morrer para este mundo, para que Ele possa ressuscitá-lo no momento devido.

Caso faça estas coisas em fé e amor, você conhecerá a paz — a paz de Deus que excede todo entendimento.

Você conhecerá a alegria da ressurreição. Conhecerá também o consolo do Espírito de Deus que habita em seu interior, pois buscou fazer a vontade do Senhor a qualquer preço!

Amado Senhor, ensina a minha família
e a mim o que significa viver neste mundo e, ao mesmo tempo,
"morrer para este mundo" por amor a Cristo.

A.W. Tozer

NOSSA VONTADE DEVE SE RENDER

...desse mesmo a quem obedeceis sois servos, seja do pecado para a morte ou da obediência para a justiça? ROMANOS 6:16

A doutrina cristã de obediência a Deus e à Sua vontade é agora grandemente negligenciada em círculos religiosos contemporâneos, e muitos em nossas congregações parecem sentir que nossa obrigação de obedecer foi exonerada pelo ato de crer em Jesus Cristo no início de nossa vida cristã.

Precisamos nos lembrar de que "a vontade é o assento da verdadeira religião na alma". Nada genuíno é feito na vida de um homem até que sua vontade tenha sido entregue em obediência ativa. Foi a desobediência que trouxe a ruína da raça humana. É a obediência em fé que nos leva de volta ao favor divino!

É preciso dizer que um mundo de confusão resulta de uma tentativa de crença sem obediência!

Uma simples entrega passiva pode não ser, de forma alguma, uma entrega. Uma submissão real à vontade de Deus deve incluir disposição de receber ordens dele, daquele momento em diante.

Continuo me perguntando se os ministros do Senhor irão novamente conceder à obediência o lugar de preeminência que ela ocupa nas Escrituras.

Senhor, oro para que nossas igrejas sejam despertadas
a chamar Teu povo para uma obediência de fé intencional e ativa,
e que indivíduos, impelidos por Teu Espírito,
reajam com grande humildade.

A.W. Tozer

DEUS NOS ENTENDE

...Deus é amor, e aquele que permanece no amor permanece em Deus, e Deus, nele. 1 JOÃO 4:16

Nós deveríamos festejar a alegria de crer que Deus é o âmago de toda a paciência e a essência verdadeira da amável boa vontade!

Por Ele ser quem Ele é nós o agradamos, não por tentarmos freneticamente nos tornar bons, mas por nos lançarmos em Seus braços com todas as nossas imperfeições e crer que Ele entende todas as coisas — e ainda assim nos ama!

O Deus que deseja nossa companhia e ter comunhão conosco não é alguém difícil de agradar, embora possa ser difícil satisfazê-lo. Ele espera de nós apenas o que Ele mesmo concedeu. Mesmo quando nos disciplina mais profundamente, ainda o faz com um sorriso — o sorriso orgulhoso e afável de um Pai que irrompe em prazer por um filho que se aproxima dele todos os dias, com o objetivo de assemelhar-se mais e mais Àquele a quem pertence!

Esta é a melhor das boas notícias: Deus nos ama por nós mesmos. Ele valoriza nosso amor mais do que valoriza o Universo criado.

Ele se lembra de nossa estrutura e sabe que somos pó!

*Amado Senhor, Teu amor por mim —
e por todos no mundo — é incrível! Obrigado, pois mesmo
quando falho, tu és meu maior Auxiliador.*

A.W. Tozer

NOSSO SENHOR SOBERANO

...não habita o Altíssimo em casas feitas por mãos humanas...
O céu é o meu trono, e a terra, o estrado dos meus pés...
ATOS 7: 48,49

Como você pode ser cristão e não estar ciente da soberania do Deus que nos amou até a morte?

Para ser soberano, Deus deve ser o governante absoluto, infinito, irrestrito em todos os domínios do céu, da terra e do mar. Para ser Senhor sobre toda criação, Ele deve ser onipotente, onisciente e onipresente.

Com tudo que há dentro de mim, creio que o Salvador crucificado, ressurreto e glorificado, Jesus Cristo, é o Senhor soberano. Ele não recebe ordens de ninguém. Ele não tem conselheiros e consultores. Não tem secretário no trono. Conhece, sem esforço algum, tudo o que pode ser conhecido; Ele já viveu nossos amanhãs e segura o mundo na palma de Sua mão.

Esse é o Senhor a quem sirvo! Reconheço alegremente que pertenço a Ele; glória a Deus! O Cristo que conhecemos e servimos está infinitamente além de todos os homens, de todos os anjos e todos os arcanjos; acima de todos os principados, poderes e domínios, visíveis e invisíveis — pois Ele é a origem de todos!

Senhor, começar a entender Teus atributos é completamente maravilhoso. O fato do Deus Todo-Poderoso se importar tanto com Sua criação é algo que realmente nos leva à humildade.

A. W. Tozer

POR TRÁS DA MÁSCARA

Queres, pois, ficar certo, ó homem insensato, de que a fé sem as obras é inoperante? TIAGO 2:20

Acho lamentável e até triste o fato de que o único momento em que encontramos um concidadão que não age como "impostor" é quando ele se ira. Em nosso tipo de sociedade, a maioria das pessoas sente que precisa sempre fingir, continuamente "interpretando".

Desse modo, nunca são elas mesmas até que se enfureçam!

Quando Jesus enfrentou Seus amargos inimigos religiosos como registrado em João 8:47, não houve fingimento ou nenhuma encenação para obter efeitos dramáticos. Jesus confrontou-os com as palavras: "Quem é de Deus ouve as palavras de Deus; por isso, não me dais ouvidos, porque não sois de Deus!"

Estas palavras foram firmes e severas; Seus inimigos reagiram com palavras de ira e insulto. Aqueles homens ficaram furiosos e deixaram a pretensão de lado. Naquele momento agiam naturalmente, mostrando quem eram de fato.

Como seres humanos, somos o que fazemos! Se o que fazemos prova que estamos errados, temos duas opções: entrar em desespero ou procurar a ajuda de que precisamos. Jesus veio para transformar nossa natureza. Ele veio para destruir e subjugar os antigos hábitos do pecado.

Senhor, tu tens um modo provocativo de expor a natureza pecaminosa do homem. Tu tens um modo de tratar o âmago da questão. Faz Tua vontade em mim, Senhor.

A.W. Tozer

OS DONS DO ESPÍRITO

A manifestação do Espírito é concedida a cada um visando a um fim proveitoso. 1 CORÍNTIOS 12:7

Em nossa comunidade cristã, precisamos reconhecer que o bendito Espírito Santo de Deus deseja tomar homens e mulheres sob Seu controle e usá-los como instrumentos por meio dos quais Ele possa expressar-se no Corpo de Cristo.

Alguém pode tentar me dar crédito por algo que acredita que eu tenha realizado para Deus — mas na verdade, Deus é quem faz por meio de Seu Espírito Santo, usando-me como instrumento. Não há sentido real em que nós sejamos capazes de executar uma obra espiritual de qualquer tipo sem o Espírito Santo.

Sabemos que o apóstolo Paulo disse: "...E, se alguém não tem o Espírito de Cristo, esse tal não é dele" (ROMANOS 8:9). Mas ele também exortou aqueles antigos cristãos a não ignorarem os dons do Espírito e a procurar "...com zelo, os melhores dons" (1 CORÍNTIOS 12:31). Ainda é importante para nós que cumpramos as funções e capacidades concedidas pelo Espírito e que são direitos espirituais inatos do cristão regenerado.

Não deveríamos procurar outro modo, pois Deus, em Seu Santo Espírito, nos concedeu dons, poder e o auxílio de que precisamos para servi-lo!

*Senhor, que eu seja um vaso puro,
apto para o uso na obra do Teu reino hoje.*

A. W. Tozer

CRISTO RECEBE PECADORES

Deus, porém, com a sua destra, o exaltou a Príncipe e Salvador, a fim de conceder... o arrependimento e a remissão de pecados.
ATOS 5:31

Como é gracioso para nós o fato de Jesus Cristo nunca pensar no que fomos. Ele sempre pensa naquilo que seremos! O Salvador, que é nosso Senhor, não tem interesse algum em seu histórico moral. Ele o perdoa, e a partir de então, é como se você tivesse nascido no minuto anterior.

A mulher de Samaria encontrou nosso Senhor no poço e nós perguntamos: "Por que Jesus estava disposto a revelar tão mais de si mesmo nesse contexto do que em outros encontros durante Seu ministério?"

Você e eu jamais teríamos escolhido essa mulher com tal "marca" sobre sua vida, mas Jesus é o Cristo de Deus e Ele pôde perceber o potencial no íntimo do seu ser.

Ele confiou a ela o segredo de Sua missão messiânica e o segredo da natureza de Deus. A franqueza e a humildade daquela mulher chamaram a atenção do Salvador enquanto conversavam sobre a necessidade humana e sobre a verdadeira adoração a Deus, por meio do Espírito Santo.

Nos dias de Jesus, Seus críticos escarneciam dele dizendo: "Este homem recebe pecadores!" Eles tinham razão — e Ele viveu, morreu e ressuscitou para provar esse fato. A parte bendita é esta: Ele continua recebendo pecadores!

Senhor, tenho muitos familiares, amigos e colegas de trabalho que precisam de ti como Salvador. Recebe-os hoje em Tua família!

A. W. Tozer

SENHOR DO NOSSO VIVER

...que morreu por nós para que, quer vigiemos, quer durmamos, vivamos em união com ele. 1 TESSALONICENSES 5:10

Estudei o Novo Testamento o suficiente para saber que nosso Senhor Jesus Cristo nunca fez distinções severas entre "secular" e "sagrado" como nós fazemos!

Acredito ser indevido colocar nossas necessidades físicas em um lado, e a oração, o cantar, o doar, a leitura da Bíblia e o testemunhar em outro.

Quando vivemos para o Senhor e vivemos para o agradar e honrar, tomar o café da manhã pode ser tão espiritual quanto as orações em família. Não há motivo para um cristão comprometido desculpar-se: "Senhor, sinto muito, mas tu sabes que agora preciso comer. Assim que terminar estarei contigo novamente."

Bem, temos um caminho melhor do que esse em nosso viver para Deus, e vemos o significado de Seu senhorio ao considerarmos que Ele alimentou cinco mil pessoas. Jesus Cristo é Senhor — Senhor do nosso pão e Senhor do ato de nos alimentarmos; Senhor do nosso sono e do nosso trabalho!

Irmãos, nosso Senhor está conosco, santificando tudo o que fazemos, contanto que seja honesto e bom.

Senhor, hoje quero estar especialmente consciente de que tu és o Senhor de tudo o que eu estiver fazendo. Obrigado por Tua presença completamente envolvente em minha vida.

A. W. Tozer

CRISTO GLORIFICADO EM NÓS

...Nem olhos viram, nem ouvidos ouviram... o que Deus tem preparado para aqueles que o amam. 1 CORÍNTIOS 2:9

A Bíblia nos diz que olhos não viram nem ouvidos ouviram o que Deus tem preparado para aqueles que o amam!

É por isso que o apóstolo nos lembra de que Deus revelou esses mistérios a nós, pelo Espírito Santo.

Ah! Se apenas deixássemos de tentar fazer do Espírito Santo nosso servo e começássemos a viver em Sua vida como o peixe vive no mar; entraríamos nas riquezas da glória das quais nada sabemos agora. Muitos de nós querem o Espírito Santo para ter algum dom — curar, línguas, pregação ou profecia.

Sim, todos esses dons têm seu lugar no modelo geral do Novo Testamento, mas não devemos orar jamais para que sejamos cheios do Espírito com um propósito secundário!

Lembre-se: Deus quer enchê-lo com Seu Espírito em sua vida moral. O propósito é, antes de tudo, que o conheçamos, nos submetamos a Ele e entremos na plenitude do Espírito, de modo que o Filho eterno, Jesus Cristo, seja glorificado em nós!

Ó Senhor, desejo perder minha vida na Tua hoje, para que tu sejas glorificado por meio de mim.

A.W. Tozer

A ESSÊNCIA ESPIRITUAL

*...mediante o lavar regenerador e renovador
do Espírito Santo... que ele derramou sobre nós ricamente,
por meio de Jesus Cristo...* TITO 3:56

Nós, que somos os discípulos de Jesus Cristo, frequentemente precisamos ser lembrados de que Deus nos permite viver em dois planos ao mesmo tempo.

Ele nos permite viver nesse plano religioso onde há pregadores, líderes de louvor e corais, mestres e evangelistas — e isso é religião. É, na verdade, a "religião em termos gerais" — é a parte externa da religião e tem seu lugar na obra e no plano de Deus.

Contudo, além disso e superior a tudo o que é externo em nossa experiência religiosa, está a essência espiritual de toda essa estrutura! É essa essência espiritual que desejo ver entronizada em nossa comunidade, a Igreja de Jesus Cristo!

Precisamos da advertência que teologia demais, ensino bíblico demais e conferências bíblicas demais começam e acabam em si mesmos. Essas coisas giram ao redor de si mesmas — mas quando todos voltam para casa, ninguém está melhor do que era antes. Precisamos ser profundamente cautelosos para não guardar verdades que começam e terminam em si mesmas. O perigo é que ensinemos e vivamos de modo que a verdade não tenha oportunidade de expressão moral!

*Amado Senhor, oro hoje por Tua bênção sobre todos os pastores
e líderes de ensino bíblico ao redor do mundo. Concede a seus
corações e mentes um entendimento verdadeiro da Tua Palavra,
de modo que muitos ouvintes amadureçam na fé.*

A. W. Tozer

A ETERNIDADE EM NOSSO CORAÇÃO

...assim diz o Alto, o Sublime, que habita a eternidade...
habito também com o contrito e abatido de espírito... ISAÍAS 57:15

O único motivo por que homens e mulheres podem ser salvos é o fato de que Deus colocou a eternidade em nosso coração!

O homem é decaído — sim! O homem está perdido, é um pecador e precisa nascer novamente — sim!

Mas Deus o fez à Sua imagem e Ele mantém o anseio pela eternidade e um desejo pela vida eterna dentro do coração dos homens.

Qual, então, é o problema com a humanidade? Como o leão na jaula, ela vai para frente e para trás e ruge aos céus antes de morrer.

Acredito que esta é a verdade — ficamos perturbados porque Deus colocou a eternidade em nosso coração. Ele colocou um anseio pela imortalidade em nosso ser, algo que reivindica Deus e o céu. Entretanto, somos cegos e pecadores demais para encontrá-lo ou até mesmo para procurá-lo!

Como testemunhas cristãs, precisamos ser fiéis e oportunos em nossa pregação e em nosso ensino. Há uma nota de alerta nisto — devemos dizer a homens e mulheres qual é o motivo de estarem perdidos e que, caso não se arrependam, certamente perecerão!

Senhor, em alguns momentos senti que este mundo não é minha
casa verdadeira. Anseio por aquilo que é eterno.
Entretanto, Senhor, ainda há tantas pessoas cujos corações
são duros e frios como pedra e que precisam ouvir
sobre Teu gracioso dom de vida eterna.

A.W. Tozer

SANTIFICAR O QUE É COMUM

Consagrai-vos, hoje, ao Senhor...
para que ele vos conceda, hoje, bênção. ÊXODO 32:29

Hoje, mais do que nunca, nós cristãos precisamos aprender como santificar o que é comum. Esta é uma geração saturada. As pessoas foram hiperestimuladas ao ponto de seus nervos se exaurirem e seus gostos se corromperem. Coisas naturais foram rejeitadas para dar espaço àquilo que é artificial. O sagrado foi secularizado, o santo vulgarizado e a adoração convertida em uma forma de entretenimento. Uma geração entorpecida, com olhos turvos, busca constantemente algum novo estímulo suficientemente poderoso para trazer excitação às suas sensibilidades já fatigadas e amortecidas. Tantas maravilhas foram descobertas ou inventadas de modo que nada mais na Terra é maravilhoso. Tudo é comum e quase tudo é entediante.

Quando toda a atmosfera moral e psicológica é secular e comum, como podemos escapar de seus efeitos mortais? Como podemos santificar o comum e encontrar verdadeiro significado espiritual nas coisas comuns da vida? A resposta já foi sugerida: consagrar a totalidade da vida a Cristo e começar a fazer tudo em Seu nome e por amor a Ele.

Amado Senhor, no início deste novo dia consagro minha vida e meu trabalho a ti. Ajuda-me a encontrar significado e realização espiritual nas tarefas rotineiras deste dia. Amém.

A.W. Tozer

ALERTA NO EVANGELHO

...o que não crê já está julgado...
JOÃO 3:18

Quando Deus alerta uma nação ou uma cidade, uma igreja ou uma pessoa, ignorar tal alerta é um pecado atroz. No cristianismo conservador cremos que a mensagem cristã contém, de fato, um elemento alarmante, mas nem todos os cristãos creem nisso.

Alguns aprenderam que o evangelho de Cristo é "exclusivamente boas-novas". Eles acreditam que a única maneira de explicar o significado completo do evangelho de Cristo é citando um versículo: "Crê no Senhor Jesus e serás salvo" (ATOS 16:31).

"É isso! Isso é tudo que é preciso", eles dizem.

Certamente precisam ser lembrados de que no uso da linguagem é impossível fazer certas afirmações definitivas sem trazer à mente aquilo que é exatamente o oposto. Então, quando as Escrituras nos advertem a crer no Senhor Jesus Cristo para sermos salvos, vem-nos à mente a condição perdida da humanidade e a mensagem completamente clara àqueles que não creem: "O que não crê já está julgado, porquanto não crê no nome do unigênito Filho de Deus" (JOÃO 3:18).

Senhor, Tua grande comissão (MATEUS 28:19,20)
nos ordena a espalhar Tuas boas-novas por todo o mundo.
Oro especialmente por aqueles que compartilham
o evangelho de forma dinâmica e integral em países onde não
é permitido pregar a Cristo.

A.W. Tozer

DECISÕES CRÍTICAS

...disse o Senhor a Abrão: Sai da tua terra...
Partiu, pois, Abrão, como lho ordenara o Senhor...
GÊNESIS 12:1,4

As pessoas têm muitas ideias diferentes sobre o momento mais importante de suas vidas nesta Terra. Conhecemos muitos que testificaram da grande importância de sua decisão espiritual — o ato de fé pelo qual comprometeram sua vida e seu futuro com Deus!

Creio que a Bíblia deixa claro que o momento mais crítico, mais importante na vida de Abraão foi quando ele ouviu e respondeu ao chamado de Deus. Inesperada e dramaticamente o Senhor se revelou ao patriarca, e o chamou para ser um peregrino. É uma lição para nós o fato de Abraão ter obedecido a Deus quando foi chamado, mesmo sem saber para onde estava indo!

Tenho encontrado consolo na doutrina da graça precedente, que, colocada de modo simples, é a crença que antes que um pecador busque a Deus, Ele o buscou primeiro.

No caso de Abraão, creio que se ele tivesse sido insensível, jamais teria ouvido a voz de Deus chamando por ele; e se Abraão tivesse rejeitado as propostas do Senhor, toda a história da humanidade teria sido completamente diferente — e muito pior!

Pai celestial, agradeço-te pelo exemplo de Abraão:
ele ouviu Tua voz e obedeceu. Que assim seja também
em minha vida, Senhor.

A. W. Tozer

LIVRE PARA SER UM SERVO

...compreender qual a vontade do Senhor.
EFÉSIOS 5:17

Todo homem em uma sociedade livre deve decidir se aproveitará sua liberdade ou se a restringirá para fins morais e inteligentes. Ele pode tomar sobre si a responsabilidade de um negócio e da família, ou pode evitar todas as obrigações e acabar na sarjeta. O mendigo é mais livre do que o presidente ou o rei, mas sua liberdade é destruição. Enquanto vive permanece socialmente estéril, e quando morre não deixa nada que alegre o mundo por seus dias de existência.

O cristão não pode escapar do perigo da liberdade excessiva. Ele é, de fato, livre, porém, essa liberdade pode lhe ser fonte de tentação real. É livre das correntes do pecado, livre das consequências morais de atos maus que agora foram perdoados, livre da maldição da lei e do descontentamento de Deus.

O cristão ideal é aquele que sabe que é livre para fazer o que quiser — e seu desejo é ser servo. Esse é o caminho que Cristo seguiu: Bendito é aquele que o segue!

Obrigado, Senhor, pela liberdade que tenho por meio de Cristo. Não estou preso ao pecado ou ao medo. Ajuda-me a usar minha liberdade para te servir com ousadia irrestrita.

A. W. Tozer

APENAS DEUS É LIVRE

Para a liberdade foi que Cristo nos libertou.
Permanecei, pois, firmes... GÁLATAS 5:1

Para qualquer ser humano que se preocupa em pensar um pouco, deveria estar claro que em nossa sociedade algo não existe como liberdade plena — pois somente Deus é livre!

É inerente a toda criatura que sua liberdade deve ser limitada pela vontade do Criador e pela natureza daquilo que é criado. Ser livre é ter liberdade com fronteiras, liberdade para às leis sagradas, liberdade para guardar os mandamentos de Cristo, para servir a humanidade, para desenvolver ao máximo todas as possibilidades latentes em nossa natureza redimida. A verdadeira liberdade cristã nunca nos libera para ceder à nossa luxúria ou para seguir nossos impulsos pecaminosos.

Uma sociedade saudável requer que seus membros aceitem uma liberdade limitada. Cada um deve restringir sua liberdade para que todos sejam livres, e esta lei rege todo o Universo criado, incluindo o reino de Deus.

A glória do céu está no caráter da liberdade usufruída por aqueles que nele habitam!

Senhor, hoje oro pelos membros das igrejas
em minha comunidade. Capacita-os (e a mim) a controlar
seus "impulsos pecaminosos" e a serem faróis
luminosos no meio de uma sociedade obscurecida.

A.W. Tozer

DEUS TOCA NOSSAS EMOÇÕES

*Pensai nas coisas lá do alto,
não nas que são aqui da terra.* COLOSSENSES 3:2

Tenho ouvido pessoas dizerem que "apenas a doutrina é importante".

Porém, eles não deixariam espaço para a experiência cristã?

Considere a pregação e o exemplo do célebre Jonathan Edwards, usado tão poderosamente por Deus no Grande Avivamento por toda a Nova Inglaterra, no século 18.

Mas você dirá: "Jonathan Edwards era calvinista!"

Eu sei — e essa é a minha questão. Edwards foi reconhecido pela sociedade como um dos grandes intelectos de seu tempo. Entretanto, ele cria na experiência cristã genuína tão positivamente que escreveu um livro muito bem aceito: *Uma fé mais forte que as emoções* (Ed. Palavra, 2009), em defesa da emoção cristã.

Acusado por alguns de que os avivamentos que ele promovia eram repletos de emoções, Edwards permaneceu firme e proclamou que, quando homens e mulheres se encontram com Deus, aceitando Seus termos, eles experimentam uma consciência que enleva seus corações de forma arrebatadora.

O maior de todos os privilégios é concedido ao ser humano: ser admitido no círculo de amigos de Deus!

*Senhor, nós precisamos apenas ir às Escrituras
para ver a alegria genuína que é expressa por aqueles que foram
libertos do poder do pecado. Que outros vejam minha
profunda alegria interior devido à Tua presença em minha vida.*

A.W. Tozer

A VONTADE DE DEUS: "OBEDEÇA!"

*Se, porém... fordes rebeldes ao seu mandado,
a mão do Senhor será contra vós outros...*
1 SAMUEL 12:15

A independência é um forte traço humano, por isso homens e mulheres, por todos os lados, irritam-se quando alguém diz: "Você tem a obrigação de obedecer!" No sentido natural não aceitamos facilmente a perspectiva de sermos obedientes a alguém.

Na Bíblia, tanto o Antigo quanto o Novo Testamento deixam claro que o pecado é a desobediência à lei de Deus. A imagem que Paulo traça em Efésios conclui que a ira de Deus virá sobre aqueles que são "filhos da desobediência" (2:2,3).

Portanto, vivemos em uma geração de homens e mulheres de Deus e que defendem veementemente o individualismo e "o direito à autodeterminação". O forte argumento de um indivíduo é este: "Eu pertenço a mim mesmo. Ninguém tem autoridade para exigir minha obediência!"

Porém, se Deus tivesse nos criado para ser meras máquinas, não teríamos o poder de autodeterminação. Ele nos criou à Sua imagem, para sermos criaturas morais com poder de decisão, mas não com direito de escolher o mal. Devemos ser bons! Não temos o direito de sermos maus porque Deus, o Criador, é bom. Se escolhermos ser profanos, estaremos usando um direito que não é nosso!

*Senhor, muito obrigado por Tua disposição
de perdoar quando Teus filhos erram. Que outra religião pode
gloriar-se em um Deus tão amável e misericordioso?*

A.W. Tozer

A DISCIPLINA É DESCARTADA

*Vinde após mim, e eu vos farei pescadores
de homens. Então, eles deixaram imediatamente
as redes e o seguiram.* MATEUS 4:19:20

Vivo numa terra [N.E.: EUA] conhecida e favorecida por sua liberdade; um país onde o cristianismo protestante é popular e bem aceito.

Fiz essa observação para falar de um dos grandes perigos espirituais inerentes ao protestantismo: o fato de que não há disciplina envolvida. Qualquer pessoa em nossas igrejas é praticamente livre para fazer o que quiser. Se não gosta de uma igreja, precisa apenas atravessar a rua e ir a outra. Se não gosta do pregador, pode ir embora e em pouco tempo estar frequentando uma igreja onde esteja satisfeito com o pastor, a música e o ambiente.

Veja, essa pessoa está reivindicando o cristianismo sem disciplina. Está se recusando a reconhecer que a fé cristã faz suas próprias reivindicações de obediência a Deus e humildade de espírito.

Quando os desejos das pessoas têm primazia, a voz do Espírito de Deus é reprimida e silenciada. Pode haver apenas um resultado — a alma humana ficará faminta e deformada!

*Senhor, perdoa-me por colocar meus desejos pessoais
acima do governo do Teu Espírito em minha vida. Algumas vezes
isso acontece tão sutilmente, mas sempre acaba em frustração.
Fala comigo Senhor. Estou ouvindo com atenção renovada.*

A.W. Tozer

CRISTÃOS VERDADEIROS

...foram sufocados com os cuidados, riquezas e deleites da vida; os seus frutos não chegam a amadurecer. LUCAS 8:14

Creio que estamos equivocados a respeito da vida cristã e da teologia quando tentamos acrescentar "vida mais profunda" a uma salvação imperfeita, obtida por meio de um conceito imperfeito de toda a questão.

Sob a obra do Espírito de Deus realizada por meio de homens como Finney e Wesley, ninguém ousaria dizer: "Sou um cristão", se não tivesse entregado todo o seu ser, recebendo Jesus Cristo como seu Senhor e Salvador!

Hoje permitimos que as pessoas digam que são salvas independentemente de quão imperfeito e incompleto esteja tal processo, com a condição de que a vida cristã mais profunda seja "adicionada" em algum momento no futuro.

Irmãos, creio que devemos culpar o ensino errôneo — que está repleto de autoengano.

Olhemos para Jesus, nosso Senhor — elevado, coroado e santo, Senhor dos senhores e Rei de todos, com direito perfeito de ordenar obediência plena a todo o Seu povo salvo!

Ó Senhor, é um verdadeiro desafio no mundo de hoje filtrar tudo o que é "mundano" em nossa vida. Ajuda-me a entregar aquilo que está impedindo a produção de frutos para ti.

A.W. Tozer

TÍMIDO DEMAIS PARA RESISTIR

*...fale cada um a verdade com o seu próximo,
porque somos membros uns dos outros.*
EFÉSIOS 4:25

Os sagazes proponentes de nocivas ideologias políticas estão gastando milhões para que os americanos tenham vergonha de amar seu país. Eles fazem uso de todos os meios possíveis para persuadir o povo a crer que resta pouca coisa digna a defender e, certamente, nada pelo que valha a pena morrer.

Estão construindo na mente do público uma imagem do americano como um sujeito generoso, tolerante e sorridente que ama beisebol e bebês e que concorda plenamente com a doutrina da fraternidade humana — então tudo vai dar certo!

De nosso ponto de vista esses conceitos estão tendo seus efeitos na vida religiosa da nação, especialmente entre os protestantes.

Basta um homem se levantar para declarar o senhorio exclusivo de Jesus Cristo e a necessidade absoluta de obediência a Ele, e será imediatamente rotulado como semeador de discórdia e aquele que separa seus semelhantes.

O diabo fez uma lavagem cerebral em um grande número de líderes religiosos de modo tão bem-sucedido que eles agora são tímidos demais para resisti-lo! E ele, sendo o tipo de inimigo que é, rapidamente se aproveita dessa covardia, erigindo altares a Baal em todos os lugares!

*Senhor, que tu ergas uma nova geração de líderes
religiosos e políticos que sejam plenamente íntegros e não
tenham vergonha de honrar-te diante dos homens.*

A.W. Tozer

O TRABALHO DAS MÃOS DO CRIADOR

Os céus proclamam a glória de Deus,
e o firmamento anuncia as obras das suas mãos.
SALMO 19:1

Quando leio minha Bíblia fico muito impressionado pelo modo como os homens piedosos de antigamente revelaram, em seus escritos, um intenso amor por toda beleza natural ao seu redor. Eles viam a natureza como obras das mãos do Criador Todo-Poderoso e completamente glorioso!

O Antigo Testamento é uma maravilhosa epopeia sobre a criação. Comece com Moisés e quando você chegar à ordem levítica o verá planando em sua aguçada percepção da presença de Deus em toda a criação.

Vá para o livro de Jó. Na seção final você irá maravilhar-se com a sublimidade da linguagem que descreve o mundo ao nosso redor. Em seguida, vá para Salmos, onde Davi literalmente dança com deleite extasiado ao contemplar as maravilhas do mundo de Deus. Leia Isaías, onde a representação não é extravagante nem excêntrica, mas uma descrição das maravilhas da criação.

Em nossa geração, é raro estarmos em uma situação em que podemos sentir os impulsos da natureza comunicados a nós. Raramente temos tempo para erguer os olhos e olhar o céu de Deus — exceto quando queremos saber se precisamos de guarda-chuva!

Amado Pai celestial, tu criaste um mundo belíssimo.
Continua a revelar Teu poder e Tua presença, por meio de Tua
criação majestosa, àqueles que duvidam de Tua existência.

A.W. Tozer

A GRAÇA DE DEUS QUE SALVA

...Noé achou graça diante do S<small>ENHOR</small>.
GÊNESIS 6:8

A graça é a bondade de Deus confrontando o demérito humano.

Então, a graça é o que Deus é — imutável, infinito e eterno!

Isto esclarece a conduta do Senhor para com os homens e mulheres através de todas as dispensações e história do Antigo Testamento. Certamente é verdade e um conceito adequado no qual podemos nos firmar: que ninguém jamais foi salvo, ninguém é salvo e ninguém será salvo, a não ser pela graça de Deus.

Antes que Moisés viesse com a lei, os homens eram salvos somente pela graça. Durante os dias de Moisés ninguém foi salvo, exceto pela graça. Depois de Moisés, antes da cruz, depois da cruz e durante todas as dispensações, em qualquer lugar, em qualquer momento, ninguém jamais foi salvo por algo que não fosse a graça de Deus!

Podemos dizer isso com segurança porque o Senhor tratou graciosamente com a humanidade aguardando a encarnação e a morte propiciatória de Cristo.

Se Deus não tivesse agido sempre em graça, Ele teria dissipado a pecadora raça humana. Esta, então, é a boa-nova: Deus é gracioso em todo o tempo, e quando Sua graça se torna prática por meio de nossa fé em Jesus Cristo, há, então, o novo nascimento procedente do alto!

Obrigado, Pai, por Tua graça — ou seja, a morte
e a ressurreição de Teu Filho Jesus Cristo — somos salvos
e restaurados para um relacionamento adequado contigo.

A. W. Tozer

ESTAMOS CONFORTÁVEIS DEMAIS

*...Alguns foram torturados, não aceitando seu resgate,
para obterem superior ressurreição.* HEBREUS 11:35

O fato de milhões de pessoas se recusarem a frequentar nossos cultos seria apenas mais um sintoma do pecado original e do amor pela obscuridade moral?

Não, creio que essa explicação é "conveniente" demais para ser a verdade completa.

As igrejas não podem negar que estão confortáveis demais, ricas demais, satisfeitas demais! Nós nos agarramos à fé dos nossos patriarcas, mas ela não nos sustém. Deus está tentando nos atrair para um amanhã glorioso e nós estamos nos estabelecendo em um hoje inglório. Deus colocou a eternidade em nosso coração e nós escolhemos substituí-la pelo tempo. Ficamos atolados em interesses terrenos e perdemos de vista os propósitos eternos.

Foi o entendimento de que eram parte do plano eterno de Deus que ofereceu inextinguível entusiasmo aos cristãos primitivos. Eles ardiam com zelo santo por Cristo e reconheciam que eram parte de um exército que o Senhor estava liderando para a conquista final, vencendo sobre todos os poderes das trevas!

Senhor, há muitos cristãos em terras estrangeiras que são perseguidos por sua fé. Alguns são banidos da família e do círculo de amigos; alguns são surrados e abandonados à morte. Que o Senhor esteja especialmente próximo destas pessoas amadas.

A.W. Tozer

SEM EQUILÍBRIO

...Se vós permanecerdes na minha palavra, sois verdadeiramente meus discípulos. JOÃO 8:31

Precisamos admitir que nas igrejas cristãs evangélicas de nossos dias, quase todos nós somos culpados por uma visão assimétrica da vida cristã — tudo está estruturado para depender do ato inicial de crer. Uma decisão por Cristo é tomada em um dado momento e, após isso, tudo é "automático".

Isso ocorre devido ao nosso fracasso em dar ênfase bíblica à nossa pregação do evangelho.

Em nosso anseio por ganhar almas, permitimos que nossos cristãos absorvam a ideia de que podem lidar com toda sua responsabilidade, de uma vez por todas, com um ato de fé. Isso deveria, de algum modo, honrar a graça e glorificar a Deus, ao passo que, na verdade, faz de Cristo o autor de um sistema grotesco e impraticável que não se correlaciona com as Escrituras da Verdade.

Nos relatos do Novo Testamento a fé era para cada cristão um começo e não um fim. Crer não era um ato único e final; era mais do que um ato. Era uma atitude de coração e mente que inspirava e capacitava o cristão a tomar a sua cruz e seguir o Cordeiro onde quer que Ele fosse!

Senhor, a vida cristã é um processo vitalício de amadurecimento. E alguns dias são melhores do que outros! Ajuda-me a continuar progredindo em minha caminhada de fé contigo.

A. W. Tozer

INTERESSE PESSOAL EGOÍSTA

*...especialmente aqueles que, seguindo a carne...
menosprezam qualquer governo. Atrevidos, arrogantes...*
2 PEDRO 2:10

Por toda a história, os filósofos concordam com o fato de que os interesses pessoais egoístas são o motivo por trás de toda conduta humana.

O filósofo Epiteto expressou seu entendimento a respeito desse fato com a ilustração de que dois cachorros podem brincar no gramado com toda a aparência de amizade até que alguém jogue um pedaço de carne crua entre os dois. A brincadeira instantaneamente se transforma em uma luta selvagem enquanto cada um se esforça para obter a carne para si. Não condenemos o antigo pensador por comparar a conduta dos homens à dos animais. A Bíblia frequentemente o faz, e por mais humilhante que seja, nós, seres humanos, geralmente saímos perdendo na comparação.

Se desejamos ser sábios na sabedoria de Deus, devemos enfrentar a verdade de que o homem não é fundamentalmente bom: ele é basicamente mau e a essência do pecado reside em seu egoísmo! Colocar nossos interesses à frente da glória de Deus é pecado no que se refere a Deus, e colocar nossos interesses à frente dos interesses de nossos semelhantes é pecado no que se refere à sociedade. Por meio da cruz Jesus Cristo demonstrou amor altruísta em sua perfeição plena. Quando morreu, Ele colocou uma coroa de beleza sobre a vida centrada em Deus e nos outros!

*Senhor, ao começar este dia, oro para que em
todas as situações eu coloque os interesses
de outros à frente dos meus próprios.*

A. W. Tozer

O ARREPENDIMENTO É RARO

*...há júbilo diante dos anjos de Deus
por um pecador que se arrepende.* LUCAS 15:10

Seres humanos, enganados pelo diabo e enfeitiçados por seu próprio orgulho e suas habilidades, negam que nosso mundo é uma província rebelde no Universo de Deus. Eles negam que a sociedade humana deliberadamente tenha abandonado o governo de Deus e o restante do Seu domínio.

Na verdade, negam que homens e mulheres sejam a criação de Deus. Negam até mesmo que devem lealdade ao seu Criador!

A Bíblia é o registro de como Deus lida com a humanidade, e nós podemos chegar somente a uma conclusão: Todas as pessoas são moralmente obrigadas a arrepender-se e a pedir perdão a Deus. Caso não o façam, perecerão.

Como é raro em nossos dias ouvir sobre arrependimento genuíno. Vivemos em meio a um povo orgulhoso, egoísta e autossuficiente. Até mesmo em nossas igrejas cristãs há aqueles que não querem nada além de ser conhecidos como "membros respeitáveis da igreja"! Quando o arrependimento é real e a fé é genuína, a morte propiciatória de Jesus Cristo é eficaz para absolvição, perdão e regeneração.

*Amado Senhor, a ideia de pessoas perecendo
— sendo separadas de Deus por toda a eternidade —
é um pensamento assustador. Ajuda as igrejas atuais
a compreenderem esse terrível fato para que redobrem seus
esforços em compartilhar o evangelho com os perdidos.*

A.W. Tozer

DEUS NÃO PRECISA DE PIEDADE

Quem te não temeria a ti, ó Rei das nações?...
ninguém há semelhante a ti. JEREMIAS 10:7

Eu creio que jamais poderia adorar um Deus que fosse pego de surpresa, inconsciente das circunstâncias em Seu mundo que me rodeia!

Na verdade, não poderia me oferecer a um Deus que precisasse de mim, irmãos. Se Ele precisasse de mim, eu não poderia respeitá-lo, não poderia adorá-lo!

Alguns de nossos apelos missionários estão se aproximando deste mesmo erro: Deveríamos nos comprometer com a obra missionária porque Deus precisa desesperadamente de nós!

O fato é que Deus está acima deste mundo e as nuvens são a poeira sob Seus pés, e se você não o seguir, você perderá tudo e Deus não perderá nada. Ele ainda será glorificado em Seus santos e admirado por todos aqueles que o temem. Colocarmo-nos em um lugar onde Deus esteja eternamente satisfeito conosco deveria ser o primeiro ato responsável de todos os homens!

Todas essas considerações estão fundamentadas no caráter e no mérito de Deus. Nem homem ou mulher, em lugar algum, jamais deveria tentar ir a Deus como gesto de piedade porque esse "pobre" Deus necessita dele ou dela.

Pai celestial, sou grato porque ainda que tu não
"necessites" realmente de mim, tu me dotaste de maneiras
singulares para ser útil na obra do Teu reino.

A.W. Tozer

PERDENDO O MISTÉRIO

*Se alguém quiser fazer a vontade dele,
conhecerá a respeito da doutrina, se ela é de Deus...*
JOÃO 7:17

Podemos ter certeza de que estamos ganhando em termos espirituais quando descobrimos que há um senso de mistério divino por todo o reino de Deus!

Estou ciente de que há mestres em vários círculos cristãos que fingem saber tudo sobre o Senhor. Eles rapidamente responderão a qualquer pergunta que você tenha sobre Deus, Sua criação, Seus julgamentos. Eles acabam excluindo o mistério que há na vida e o mistério da adoração. Quando o fazem, tiram Deus de cena também!

Sua inteligência e eloquência podem também trair a carência de reverência divina no espírito humano — temor e adoração, momentos silenciosos e maravilhosos que sopram um sussurro: "Ó Senhor Deus, tu sabes!".

Em Isaías vemos claramente o que acontece com uma pessoa no mistério da Presença. Subjugado em seu ser, Isaías só consegue confessar: "...sou homem de lábios impuros!" (6:5). Uma pessoa que vivenciou as experiências de Isaías jamais será capaz de fazer piadas novamente sobre "Aquele lá em cima que se importa comigo".

*Senhor, se pararmos tempo suficiente
para refletir seriamente sobre Tua natureza divina,
nossa mente finita não será capaz de compreender Tua infinita
grandiosidade. Tu és um Deus impressionante!
Louvado seja o Senhor!*

A. W. Tozer

AS COISAS ANTIGAS JÁ PASSARAM

*...se alguém está em Cristo... as coisas antigas
já passaram; eis que se fizeram novas.* 2 CORÍNTIOS 5:17

O Novo Testamento é, entre outras coisas, um registro da luta de homens e mulheres nascidos duas vezes para viver em um mundo governado por aqueles nascidos uma só vez! Isso deveria indicar que não estamos sendo tão úteis quanto deveríamos ser quando falhamos ao instruir o novo cristão, aquele que é "um bebê em Cristo", sobre o que nosso Senhor disse a Seus primeiros discípulos: "...No mundo passais por aflições..." (JOÃO 16:33).

O apóstolo Paulo sabia do que estava falando quando disse aos cristãos: "Ora, todos quantos querem viver piedosamente em Cristo Jesus serão perseguidos" (2 TIMÓTEO 3:12).

Tome o exemplo de alguém recentemente convertido a Cristo. Seu testemunho interior condiz claramente com a luz que agora ele tem; ele está começando a viver como acredita que um cristão deveria. Mas este novo mundo é completamente diferente daquele que ele acabou de deixar. Padrões, valores, objetivos, métodos — todos são diferentes. Muitos pilares sólidos sobre os quais ele anteriormente se apoiava sem questionamentos são agora percebidos como feitos de giz e prontos para despedaçarem-se.

Haverá lágrimas, mas também paz e alegria com a contínua descoberta de que em Cristo, de fato, "...as coisas antigas já passaram; eis que se fizeram novas" (2 CORÍNTIOS 5:17).

*Senhor, algumas vezes é conveniente esconder minha fé
se estou na companhia de não-cristãos. Ajuda-me a posicionar-me
por Cristo, mesmo estando em uma situação hostil.*

A.W. Tozer

A OBEDIÊNCIA É MELHOR

*...pondo de parte os princípios elementares
da doutrina de Cristo, deixemo-nos levar para o que é perfeito...*
HEBREUS 6:1

O escritor aos Hebreus há muito tempo sinalizou que alguns cristãos professos estavam parados no tempo e não chegavam a lugar algum! Eles tiveram oportunidades de crescer — mas não cresceram. Tiveram tempo suficiente para amadurecer, contudo ainda eram bebês.

Então, ele os exortou claramente a abandonar sua rotina religiosa sem significado e buscar a perfeição.

É possível mover-se sem progredir e isto descreve muito da atividade entre os cristãos atuais. É simplesmente deslocamento desorientado! O centro da questão é o seguinte: É possível frequentarmos a igreja por toda a vida e não sermos melhores por isso. Penso que podemos dizer que a maioria dos cristãos não tem um propósito claro pelo qual esteja se esforçando. No interminável carrossel religioso eles continuam a desperdiçar tempo e energia.

Um cristão não pode esperar pela verdadeira manifestação de Deus enquanto vive em estado de desobediência. Caso um homem se recuse a obedecer a Deus em alguma área, todo o resto de sua atividade religiosa será desperdiçado. O cristão instruído e obediente se renderá a Deus como o barro se rende ao oleiro e apreciará todos os momentos na igreja!

*Senhor, ajuda-me a entender claramente Teu chamado
e propósito para minha vida. Não quero desperdiçar meu tempo;
quero servir-te eficazmente.*

A.W. Tozer

A FAMÍLIA DE DEUS

*Por esta causa, me ponho de joelhos diante do Pai,
de quem toma o nome toda família, tanto no céu como
sobre a terra.* EFÉSIOS 3:14,15

Há uma mensagem bíblica importante para a família de Deus: Depois do próprio Deus precisamos uns dos outros mais do que de todo o resto!

O ideal do Senhor é uma comunidade de fé, uma comunidade cristã. Seu plano nunca foi que a salvação fosse recebida e desfrutada por um indivíduo separado da grande companhia de cristãos. Com isso, é preciso também ser dito que viver na família religiosa não significa que precisamos aprovar tudo o que é feito nela.

Mas Deus nos criou assim: precisamos uns dos outros. Nós poderíamos e deveríamos ir a nossos quartos e orar em secreto, mas quando a oração acaba, devemos voltar para nosso povo. Pertencemos a ele.

Ninguém é sábio o suficiente para viver sozinho, nem bom o suficiente ou forte o suficiente. Com nossos irmãos podemos aprender como fazer algumas coisas e também como não as fazer!

Nosso Senhor, que é o Grande Pastor, disse que somos as ovelhas do Seu pasto e está em nossa natureza viver com o rebanho. E o melhor de tudo é que o Pastor permanece sempre com o Seu rebanho!

*Senhor, que a comunidade em nossas igrejas locais seja forte
e pura. Une-nos em harmonia, para que possamos
verdadeiramente honrar Teu nome em toda nossa comunidade.*

A.W. Tozer

SEUS OUVIDOS ESTÃO FECHADOS?

Depois disto, ouvi a voz do Senhor, que dizia:
A quem enviarei... Disse eu: eis-me aqui, envia-me a mim.
ISAÍAS 6:8

O convite do evangelho é oferecido livremente para todos, mas muitos estão preocupados demais para ouvir ou prestar atenção. Eles nunca permitem que o chamado de Deus se torne uma razão para decisão. O resultado é que passam a vida toda insistindo que nunca ouviram chamado algum de Deus!

A resposta a isso é clara. Deus tem procurado chamar sua atenção, mas absorvidos por uma multidão de interesses mundanos, seus ouvidos estão sempre fechados.

O mundo ao nosso redor quer nos colocar na mesma camisa de força que teria mantido Abraão em Ur dos caldeus.

"Falaremos com você sobre religião" é a oferta aparentemente bondosa que as pessoas nos fazem hoje. Mas, então, acrescentam uma retratação: "Só não faça da religião algo pessoal." A maioria das pessoas parece ter adotado a ideia de aceitar a religião desde que esta não contenha a cruz de Cristo!

Mas quando o Senhor chama homens e mulheres para crer que Cristo nos deu o único caminho até Deus por meio de Sua morte e expiação, sua fé será uma ofensa para o mundo. Assim foi nos dias de Abraão, e é em nossos dias!

Senhor, quero manter meus canais de comunicação
abertos para que esteja pronto
para ouvir Tua voz falando comigo.

A. W. Tozer

NOSSA CONVERSA PIEDOSA

*Então, os que temiam ao S*ENHOR
*falavam uns aos outros; o S*ENHOR *atentava e ouvia...*
MALAQUIAS 3:16

Já conheci cristãos que eram tão diligentes no ganhar almas para Cristo que não conversariam com outras pessoas sobre nada além de Deus e Sua bondade!

Um homem assim foi o canadense Robert Jaffray, um de nossos missionários pioneiros. Sua família possuía um dos jornais mais conhecidos de Toronto e, ainda jovem, esse cristão foi deserdado porque escolheu seguir o chamado de Deus para a China, ao invés de participar do negócio da família.

Esse bom homem piedoso investiu sua vida na China e no pacífico sul, procurando pelos perdidos — e conquistando-os para Cristo! Estava sempre lendo mapas e ousando ir aos lugares menos acessíveis, apesar da fraqueza física e do problema de diabetes.

Ele procurou os pobres e miseráveis e viveu no meio deles, sempre orando a Deus: "Deixa meu povo ir!"

Quando estava de licença, ele não conseguia sentar e conversar sobre coisas comuns. Seus pensamentos sempre estavam voltados para Deus, missões e como ganhar os perdidos. Lembro-me de Malaquias que disse: "...os que temiam ao SENHOR falavam uns aos outros; o SENHOR atentava e ouvia..." (3:16).

Obrigado Pai, por te preocupares de modo especial com todos os cristãos ao redor do mundo que estão te servindo hoje. Ajuda-me a compartilhar as boas-novas com os perdidos.

A.W. Tozer

A REALIDADE DO ORGULHO

O temor do Senhor consiste em aborrecer o mal;
a soberba, a arrogância, o mau caminho... eu os aborreço.
PROVÉRBIOS 8:13

Deixe-me alertar você sobre o perigo e o engano do orgulho humano. Você o encontrará em todos os lugares do mundo e ele se alimenta de praticamente qualquer coisa que o engorde!

Eu cheguei à conclusão de que muitas pessoas que conheci jamais terão um relacionamento correto com Deus porque determinaram que simplesmente não se humilharão, de modo algum!

O orgulho é uma qualidade impressionante na humanidade, não apenas o foi nos dias de Jesus, como também o é nos nossos.

Ouvi um noticiário em que um dos mais altos oficiais da Índia estava tentando negar um rumor de que missionários cristãos eram prejudicados em seu trabalho na Índia. Ele disse: "Não estamos obstruindo a propagação da doutrina cristã na Índia. Na verdade, sabemos que houve algumas pessoas de castas baixas que passaram a crer no ensino cristão."

Ó, que orgulho ascendente em sua voz ao fazer essa afirmação! Os desamparados e desesperados nas castas mais baixas — ele não os impediria caso quisessem crer em Cristo.

Sim, o engano do orgulho humano está em todos os lugares!

Senhor, algumas vezes o orgulho consegue rastejar tão lenta
e naturalmente para dentro de mim que acabo nem percebendo.
Tu tens minha permissão, Senhor, para arrancares pela raiz
o orgulho alojado nos cantos escuros do meu ser.

A. W. Tozer

TRÁFEGO DE DUAS MÃOS

*E imediatamente o pai do menino exclamou [com lágrimas]:
Eu creio! Ajuda-me na minha falta de fé!*

MARCOS 9:24

Na indeterminação de nossos tempos, o tráfego entre fé e descrença é tragicamente pesado, como as Escrituras declararam que seria. Mas podemos encorajar nosso coração com o conhecimento de que o tráfego nem sempre se move na direção da descrença — algumas vezes move-se para outra direção!

De vez em quando chega a alegre notícia de algum "liberal" que se enoja com a mistura de psicologia aplicada e poesia barata e volta como o pródigo para a casa do Pai. É verdade que o movimento da ortodoxia para o liberalismo é geralmente lento, quase lento demais para ser percebido. Nunca ouvi falar de um único caso em que alguém aceitou o modernismo como resultado de uma experiência espiritual.

Porém, o movimento de retorno à fé será provavelmente um encontro repentino com Deus e com as coisas espirituais!

O simples fato de que o cristão sempre experimenta algo e o incrédulo jamais, deveria nos dar grandes indicações. Somente o verdadeiro cristão tem certeza de que o sol nasceu!

*Senhor, há muitas pessoas nesta comunidade e ao redor
do mundo que se colocam nos cruzamentos da vida, sem saber
que caminho tomar. Direciona-os na direção certa, hoje.*

A. W. Tozer

"INJUSTO! INJUSTO!"

Ele foi oprimido e humilhado, mas não abriu a boca...
nem dolo algum se achou em sua boca.

ISAÍAS 53:7,9

Os cristãos que entendem o verdadeiro significado da cruz de Cristo nunca lamentarão por serem tratados de modo injusto.

Recebendo ou não tratamento justo, isso nunca os afetará. Eles sabem que foram chamados para seguir a Cristo e certamente o Salvador não recebeu qualquer coisa semelhante a um tratamento justo por parte da humanidade.

A palavra *injusto* parece completamente inocente, mas indica uma atitude interior que não deve ter lugar entre cristãos.

O homem que clama "injusto!" não é um homem vitorioso. Ele está derrotado interiormente e em autodefesa apela para o árbitro sinalizar a falta. Isso lhe concede um álibi quando o carregam para fora numa maca e o justifica, enquanto seus ferimentos cicatrizam.

É certo que cristãos sofrerão injúrias, mas se as receberem de bom grado e sem queixas, terão vencido seu inimigo. Eles se lembram de que Jesus foi insultado — mas o coração reverente simplesmente não se entreteria com o pensamento de que Ele clamaria por justiça!

Senhor, lembra-me de pensar em Teu exemplo sempre que eu for tentado a reclamar que "a vida é injusta". Tu sofreste a maior injustiça de todas; e ainda assim permaneceste em silêncio.

A. W. Tozer

A VOZ PROFÉTICA

...fale cada um a verdade... a que for boa para edificação...
e, assim, transmita graça aos que ouvem.
EFÉSIOS 4:25,29

O ministro cristão não pode negar que o Senhor o chamou para ser um profeta para sua geração, pois a Igreja é a testemunha de Deus para cada geração e seus ministros são Sua voz. Por meio deles a voz de Deus se torna audível!

O verdadeiro ministro, portanto, deveria saber o que significa dizer que prega "a verdade". Não é suficiente que o homem de Deus pregue a verdade — como se estivesse recitando a tabuada de multiplicar. Isso também é verdade. Uma igreja certamente pode definhar sob o ministério da exposição bíblica sem vida, pois isso seria como não oferecer nada da Bíblia. Para ser eficaz, a mensagem precisa estar viva — precisa alertar, incitar, desafiar; deve ser a voz presente de Deus para um povo específico.

Para pregar a verdade o profeta deve estar debaixo da constante influência do Espírito Santo. Ele deve ser conduzido a Deus para obter sabedoria. Caso contrário, não atingirá a consciência de cada ouvinte como se a mensagem fosse dirigida especificamente a cada um deles. Além disso, é necessário que o homem de Deus conheça o coração das pessoas melhor do que elas mesmas conhecem!

Amado Senhor, oro para que faças uma obra no
coração de cada jovem cristão desta geração. Desafia-os
a serem dispensadores da verdade, cheios do Espírito,
posicionados nos púlpitos de nossas igrejas.

A. W. Tozer

DEUS NÃO PRECISA DE ADJETIVOS

*Celebrarei as benignidades do Senhor e os seus atos gloriosos,
segundo tudo o que o Senhor nos concedeu...*
ISAÍAS 63:7

Não precisamos de nenhum adjetivo de engrandecimento quando falamos de Deus, de Seu amor ou de Sua misericórdia. O Deus Todo-Poderoso preenche o Universo e o faz transbordar porque este é Seu caráter — infinito e ilimitado!

Nós não precisamos dizer: o "grande" amor de Deus, embora o digamos. Não precisamos dizer: misericórdia "abundante" do Senhor, ainda que o façamos. Suponho que assim falamos para alegrar e elevar nossos próprios pensamentos sobre Deus, não para inferir que haja algum tipo de grau na Sua misericórdia.

Nossos adjetivos podem ser úteis apenas quando falamos de coisas terrenas — quando no referimos ao grande amor do homem por sua família ou da fabulosa riqueza de um homem.

Porém, quando estamos falando de Deus, não pode haver tal forma de medida. Quando falamos das Suas riquezas, devemos incluir todas as riquezas que há! Deus não é menos ou mais rico — Ele é rico! Ele sustém todas as coisas em Seu ser!

Assim o é com a misericórdia. Deus não é menos ou mais misericordioso. Felizmente, Ele é repleto de misericórdia. Tudo o que Deus é, Ele o é na plenitude da graça ilimitada!

*Pai celestial, a profundidade e a extensão
de Teus atributos estão além da medida e da compreensão
humanas. Deus, não há outro como tu!*

A.W. Tozer

UM CORPO GLOBAL

*Porque também o corpo não é um só membro,
mas muitos... Ora, vós sois corpo de Cristo; e, individualmente,
membros desse corpo.* 1 CORÍNTIOS 12:14,27

Afirmando nos termos mais simples, a igreja cristã, chamada de Corpo de Cristo na Terra, é a assembleia dos santos redimidos.

Reunimo-nos em congregações locais e assembleias, contudo sabemos que não somos um fim em nós mesmos. Se vamos ser o que devemos ser na igreja local, precisamos passar a nos considerar parte de algo mais expansivo, algo maior que Deus está fazendo por todo o mundo.

Há uma importante percepção aqui, em que descobrimos que "pertencemos" — pertencer a algo que é precioso e de valor, além de ser algo que durará para sempre!

Estas são considerações relativas a toda Igreja, o Corpo de Cristo, e ao fato de que em nossa congregação local temos o alegre sentimento de pertencer a uma incrível comunidade que faz parte de todo o mundo. Toda igreja cristã tem uma parte conosco e nós temos parte com elas.

Irmãos, a igreja deve ter a capacitação e o poder do Espírito Santo além do brilho da glória do *Shekinah* — Deus habitando em nós. Pois só então, mesmo que tendo falta de todo o resto, você ainda terá uma igreja verdadeira!

*Senhor, neste dia oro por meus irmãos e irmãs
em Cristo ao redor do mundo. Encoraja-os e capacita-os
a fazer boas obras em Teu nome.*

A.W. Tozer

FAZER CRISTO ESPERAR

Se alguém... não concorda com as sãs palavras de nosso Senhor Jesus Cristo... é enfatuado, nada entende...
1 TIMÓTEO 6:3,4

Primeiro me indigno e em seguida me entristeço quando uma pessoa a quem estou tentando dar um conselho espiritual me diz: "Bem, estou tentando decidir se devo ou não aceitar a Cristo."

Essa situação tem ocorrido em nossa sociedade vez após outra, quando orgulhosos pecadores adâmicos argumentam consigo mesmos: "Não sei se devo ou não aceitar a Cristo." Então, numa visão desse tipo, nosso "pobre" Senhor Jesus Cristo, encontra-se tímido, um pouco envergonhado, procurando um emprego — imaginando se será aceito ou não!

É possível que nós humanos orgulhosos não saibamos que o Cristo que estamos descartando é o Filho eterno, o Senhor que fez os céus e a Terra e tudo o que neles há? Ele é, de fato, o Único, o Poderoso!

Felizmente, Ele prometeu nos receber, ainda que sejamos pobres e pecadores. Mas a ideia de que podemos deixá-lo esperando, enquanto apresentamos o veredito que dirá se Ele é ou não digno, é uma terrível calúnia — e dela devemos nos livrar!

Amado Senhor, obrigado por Tua maravilhosa promessa de nos receber assim como somos — com todas as imperfeições. Tu és completamente fidedigno, Senhor!

A.W. Tozer

NOSSO AMOR POR DEUS

...não amemos de palavra, nem de língua, mas de fato e de verdade. 1 JOÃO 3:18

A transferência de nosso ideal de amor romântico para nosso relacionamento com Deus tem sido extremamente prejudicial à nossa caminhada cristã. A ideia de que deveríamos "nos apaixonar" por Deus é repugnante, não bíblica, indigna de nós e certamente não honra o Deus Altíssimo!

Nós não passamos a amar ao Senhor por uma repentina visitação emocional. O amor por Deus é resultado de arrependimento, regeneração de vida e uma determinação permanente de amá-lo. Então, à medida que Deus se move mais perfeitamente para o centro de nosso coração, nosso amor por Ele pode, de fato, aumentar e expandir-se dentro de nós até que, como uma enchente, arrastará tudo à sua frente.

Mas nós não deveríamos esperar por essa intensidade de sentimento. Não somos responsáveis por sentir, mas somos responsáveis por amar, e o verdadeiro amor espiritual começa na vontade.

Deveríamos ajustar nosso coração para amar a Deus no mais alto grau, por mais frio ou endurecido que ele pareça estar, e seguir confirmando nosso amor por meio de obediência alegre e prudente à Sua Palavra.

Com certeza, emoções agradáveis virão em seguida!

Pai celestial, confesso que tenho dificuldade para "amar" as pessoas desagradáveis deste mundo. Ensina-me mais sobre o verdadeiro amor espiritual, Senhor.

A.W. Tozer

JESUS VIRÁ

...e jurou por aquele que vive pelos séculos dos séculos...
Já não haverá demora. APOCALIPSE 10:6

Vivemos em um período em que Deus aguarda em graça e misericórdia. Em Sua fidelidade, o Senhor está chamando um povo pelo Seu nome — aqueles que irão, pela fé, forjar seu destino com Jesus Cristo! E então, em um momento conhecido apenas por Deus, o fim deste século virá e Jesus Cristo retornará à Terra para o Seu povo fiel — Sua Igreja.

O evento é certo — o momento é incerto. Quando o poderoso anjo de Apocalipse der o sinal e erguer sua mão para o céu, será eternamente tarde para pecadores que não se arrependeram.

Quando chegar o tempo no céu para esse anúncio, três mundos ouvirão. O céu ouvirá, com concordância plena de que o tempo do julgamento, de fato, chegou. O submundo do inferno ouvirá e haverá pavor. E na Terra, os santos, o Corpo de Cristo que crê ouvirá e se alegrará! A Igreja não é simplesmente uma instituição religiosa. É uma assembleia de pecadores redimidos, homens e mulheres chamados e comissionados para difundir o evangelho de Cristo até os confins da Terra.

Senhor, enquanto espero por Tua volta para restaurar
a justiça e a ordem a este mundo decaído, meu coração pesa por
meus amigos e amados que ainda não te aceitaram.
Pai, que cada um deles se renda ao Teu Espírito.

A. W. Tozer

CLARAMENTE FIEL

E o que de minha parte ouviste...
transmite a homens fiéis... 2 TIMÓTEO 2:2

Compreendo que a fidelidade não é um assunto muito comovente e que muitos entre nós, na fé cristã, gostaríamos de fazer algo mais impetuoso e que exija mais discernimento do que simplesmente ser fiel. Enquanto alguns estão preocupados em colocar suas fotos no jornal, agradeço a Deus por todo cristão fiel e leal que tem apenas um alvo em mente — ouvir seu Senhor dizer naquele Grande Dia vindouro: "Muito bem, servo bom e fiel... entra no gozo do teu senhor" (MATEUS 25:21).

A verdade clara é que a fidelidade e a bondade são as raízes de grande parte do constante frutificar nos testemunhos dos filhos de Deus! Por toda a Bíblia o Senhor sempre concede grande recompensa para a fidelidade daqueles que o amam e o servem.

Noé foi fiel em seus dias. Abraão foi fiel em seus dias. Moisés foi fiel em seus dias. E o que podemos dizer da fidelidade de nosso Salvador, Jesus Cristo? O diabo estava lá com suas mentiras. O mundo ameaçou Jesus por todos os lados. Mas Cristo foi fiel a Seu Pai e a nós!

Estamos dispostos a aprender com o Espírito Santo como ser fiéis e amáveis, altruístas e semelhantes a Cristo?

Senhor, grande é a Tua fidelidade!
Que tu me capacites a ser caracterizado pela fidelidade em minha
caminhada contigo — assim como Noé, Abraão e Moisés.

A. W. Tozer

DEUS NOS INSTIGARÁ

Bem-aventurados os que têm fome e sede de justiça...
MATEUS 5:6

Não há maneira de nos convencermos a "ansiar por Deus". O desejo e a fome espiritual devem vir do próprio Deus! Não é algo que pode ser instigado.

Quando menino, tentei vender amendoim, pipoca, chiclete, doces e livros numa antiga estação de trem. O que vendi não foi suficiente para me tornar um grande sucesso, mas me lembro de que frequentemente tentávamos provocar nos passageiros algum desejo por nossos produtos. Passávamos pelos vagões e dávamos a cada passageiro alguns amendoins salgados. Ninguém parecia querer comprar na primeira passagem, mas quando voltávamos, quase todos que haviam provado estavam prontos para comprar. Esse é um truque comum nos trens.

Mas a história é diferente quando consideramos a vida espiritual. Ninguém, exceto Deus, por meio de Seu Espírito, é capaz de suscitar desejo espiritual em nós. Aqueles que aceitaram um estado comum de vida espiritual e não têm desejo profundo por Ele nunca serão instigados por meios humanos.

Senhor, Tua Palavra diz: "...Provai e vede que o Senhor é bom..."
(SALMO 34:8). *Desejo aproximar-me de ti, Senhor.*
Não quero simplesmente manter um relacionamento distante com um Deus incompreensível.

A.W. Tozer

AGRADEÇA A DEUS PELA CONVICÇÃO

*O homem se alegra em dar resposta adequada,
e a palavra, a seu tempo, quão boa é!* PROVÉRBIOS 15:23

Na modernidade pode-se ir a qualquer lugar, fazer tudo, e permanecer completamente curioso em relação ao Universo. Mas somente uma pessoa fora do comum, em alguma ocasião extraordinária, tem curiosidade suficiente para desejar conhecer a Deus.

Não agradecemos ao Senhor o suficiente por Ele nos procurar e nos encontrar, tornando possível que respondamos ao Seu convite da seguinte forma: "Jesus, aqui estou!"

Meditei muitas vezes na mansa conduta do Espírito Santo com o coração deste rapaz inculto quando tinha apenas 17 anos. Nós tínhamos um vizinho — eu o conhecia como "Sr. Holman" — e eu tinha ouvido dizer que ele era cristão.

Certo dia, estávamos andando juntos na calçada e ele disse: "Fico feliz por ter a chance de conversar com você. Estava pensando, você é cristão?"

Eu lhe disse: "Não, não sou cristão. Mas agradeço por perguntar e vou pensar seriamente sobre isto."

Depois dessa conversa, ouvi um homem pregando na esquina de uma rua. Ele citou o convite de Jesus: "Vinde a mim" e a oração do pecador: "Senhor tem misericórdia de mim!" Essas foram as duas coisas que me fizeram "esbarrar" com o reino de Deus. Algumas vezes é preciso uma pequena palavra para despertar em nós um desejo despercebido por Deus e por Sua verdade!

*Senhor, que hoje eu aproveite oportunidades para perguntar
a alguém sobre a condição espiritual de sua vida.*

A.W. Tozer

DELEITANDO-SE EM DEUS PARA SEMPRE

*As minhas ovelhas ouvem a minha voz...
e elas... jamais perecerão...* JOÃO 10:27,28

Deveria ser esclarecedor para nós que a diferença entre a incredulidade e a fé, entre o ponto de vista do homem e o de Deus, geralmente vem à luz quando o cristão enfrenta a morte.

Conta-se que quando John Wesley estava morrendo, ele tentou cantar, mas já estava praticamente sem voz. Ainda que sua teologia fosse arminiana, ele estava tentando cantar os versos de um antigo hino calvinista:

*Louvarei meu Criador enquanto viver,
E quando minh'alma na morte se perder,
O louvor fará uso de minhas mais nobres habilidades.*

Há pelo menos uma razão porque não consigo me empolgar com a ideia de colocar ambos os posicionamentos teológicos frente a frente, em debate.

Se Isaac Watts, um calvinista, pôde escrever tal louvor a Deus e John Wesley, um arminiano, pôde cantá-lo com anseio em seus momentos finais, por que eu deveria permitir que alguém me forçasse a confessar: "Eu não sei qual desses eu sou!"

Fui criado e redimido para que adorasse a Ele e me deleitasse nele para sempre. Essa é a questão primordial em nossa caminhada cristã!

Senhor, quando chegar minha hora de passar para a próxima vida, que seja uma transição gloriosa do louvor a ti nesta vida, para a adoração face a face em Tua santa presença.

A.W. Tozer

CONCEDENDO A CRISTO O SEU LUGAR

...e toda língua confesse que Jesus Cristo é Senhor, para glória de Deus Pai. FILIPENSES 2:11

O cristianismo, em grande parte, e a Igreja, em termos gerais, são afligidos por uma doença terrível e permanente, que se mostra diariamente na apatia e paralisia espiritual de seus membros.

Como poderia ser diferente, se os cristãos do século 20 se recusam a reconhecer a aguda antítese moral que o próprio Deus estabeleceu entre a Igreja, como Corpo de Cristo, e este mundo presente, com seus próprios sistemas humanos?

As diferenças entre o mundo e a Igreja e os seguidores do Cordeiro são tão elementares, que jamais podem ser reconciliadas ou negociadas. Deus nunca prometeu a Seu povo que eles se tornariam uma maioria popular neste cenário terrestre.

Pergunto-me quantos cristãos se uniriam a mim em um claro manifesto em nossos dias? Quero que seja uma declaração de nossas intenções de restabelecer a Cristo o lugar que é Seu, por direito, em nossa vida pessoal, nas questões familiares e na comunidade das igrejas que levam Seu nome.

Estamos dispostos a demonstrar os padrões de piedade e santidade bíblicos como repreensão para esta geração pecaminosa e perversa?

Senhor, ainda que a Igreja e o mundo se choquem com frequência, meu desejo é que cada membro do Corpo de Cristo seja tão cheio de integridade que muitas pessoas não-salvas no mundo sejam levadas a Jesus Cristo.

A.W. Tozer

CRISTO NÃO MUDA

Jesus, aproximando-se, falou-lhes, dizendo:
Toda a autoridade me foi dada no céu e na terra.
MATEUS 28:18

Você terá que provar o contrário para mim, se está entre aqueles que afirmam que Jesus Cristo se recusa a fazer por você algo que fez por qualquer um de Seus discípulos!

Dirijo isso a todos aqueles que insistem que os dons do Espírito acabaram quando o último apóstolo morreu. Pois eles nunca forneceram capítulo e versículo que sustente sua postura.

Quando alguns homens batem nas capas de suas Bíblias para demonstrar que se posicionam de acordo com a Palavra de Deus, deveriam lembrar-se de que estão se posicionando apenas com base em sua própria interpretação!

Eu não encontro nada na Bíblia que diga que o Senhor mudou. Ele tem o mesmo amor, a mesma graça, a mesma misericórdia, o mesmo poder, os mesmos desejos de que Seus filhos sejam abençoados.

Por que não poderíamos requerer tudo o que Deus prometeu para o Seu povo redimido? Que triste condição para cristãos que estão na Igreja do poderoso Redentor e Libertador, que é eternamente o Vencedor, a Rocha eterna! Não esqueçamos jamais que Jesus Cristo é o mesmo ontem, hoje e para sempre! (HEBREUS 13:8).

Deus Todo-Poderoso, te agradeço e te louvo,
pois tu és o mesmo ontem, hoje e para sempre. Isto significa que tu
és exatamente o mesmo Deus que guiou pessoalmente
os filhos de Israel no deserto. Obrigado, Senhor, por Tua paciência
e liderança em minha vida hoje.

A. W. Tozer

DEUS — AGINDO COMO DEUS

*...o Deus unigênito, que está no seio do Pai,
é quem o revelou.* JOÃO 1:18

Quando Jesus andou pela Galileia e lá ensinou há dois mil anos, muitos perguntaram: "Quem é este Homem?"

A resposta da Bíblia é clara: aquele Homem que caminhava pela Galileia era Deus, agindo como Deus! Era Deus, deliberadamente limitado, que cruzou o vasto e misterioso abismo entre Deus e não-Deus, entre Deus e criatura. Nenhum homem, em momento algum, havia visto Deus.

Em João 1:18, a tradução é: "...O Deus unigênito que está no seio do Pai, é quem o revelou." Outras versões fazem alguns rodeios, tudo para tentar dizer o que o Espírito Santo disse. Porém, quando já tivermos usado todas as nossas palavras e sinônimos, ainda não teremos dito tudo o que Deus revelou quando disse: "Ninguém jamais viu Deus, mas quando Jesus Cristo veio Ele nos mostrou como Deus é" (PARÁFRASE DE JOÃO 1:18).

Ele o revelou — Ele nos mostrou como Deus é!

Ele o declarou! Ele o expôs! Ele o revelou!

Ele está no seio do Pai. A afirmação está no presente, o tempo verbal perpétuo, a linguagem da continuação. Portanto, quando Jesus foi pendurado na cruz, Ele não deixou o seio do Pai!

*Senhor Jesus, o fundamento de nossa fé é o fato de que tu és
o Filho de Deus. Obrigado por revelares como Deus é,
durante Tua breve permanência na Terra.*

A. W. Tozer

CRISTO, O BENDITO

Tomai sobre vós o meu jugo e aprendei de mim...
Porque o meu jugo é suave, e o meu fardo é leve.
MATEUS 11:29,30

Sinto grande pesar por aqueles que leem o Sermão do Monte, e então concluem que Jesus estava fornecendo uma palavra representativa dos homens e mulheres que compõem a raça humana. Neste mundo não encontramos nada que se aproxime das virtudes sobre as quais Jesus falou nesse sermão.

Em vez de humildade de espírito, encontramos os mais extremos tipos de orgulho. Em vez de choro, encontramos pessoas que buscam prazer.

Em lugar de mansidão, arrogância, e em vez de fome de justiça, ouvimos homens dizendo: "Estou rico e abastado e não preciso de coisa alguma" (APOCALIPSE 3:17).

Em vez de misericórdia encontramos crueldade. Em lugar de pureza de coração, ideias corruptas. Em vez de pacificadores, encontramos homens irascíveis e ressentidos, lutando com todas as armas a seu alcance.

Jesus disse que veio para nos libertar de nossa triste herança do pecado. Abençoado é o pecador que descobre que as palavras de Cristo são a própria Verdade, que Ele é o Bendito que veio do alto para outorgar bem-aventurança à humanidade!

Obrigado Pai, por Teu convite de braços abertos a Teus filhos,
para que lancem todas as suas preocupações terrenas sobre ti.
Senhor, ensina-me a confiar em ti mais profundamente.

A. W. Tozer

UMA FRAGRÂNCIA DIVINA

...a fim de que seja o vosso coração confirmado em santidade, isento de culpa... na vinda de nosso Senhor Jesus, com todos os seus santos. 1 TESSALONICENSES 3:13

Meu coração e minha vida foram tocados ao ler os testemunhos de humildes homens de Deus, que considero estar entre as grandes almas da história da igreja cristã. Com eles aprendi que a palavra e a ideia de *santidade*, como utilizada originalmente no hebraico, não tinha, no princípio, conotação moral.

A raiz original da palavra *santo* era algo superior, algo estranho e misterioso, que provocava reverência. Quando consideramos a santidade de Deus, falamos de algo celestial, repleto de reverência, misterioso e que causa temor. A santidade é soberana quando se refere a Deus, mas ela é também percebida em homens de Deus e se aprofunda conforme eles se tornam mais semelhantes ao Senhor.

É um sentido de consciência do outro mundo, uma misteriosa qualidade e diferença que repousa sobre alguns homens e mulheres — isso é santidade. Quando essas pessoas com essa qualidade especial e Presença misteriosa estão moralmente certas e caminham em todos os santos caminhos de Deus, levando, sem nem perceber, a fragrância de um reino que é soberano sobre os reinos deste mundo, reconhecerei que eles pertencem a Deus e vêm da parte de Deus!

Pai celestial, tu és repleto de maravilha e reverência. Contudo, és o Criador majestoso do Universo que quer se conectar com Tua criação de modo íntimo. Por que alguém escolheria não te adorar como o soberano Doador da vida?

A.W. Tozer

ESCOLHIDOS NELE

...nos escolheu, nele, antes da fundação do mundo, para sermos santos e irrepreensíveis... EFÉSIOS 1:4

Disseram-me que, às vezes, quando prego, deixo os calvinistas muito preocupados, mas quero firmar meus argumentos aqui, e aceito a oportunidade de preocupar meus irmãos da crença arminiana.

Os atos registrados no princípio da criação não foram as primeiras atividades de Deus. O Senhor esteve ocupado antes disso, pois Ele deve ter estado comprometido com escolher e predestinar a fundação do mundo!

Paulo disse aos cristãos em Éfeso: "[Deus] nos escolheu, nele, antes da fundação do mundo, para sermos santos e irrepreensíveis perante ele; e em amor" (1:4).

Consigo explicar como Deus teria nos escolhido antes da criação do mundo? Posso explicar a natureza eterna de Deus, o Ser não-criado? Sou capaz de explicar uma época em que não havia nada além de Deus — nenhuma matéria, lei, relacionamento, espaço, tempo ou seres, somente Deus?

Deus estava lá e Deus não é um vácuo! Ele é o Deus triúno e nada há além dele. Antes da Criação Ele já estava ocupado com misericórdias eternas e um plano de redenção para uma humanidade ainda não criada!

Deus misericordioso, quando reflito em Tua eterna bondade, fico maravilhado novamente com Tua determinação de salvar um mundo desobediente, tendo que pagar um preço tão alto — Teu único Filho.

A. W. Tozer

ASFIXIA ESPIRITUAL

*...mas onde abundou o pecado,
superabundou a graça.* ROMANOS 5:20

Como posso ilustrar a propensão do homem à asfixia espiritual? Eu li que companhias de mineração costumavam levar pássaros vivos, engaiolados, às minas para detectar a presença de gases perigosos. Caso houvesse alta concentração tóxica, o pássaro caía rapidamente e morria na gaiola.

Para mim, um pássaro é um milagre criado por Deus — um prodígio com asas, criado para planar sobre campinas verdes e respirar o doce ar dos céus. Mas se for levado para o subsolo onde há névoa escura e poluição, ele rapidamente morre asfixiado!

Você também pode aplicar isso à alma do homem!

Deus criou o homem como uma alma livre e Seu plano era que ele ascendesse até as alturas da eternidade e vivesse com o Senhor. Há em cada um de nós um anseio pela imortalidade. Mas o pecado nos arruinou. Demos ouvidos àquela serpente, o diabo. Descemos até os mais profundos, escuros e venenosos abismos do mundo, e homens perdidos estão morrendo de asfixia espiritual por todos os lados!

*Senhor, a Bíblia diz que tu fizeste o homem
"...por um pouco, menor do que Deus e de glória e de honra o
coroaste"* (SALMO 8:5). *Entretanto, muito frequentemente não agimos
como merecedores desse status. Somos autocentrados
e volúveis. Senhor, produz um avivamento por Teu Espírito
e nos capacita a "planar" como tu planejaste.*

A. W. Tozer

PODEMOS NOS DAR AO LUXO DE MORRER

Na verdade, não temos aqui cidade permanente, mas buscamos a que há de vir. HEBREUS 13:14

Irmãos, é fato que em nossa vida terrena nunca perceberemos plenamente o que significa ser coerdeiros com Cristo!

Os apóstolos deixaram relativamente claro que todas as implicações eternas de nossa herança celestial não serão conhecidas por nós até que vejamos Cristo face a face em uma era futura.

Eu tenho dito que somente um cristão tem o direito e pode se dar ao luxo de morrer! Mas se nós cristãos fôssemos tão espirituais quanto deveríamos, poderíamos encarar nossa "ida para casa" com muito mais prazer e expectativa do que temos feito até agora.

Digo também que se cremos verdadeiramente na segunda vinda de nosso Salvador, estaremos esperando Seu retorno com anseio. O bom senso, a perspectiva histórica, o testemunho dos santos, a razão e a Bíblia — todos concordam em uníssono que Ele pode voltar antes de morrermos.

O cristão, cuja fé e esperança estão somente em Jesus Cristo, sabe que pode morrer antes que o Senhor venha. Caso ele morra, estará em melhor situação, pois Paulo disse: "...partir e estar com Cristo, o que é incomparavelmente melhor" (FILIPENSES 1:23).

Senhor, tu colocaste a eternidade em nosso coração. Portanto, tu nos criaste com um desejo inerente de viver contigo no céu. Oro para que todos os membros da minha família venham te conhecer antes que seja tarde demais.

A.W. Tozer

COMO O CONHECEMOS?

...sei em quem tenho crido...
2 TIMÓTEO 1:12

Preciso fazer esta pergunta hoje, no contexto do cristianismo contemporâneo: "Não é verdade que para a maioria de nós, que se chama cristão, não há uma experiência verdadeira?"

Substituímos um encontro cativante com Cristo por conceitos teológicos; estamos repletos de noções religiosas, mas nossa grande fraqueza é que nosso coração percebe apenas um vazio. Não há ninguém lá!

Ainda que envolva outras coisas, a experiência cristã verdadeira deve sempre ser fundamentada em um encontro genuíno com Deus. Sem isso, a religião não passa de uma sombra, um reflexo da realidade, uma cópia barata de um original antes apreciado por alguém de quem ouvimos falar.

Não pode haver tragédia maior na vida de qualquer homem ou mulher do que viver em uma igreja desde a infância até a velhice e não conhecer nada mais real do que um deus sintético, composto de teologia e lógica, mas que não tem olhos para ver, ouvidos para ouvir — nem um coração para amar!

*Ó Senhor, oro pelas pessoas que frequentam igrejas
e assumem que são cristãs apenas por terem sido criadas em um
ambiente religioso. Que tragédia será se esses homens
e mulheres não forem verdadeiramente salvos! Senhor, que todas
elas possam receber a Cristo em seus corações.*

A. W. Tozer

NOSSAS VISÕES INTERIORES

...iluminados os olhos do vosso coração, para saberdes qual é a esperança do seu chamamento...
EFÉSIOS 1:18

O avivamento e a bênção sobrevêm à igreja quando paramos de olhar para uma representação de Deus e olhamos para o próprio Deus! O avivamento chega quando, já não mais satisfeitos em saber sobre Deus na história, nós atendemos aos requisitos para encontrá-lo em uma experiência viva e pessoal.

De modo semelhante, o avivamento não pode vir se estivermos distantes do Senhor. Não virá se, em vez de ouvir Sua voz, nos contentarmos com um simples eco!

Ao unir essas deficiências você encontrará a razão da nossa insatisfação e do nosso vazio. Saberá porque há tão pouca alegria vívida e vibrante nas coisas de Deus.

Em minha opinião, o nosso Deus está sempre tentando se revelar a nós. Não há outra maneira pela qual os pecadores possam encontrar o caminho até a presença de Deus, a não ser que Ele se revele e apareça para nós. Não quero dizer que o Senhor está tentando se revelar de modo que o vejamos com nossos olhos físicos. Pelo contrário, Ele está tentando se revelar para os olhos de nossa alma, por meio de nossa consciência interior. Jamais se desculpe por sua visão interior! Ela é o que discerne a natureza das questões importantes para Deus.

Senhor, há tantas decisões difíceis, porém importantes a serem tomadas em minha vida. Aguça os olhos de minha alma para poder discernir Tua presença e orientação em minha vida.

A.W. Tozer

BEM-AVENTURANÇA POR VIR

*...temos da parte de Deus um edifício,
casa não feita por mãos, eterna, nos céus.*
2 CORÍNTIOS 5:1

Muitas pessoas falam sobre ir para o céu a despeito da lânguida esperança que a religião popular proporciona. Qualquer esperança resultante de um estado de bem-aventurança, além do incidente da morte, deve estar na bondade de Deus e na obra de propiciação cumprida por Jesus Cristo na cruz, por nós.

O profundo amor do Senhor é a fonte de onde flui nossa beatitude futura; e a graça de Deus, em Cristo, é o canal pelo qual Ele nos alcança. A cruz de Cristo cria uma situação moral em que todos os atributos de Deus estão do lado do pecador que regressa ao lar.

O verdadeiro cristão pode olhar adiante com segurança, olhar para um estado futuro que é tão feliz quanto o amor perfeito possa desejar que seja. Porque o amor não pode desejar que seu objeto tenha nada menos do que a medida repleta de gozo completo durante o maior tempo possível. Está além de nossa capacidade poder conceber um futuro tão consistentemente aprazível quanto o que Cristo está preparando para nós.

E quem pode dizer o que é possível com Deus?

*Amado Senhor, ainda que sejamos objetos
de Teu perfeito amor, é certo dizer que só temos consciência
parcial dos benefícios que tu desejas nos conceder.
Obrigado, Pai, por Teu amor infalível e superabundante.*

A. W. Tozer

DESCRENÇA "CONGELADA"

Tende cuidado, irmãos, jamais aconteça
haver em qualquer de vós perverso coração de incredulidade...
HEBREUS 3:12

Estude a vida do fiel Noé e você saberá o que ele diria, se pudesse aconselhá-lo hoje: "Sempre que você ouvir a verdade de Deus", ele diria, "ou irá na direção em que for movido ou apenas esperará. Se você esperar, descobrirá que na próxima vez em que ouvir a verdade, ela não o afetará da mesma forma. Na próxima vez ela o comoverá menos — e chegará o tempo em que essa verdade simplesmente não o comoverá!"

Precisamos dessa mensagem em nossa geração, pois há um tipo lastimável de incredulidade "congelante" ao nosso redor. Homens e mulheres estão prestando pouca atenção a todos os sinais de alerta de Deus.

Sendo um menino de fazenda, aprendi a lição dos pintinhos — uma presa fácil para os falcões no alto. A galinha ouvia o grito agudo do gavião nas alturas e emitia seu cacarejo especial de alerta. Seus filhotes corriam para perto dela e em pouco tempo ela tinha todos protegidos sob suas penas.

Graças a Deus por haver uma fé verdadeira que não se envergonha de se mover na direção da Arca da proteção!

Senhor, que eu esteja especialmente alerta à verdade
de Deus e que tome a atitude
apropriada sugerida ao meu espírito.

A.W. Tozer

CAMINHEMOS ADIANTE

*...para que sejais tomados de toda
a plenitude de Deus.* EFÉSIOS 3:19

O maior desejo do apóstolo Paulo era avançar adiante no conhecimento e nas bênçãos de Deus. Mas alguns modernos mestres em Bíblia chamam esse tipo de desejo de fome e sede de fanatismo, em vez de desejo por maturidade espiritual.

Esses mestres garantem ao novo cristão: "Você está agora completo em Cristo. Apenas relaxe e alegre-se por não haver nada mais de que você precise."

Com grande desejo Paulo escreveu: "...para ganhar Cristo" (FILIPENSES 3:8) — e, entretanto, ele já tinha Cristo! Com anseio evidente ele disse: "[que eu possa] ser achado nele" (3:9) — e, entretanto, ele já estava nele!

Paulo respirava humilde e possuía este grande desejo: "Para o conhecer..." (3:10) — ainda que ele já conhecesse a Jesus!

Por não querer permanecer parado, Paulo testificou: "...mas prossigo para conquistar aquilo para o que também fui conquistado por Cristo Jesus" (3:12).

Está muito claro que o apóstolo não tinha outro desejo além de estar completamente disponível para Deus. Muitos, entre nós, se recusam a seguir seu exemplo!

*Amado Senhor, minha oração esta manhã
é para que tu satisfaças minha fome de te conhecer mais e para
que tu me uses para ajudar no avanço do Teu reino.*

A.W. Tozer

A OBRA ETERNA DE DEUS

*...a própria criação será redimida
do cativeiro da corrupção...* ROMANOS 8:21

É possível que alguns de nossos irmãos em Cristo tenham esquecido que apesar de sermos cristãos, vivemos dia a dia em corpos físicos não redimidos?

Sim, irmãos, esta é a teologia cristã ortodoxa, que nos foi dada pelo apóstolo Paulo nestas palavras: "...mas também nós, que temos as primícias do Espírito, igualmente gememos em nosso íntimo, aguardando a adoção de filhos, a redenção do nosso corpo" (ROMANOS 8:23). Estes nossos corpos serão redimidos, pois essa é a promessa de Deus. Mas nesta vida, na verdade, ainda não foram redimidos. É por isso que não podemos executar a obra eterna de Deus sozinhos, pois somente o Espírito Santo de Deus pode revelar Seus propósitos eternos.

Caso queiramos nos comprometer, com êxito, com o testemunho cristão que Deus espera de nós enquanto estamos nesta Terra, devemos saber e experimentar conscientemente a iluminação do Espírito Santo de Deus que habita em nós. Precisamos depender de Seus dons, daquilo que Ele nos doa e de Sua unção, se esperamos poder lidar com a epidemia universal que atingiu a humanidade.

*Senhor, Tua Palavra diz que "o espírito, na verdade,
está pronto, mas a carne é fraca" (MATEUS 26:41). Sei, por experiência
pessoal, que preciso do poder do Teu Espírito
que habita em mim para superar a influência da carne.*

A.W. Tozer

DEUS DISTANTE

*Acaso, sou Deus apenas de perto, diz o Senhor,
e não também de longe?... porventura, não encho
eu os céus e a terra?* JEREMIAS 23:23,24

Lembro-me de uma canção que ouvi quando era jovem que falava sobre a presença de Deus: "Distante para além do céu iluminado pelas estrelas."

Foi exatamente nesse ponto onde a humanidade colocou Deus. Ele está distante, além do céu iluminado pelas estrelas.

Nós, como homens e mulheres neste mundo, temos a tendência de pensar na presença de Deus em termos de espaço, do modo como o entendemos. Pensamos em termos de anos luz, metros, quilômetros ou profundidade. Pensamos em Deus como um habitante no espaço — e Ele não é! Deus não está contido no céu e na Terra como alguns parecem achar.

Deus, em Sua pessoa e em Seus atributos, preenche o céu e a Terra exatamente como o oceano preenche um balde que é submergido em suas profundezas.

Por que, então, o homem diz: "Deus está tão distante!"? Devido à completa dessemelhança entre a natureza do Deus santo e a natureza pervertida do homem pecador!

*Pai celestial, eu te louvo por não estares distante
e separado da Tua criação. Obrigado porque podemos te conhecer
por meio da Tua Palavra, da oração e da comunhão contigo.*

A. W. Tozer

"ENCOLHIMENTO" CRISTÃO

Sede, pois, imitadores de Deus, como filhos amados;
e andai em amor, como também Cristo nos amou...
EFÉSIOS 5:1,2

Por que deveríamos ter que aceitar a ideia sustentada em alguns círculos cristãos, de que novos convertidos, em pouco tempo, perderão seu zelo inicial e se acomodarão a uma vida de rotina religiosa insípida? Acredito que levo em meu coração o bem-estar dos santos e me perturba o fato de que alguns cristãos ficam satisfeitos em aceitar o título de "morto mediano".

O que está acontecendo? Há a possibilidade de uma pessoa que tenha tido uma alegre conversão, ficar cativada por sua própria experiência, deixando de manter os olhos fixos no Senhor?

Somente o envolvimento com Deus pode manter o perpétuo entusiasmo espiritual, pois somente o Senhor pode prover novidade eterna. Em Deus todos os momentos são novos e nada jamais envelhece. Podemos nos cansar do que é religioso, até mesmo a oração pode nos fatigar, mas Deus jamais!

Irmãos e irmãs, nada pode preservar o doce aroma de nossa primeira experiência, exceto nosso anseio pelo próprio Deus! Permita que o novo convertido saiba que se ele deseja crescer em vez de encolher, deve investir suas noites e seus dias em comunhão com o Deus trino!

Senhor, oro nesta manhã para que as atividades
do dia não sejam nada além de rotina conforme converso
contigo. Que eu experimente entusiasmo espiritual conforme
vivo na luz de Tua constante presença.

A.W. Tozer

TESTANDO NOSSA FÉ

...para serdes sinceros e inculpáveis para o Dia de Cristo.
FILIPENSES 1:10

Qualquer crença que não ordene a caminhada diária daquele que a adota não é uma crença verdadeira: é apenas uma pseudocrença!

Alguns de nós poderíamos ficar profundamente chocados se fôssemos repentinamente confrontados com nossas crenças e forçados a testá-las na vida prática. Quantos cristãos professos vangloriam-se no Senhor, mas são muitos cuidadosos para que não dependam dele por completo? A pseudofé sempre encontra um modo de agir, caso Deus "falhe.

Nos dias atuais precisamos desesperadamente de um grupo de cristãos preparados para confiar em Deus, agora, tão profundamente quanto precisarão fazê-lo no último dia! Para cada um de nós certamente está chegando a hora em que não teremos nada além de Deus! Para os homens que estão firmados na pseudofé esse é um terrível pensamento!

Para a fé verdadeira há apenas Deus ou o colapso total; e desde que Adão colocou seus pés na Terra, Deus não falhou com ninguém que nele confiou! Podemos provar nossa fé examinando nosso comprometimento com ela — e essa é a única forma!

Amado Senhor, eu amo o meu país,
mas pode ser difícil para alguns cristãos confiar plenamente em
Deus quando foram criados para serem autossuficientes
e independentes. Que nossa nação se humilhe e se volte mais uma
vez para este antigo lema: "Deus seja louvado!"

A.W. Tozer

DEUS CONCEDE SEGURANÇA

*Vós, porém, amados, edificando-vos
na vossa fé santíssima... guardai-vos no amor de Deus...*
JUDAS 20,21

A sanidade moral exige que determinemos esta como a questão mais importante de todas: estabelecer e manter nosso relacionamento pessoal com Deus!

Em alguns grupos cristãos há quem, de fato, zombe de cristãos de outros grupos que ocasionalmente se levantam e cantam o antigo hino que diz: "Amo o Senhor realmente ou não?" Nenhuma pessoa séria jamais deveria gargalhar de qualquer pessoa que, por saber que a morte está logo à frente, considere o seguinte: "Meu Deus, realmente conheço o Senhor ou não? Será que tenho me enganado com um comprometimento religioso sem significado? Meu Deus, o que devo fazer para ser salvo?"

Muitos de nós deveriam começar a fazer tais perguntas hoje. Sabemos que o melhor é não tentar nos sustentar em nossa reputação.

Não há nada em todo o mundo com maior significado do que voltar à família de Deus, pela fé e por meio de Sua graça! Não há alegria que possa ser comparada àquela que o Senhor concede quando nos perdoa, purifica, restaura, salva e nos garante que o dom de Deus é, de fato, a vida eterna para todos quantos crerem! (ROMANOS 6:23).

*Senhor, obrigado por Teu perdão e pelo dom gratuito
da vida eterna. Ainda que seja um dom gratuito,
foi extremamente custoso para ti. Obrigado, Pai.*

A.W. Tozer

A ETERNA GLÓRIA DE CRISTO

*...vimos a sua glória, glória
como do unigênito do Pai.* JOÃO 1:14

O apóstolo João fala a todos quando escreve sobre o Filho Eterno e nos lembra de que "vimos sua glória". João estava falando de muito mais do que a glória das magníficas obras de Cristo. Toda a natureza teve que se render a Ele e à Sua autoridade. Tudo o que nosso Senhor fez foi significativo na manifestação de Sua glória eterna.

Mas podemos ter certeza de que João tinha uma glória muito maior em mente do que os graciosos e maravilhosos atos de cura e auxílio.

A própria pessoa de Jesus e Seu caráter são gloriosos. Não apenas o que Ele faz — mas o que Ele é. O que Ele é essencialmente em Sua pessoa!

Irmãos, não pode haver argumento sobre a glória de Jesus Cristo — o fato é que Ele foi perfeito em amor em um mundo sem amor; Ele foi a pureza perfeita em um mundo impuro e Ele foi a mansidão perfeita em um mundo cruel e irascível. A paciência no sofrimento, a vida inextinguível, a graça e a verdade de Deus estavam, também, na Palavra eterna.

Essa é a divina e eterna glória que as personalidades mais famosas e habilidosas jamais poderão alcançar!

*Senhor, ficamos tão envolvidos com as responsabilidades
de nossa vida que frequentemente perdemos o tipo de revelação
que João teve da glória de Jesus Cristo. Quero desacelerar meu
ritmo, Senhor, para experimentar mais de Tua glória eterna.*

A. W. Tozer

HERDEIRO DE TODA A CRIAÇÃO

*Deus... nos falou pelo Filho,
a quem constituiu herdeiro de todas as coisas...*
HEBREUS 1:1,2

Nesta vida, estamos experimentando apenas segmentos inacabados do grande plano eterno de Deus. Certamente não somos capazes de compreender plenamente a glória que será nossa naquele dia futuro, quando recostados no braço de nosso Noivo divino, seremos levados à presença do Pai, no céu, com abundante alegria!

O escritor de Hebreus tentou nos auxiliar no exercício adequado de nossa fé com a incrível afirmação de que nosso Senhor Jesus Cristo é o herdeiro de todas as coisas na vasta criação de Deus. Todas as coisas criadas foram ordenadas e dispostas de modo a se tornarem o traje da deidade e a viva expressão universal de Cristo para este mundo!

O que realmente significa "herdeiro de todas as coisas"? Isso inclui anjos, serafins, querubins, homens redimidos de todos os séculos, matérias, mentes, lei, espíritos, valor, significado. Inclui vida e eventos em variados níveis de existência — e o grande benefício de Deus envolve a todos!

Certamente o Senhor não deixou nada ao acaso em Seu criativo esquema — seja a menor folha de grama ou a mais grandiosa galáxia nos altos céus!

*Senhor da Colheita, ainda há pessoas neste mundo
que nunca ouviram o nome de Jesus. Portanto, nunca ouviram
que Ele será o legítimo "herdeiro de todas as coisas".
Que Teu Espírito acelere a pregação do evangelho aos povos
ainda não alcançados no mundo.*

A.W. Tozer

O ESTRATAGEMA DE SATANÁS

...não... seguindo fábulas engenhosamente inventadas...
2 PEDRO 1:16

É incrível que o estratagema mais astuto de Satanás contra os cristãos seja usar nossas virtudes contra nós! Talvez mais incrível ainda seja o fato de que ele frequentemente é muito bem-sucedido.

No que diz respeito à tentação pelo pecado, ele golpeia nossa vida pessoal; ao trabalhar por meio de nossas virtudes, ele atinge toda a comunidade de cristãos e a desqualifica, impossibilitando que ela se defenda.

Para capturar uma cidade um inimigo precisa primeiro enfraquecer ou destruir sua resistência. A Igreja jamais cairá enquanto resistir. Isso o diabo sabe, consequentemente ele usa qualquer estratagema para neutralizar sua resistência.

Satanás primeiramente cria um conceito sentimental e impreciso de Cristo como maleável, sorridente e tolerante. Ele nos lembra de que Cristo, como cordeiro levado ao matadouro, não abriu Sua boca — e sugere que façamos o mesmo. Então, se notarmos seu pé à porta e nos levantarmos para nos opormos, ele apela ao nosso desejo de ser semelhantes a Cristo. "Ame a todos e você irá bem", ele recomenda.

O pastor, levado por essa conversa mole, tem medo de usar seu cajado, e o lobo toma as ovelhas!

Senhor, que minha igreja resista a qualquer tática usada
por Satanás com o objetivo de enfraquecer ou diluir o testemunho
da igreja em nossa comunidade. Queremos exaltar Teu nome.

A.W. Tozer

ORAÇÃO E O ESPÍRITO DE DEUS

...não sabemos orar como convém,
mas o mesmo Espírito intercede por nós...
ROMANOS 8:26

Provavelmente nenhum de nós realmente sabe tanto sobre oração quanto deveria — mas, como estudantes da Palavra de Deus, podemos concordar que somente o Espírito pode orar eficazmente.

A ideia que se tem é que "lutar em oração" é sempre algo bom, mas isso de forma alguma é verdade. "Exercícios" extremamente religiosos podem acabar sendo simplesmente pedras em nosso caminho!

A qualidade espiritual de uma oração é determinada não por sua intensidade, mas por sua origem. Ao avaliar a oração deveríamos indagar quem está orando — nosso coração determinado ou o Espírito Santo? Se a oração se origina no Espírito, então a luta pode ser bela e maravilhosa; mas se somos as vítimas de nossos próprios desejos ardentes, nossa oração pode ser tão carnal quanto qualquer outro ato.

Considere a luta de Jacó: "...lutava com ele um homem, até ao romper do dia" (GÊNESIS 32:24). Mas após ser espancado, Jacó clamou: "Não te deixarei ir se me não abençoares" (32:26). Essa luta tinha origem divina e os benditos resultados são do conhecimento de todo estudante da Bíblia!

Senhor, Teus caminhos são os melhores. Nossos caminhos são
repletos de intenções egoístas. Ajuda minha família e a mim para
que tenhamos motivações puras sempre que orarmos a ti.

A.W. Tozer

HOMENS QUE NÃO ORAM

...e qual seja a obra de cada um o próprio fogo o provará.
1 CORÍNTIOS 3:13

No cristianismo há indícios de que temos grande necessidade de adoradores.

Temos muitos homens que estão dispostos a fazer parte dos conselhos de nossas igrejas, porém não têm nenhuma alegria ou esplendor espirituais, além de nunca comparecem à reunião de oração da igreja!

Sempre me pareceu ser uma temerosa incongruência que homens que não oram e não adoram, estejam, entretanto, conduzindo muitas igrejas e basicamente determinando a direção que tomarão.

Talvez essa seja uma situação muito próxima da nossa, mas deveríamos confessar que em muitas "boas igrejas" deixamos que as mulheres orem e que os homens votem!

Deus nos chama para adorar, mas em muitas instâncias estamos nos graduando em entretenimento, apenas conduzindo um espetáculo de baixa qualidade. Esse é o ponto em que estamos, até mesmo em igrejas evangélicas. Contudo, o primeiro chamado de Deus para nós é que lhe ofereçamos a verdadeira adoração!

Senhor, tu ensinaste a Teus discípulos como orar;
peço que nesta geração haja um avivamento em nossa vida,
de modo que nossas orações sejam guiadas pelo
Espírito em todas as nossas igrejas. Que poderosa onda
de poder espiritual isso criaria!

A.W. Tozer

CONFIE, NÃO SE ADAPTE

...a vossa vida está oculta juntamente com Cristo, em Deus. COLOSSENSES 3:3

Devemos reconhecer um dos grandes problemas em nosso cristianismo contemporâneo: Aqueles que vêm a Cristo provavelmente foram convencidos de que para continuar sãos devem permanecer "ajustados" à sociedade ao seu redor.

Essa noção lhes foi incutida desde o berço e nunca lhes ocorreu questioná-la. Há uma "norma" em algum lugar à qual devem se adequar, e essa norma está acima de desaprovação. O sucesso e a felicidade dessas pessoas dependem de quão bem se ajustam a essa norma, e o cristianismo, ainda que acrescente algo, jamais deve discordar da ideia principal!

Esta é a noção popular no mundo: "Para ser feliz adapte-se à norma social!" O problema é que essa ideia não se sustentará, quando sob investigação. O mundo não sabe aonde está indo; não encontrou o bem maior da vida; está, ao contrário, confuso, amedrontado e frustrado.

Felizmente, foi para este tipo de mundo que Jesus veio. Ele morreu por nossos pecados e agora vive para a salvação de todos que repudiarem este mundo!

Amado Senhor, o mundo parece estar em uma irreversível espiral declinante. Não há tempo para ser irresoluto com relação à minha fé. Senhor, mantém-me centrado em ti e em Teus propósitos por amor ao Teu evangelho.

A.W. Tozer

MAIS QUE CONSOLO

Bem-aventurado o homem...
o seu prazer está na lei do SENHOR... SALMO 1:1,2

Minha opinião é que muitos de nós vamos à igreja aos domingos pela mesma razão que uma criança sobe até os braços da mãe após uma queda, um impacto ou um susto — a criança quer consolo!

Nós estamos em tempos em que a religião serve principalmente de consolo — pois estamos agarrados ao culto da paz. Queremos relaxar, queremos que o grande Deus Todo-Poderoso acaricie nossa cabeça e nos console com paz de espírito, paz no coração, paz na alma. Isso se tornou religião!

De acordo com a minha Bíblia, deveria haver um povo de Deus, um povo chamado pelo Senhor e submetido, por Deus, a uma experiência espiritual. Assim aprenderão a caminhar no caminho da Verdade e no caminho das Escrituras produzindo o fruto justo do filho de Deus, independentemente das condições.

Mas há um grande desentendimento entre nós. Muitos tendem a pensar que recebemos a glória, a fragrância e o fruto do Espírito por algum tipo de atalho mágico e não pelo cultivo. Entretanto, nosso próximo está esperando para ver a semelhança de Cristo em nossa vida diária!

Senhor, não quero ser conhecido como
um cristão de domingo. Quero que minha fé em ti seja óbvia
para minha família, colegas de trabalho e vizinhos.
Que outros também vejam o fruto de Tua presença em minha vida.

A.W. Tozer

PSICOLOGIA HUMANA

Deus escolheu as coisas... fracas do mundo para envergonhar as fortes. 1 CORÍNTIOS 1:27

Para enfrentar o tipo de tentação e de inimigos que nos confrontam neste mundo, não basta erguer o queixo, empinar o peito e murmurar o antigo refrão: "Desistir jamais!"

Desde que me tornei cristão reajo negativamente a esse tipo de psicologia humana. Não me importo de dizer que meus hinos favoritos não são aqueles que me exortam a mostrar meu bíceps e dizer ao mundo para onde ir! Essa não é minha filosofia porque ela colocaria minha confiança no lugar errado. Se minha fé, minha crença, minha confiança estão em mim mesmo, elas não podem estar, ao mesmo tempo, em Deus!

A Bíblia nos aconselha a crer em Deus e a confiar nele. Alerta-nos contra a confiança na carne. Então não quero uma voz me exortando assim: "Levante-se, ó homem de Deus. Vá adiante para enfrentar o inimigo" — e coisas do gênero. Preferiria ir a um lugar de oração, encontrar Deus ali e deixar que Ele enfrente o mundo em meu lugar.

Entreguemo-nos por completo a Deus somente — e, então, nossas experiências procederão da fé, ocorrerão por meio da fé e prosseguirão de fé em fé! Nossa vitória deve ser primeiro a vitória de Deus!

Amado Senhor, o devocional de hoje é um bom lembrete para mim de que sempre devo me aproximar de ti em oração — antes de tudo! Preciso aprender a esperar em ti, por Tua sabedoria e orientação, antes de dar qualquer passo precipitado.

A.W. Tozer

A VIDA CRISTÃ PARCIAL

...E, se alguém me servir, o Pai o honrará.
JOÃO 12:26

A palavra *medíocre* vem de duas palavras do latim e significa literalmente "metade do trajeto até o cume". Essa é uma descrição adequada do progresso de muitos cristãos. Eles estão no meio do caminho para o cume. Não estão no meio do caminho para o céu, mas na metade do caminho que leva até onde deveriam estar — na metade do caminho entre o vale e o cume. Estão moralmente acima do pecador de coração endurecido, mas estão espiritualmente abaixo do santo reluzente.

Muitos pararam bem nesse ponto, e a tragédia é que alguns de vocês disseram anos atrás: "Eu não vou falhar com Deus. Vou me esforçar para chegar até o alto da montanha até que esteja no topo do cume, no ponto mais alto possível da experiência com Deus nesta vida mortal!"

Mas eles nada fizeram a respeito disso. No mínimo perderam terreno espiritual desde o dia em que fizeram essa afirmação. Você agora é um cristão no meio do caminho! Você é morno, nem quente nem frio. Você está na metade do caminho até o cume, na metade de um trajeto que deveria ter conquistado, caso tivesse se esforçado.

Será que realmente pensamos que esta vida cristã pela metade é o melhor que Cristo oferece — o melhor que podemos chegar a conhecer? Diante do que Cristo nos oferece, como podemos aceitar tão pouco?

Amado Senhor, quando eu te encontrar nos portões do céu, não quero que meu nome esteja na coluna com o título: "Cristãos pela metade". Quero que tu estejas agora ao meu lado, me encorajando e exortando enquanto escalamos o cume juntos.

A.W. Tozer

CONFIANÇA EM DEUS

*...se o coração não nos acusar,
temos confiança diante de Deus.* 1 JOÃO 3:21

Esta é certamente uma das grandes compreensões que podemos ter na vida cristã — podemos colocar toda a nossa confiança no Deus que se revelou a nós!

Foi um dia gracioso no início de minha experiência cristã, quando percebi que não fazia parte do caráter de Deus lançar-se sobre mim com julgamentos. Ele sabe que somos pó, e, como nosso Deus, Ele é amável e paciente conosco.

Se fosse verdade que o Senhor coloca o cristão de castigo todas as vezes que ele falha, comete um grave erro ou age indevidamente, eu simplesmente estaria em meu quarto até hoje!

Certamente é verdade que Deus trará julgamento quando o julgamento for necessário, mas as Escrituras dizem que julgar é uma obra incomum que cabe ao Senhor. Onde há uma vida repleta de rebelião, implacável incredulidade e amor ao pecado, haverá julgamento.

Contudo, Deus zela por nosso crescimento espiritual e por nossa maturidade, e o faz tentando nos ensinar sobre a necessidade da confiança plena nele e como chegarmos ao ponto de completa falta de confiança em nós mesmos. Nós já conhecemos Deus e podemos agora dizer como Paulo: "...que a excelência do poder seja de Deus e não de nós" (2 CORÍNTIOS 4:7).

*Senhor, neste mundo não há muitas "certezas".
Mas tu, ó Senhor, és cem por cento imutável. Teu amor por nós
é infalível. Tua paciência é infinita. Eu te louvo Senhor.*

A. W. Tozer

ATRIBUTOS DE DEUS

*E apareceram, distribuídas entre eles,
línguas, como de fogo, e pousou uma sobre cada um deles.*
ATOS 2:3

Que vasto mundo para perambular; que extenso mar para nadar — e estou falando do Deus e Pai do nosso Senhor Jesus Cristo!

Ele é eterno, o que significa que Ele é completamente independente do tempo. O tempo começou nele e acabará nele.

Ele é imutável, o que significa que Ele nunca mudou e não poderá mudar nunca, mesmo que em menor medida. Por ser perfeito, Ele não pode se tornar mais perfeito. Se Ele se tornasse menos perfeito, Ele seria menos que Deus.

Ele é onisciente, o que significa que Ele tem consciência, em um ato livre e natural, de toda a matéria, todo espírito, todos os relacionamentos, todos os eventos. Ele simplesmente é, e nenhum dos termos restritivos das criaturas se aplica a Ele. Amor, misericórdia e justiça pertencem a Ele. Sua santidade é tão inefável que nenhuma comparação ou imagem será útil para expressá-la.

Ele habita na coluna de fogo. O fogo que ardia no "lugar santo" era chamado *Shekinah*, a Presença. E então, quando o Antigo deu lugar ao Novo, Ele veio no Pentecoste como chama flamejante sobre cada discípulo!

*Que dia maravilhoso será, Senhor, quando
Teus filhos te virem em toda a Tua glória e compartilharem
de Tuas riquezas eternas. Enquanto esperamos por Teu retorno,
Pai, ajuda-nos a permanecer fiéis a ti.*

A. W. Tozer

A SANTIDADE NÃO É UMA OPÇÃO

*Aquele que deste modo serve a Cristo é agradável
a Deus e aprovado pelos homens.* ROMANOS 14:18

Muitos cristãos, em nossos dias, parecem considerar a expressão da verdadeira santidade cristã somente como uma questão de opção pessoal: "Eu analisei e considerei, mas não me convenci!"

Porém, o apóstolo Paulo exorta claramente todos os cristãos à santidade no viver e no falar: os filhos de Deus devem ser santos porque o próprio Deus é santo! Em minha opinião, os cristãos do Novo Testamento não têm o privilégio de ignorar tais injunções apostólicas.

Há algo fundamentalmente errado com nosso cristianismo e com nossa espiritualidade, se conseguimos presumir, negligentemente, que, caso não gostemos de uma doutrina bíblica e escolhamos ignorá-la, não haverá mal algum nisso. Deus nunca nos instruiu a avaliar Seus desejos e mandamentos dirigidos a nós na balança de nossos próprios julgamentos — e, então, decidir o que queremos fazer com eles.

Temos dentro de nós o poder de rejeitar a instrução de Deus — mas para onde iríamos? Se nos afastarmos da autoridade da Palavra de Deus, a qual autoridade nos submeteríamos?

*Amado Senhor, eu realmente desejo obedecer a todos
os Teus mandamentos. Contudo, em minha carne, algumas vezes
hesito e fico abaixo do padrão santo. Perdoa-me, Senhor.
Capacita-me, por Teu Espírito, a vencer minhas áreas de fraqueza.*

A.W. Tozer

"SÊ EXALTADO"

*Sê exaltado, ó Deus, acima dos céus;
e em toda a terra esplenda a tua glória.* SALMO 57:5

Essencialmente, o gracioso plano de salvação de Deus foi forjado para trazer a restauração de um relacionamento justo entre homens e mulheres e seu Criador.

A desobediência e queda de Adão e Eva destruíram o relacionamento adequado entre Criador e criatura, no qual, ainda que sem o conhecimento das criaturas, estava sua verdadeira felicidade.

Muitos de nós temos interesse em caminhar com Deus, agradá-lo e descansar em Suas promessas. Descobrimos que tal vida nesta Terra começa com uma mudança completa no relacionamento entre Deus e o pecador — uma mudança consciente e por meio da experiência que afeta toda a natureza do pecador.

A propiciação no sangue de Jesus torna tal mudança judicialmente possível e o agir do Espírito Santo a torna emocionalmente satisfatória.

Devemos começar com Deus — e Ele deve ser o centro de tudo o que somos e fazemos. "Sê exaltado" é, obviamente, a linguagem da experiência espiritual vitoriosa e é central para a vida do Senhor na alma!

*Pai celestial, durante este dia meu louvor a ti estará
continuamente em meus lábios. Sou muito grato porque
tu não viraste as costas para a raça humana,
quando Adão e Eva desobedeceram a ti. Em vez disso, tu tinhas
em mente um plano de redenção! Bendito seja o Teu nome!*

A. W. Tozer

MANSIDÃO E DESCANSO

*Bem-aventurados os mansos,
porque herdarão a terra.* MATEUS 5:5

Jesus nos chama ao Seu descanso e a mansidão é o Seu método!

Mas podemos ter certeza de que o homem manso não é um rato humano acometido de senso de inferioridade.

Antes, ele pode, em sua vida moral, ser ousado como leão e forte como Sansão, mas já não se engana a respeito de si mesmo.

Ele já aceitou a avaliação de Deus sobre sua vida.

Ele sabe que é fraco e impotente justamente como Deus declarou que ele é. Paradoxalmente, ele sabe, ao mesmo tempo, que é mais importante do que os anjos, aos olhos de Deus. Em si mesmo, nada é! Em Deus, tudo é!

O homem verdadeiramente manso descansa em Deus, perfeitamente satisfeito, disposto a permitir que Ele estabeleça Seus próprios valores. Esse homem será paciente para esperar pelo dia em que tudo receberá seu preço adequado, e o valor real virá por si só — quando os justos resplandecerão no reino de seu Pai!

Tendo obtido um lugar de descanso para a alma, ele está disposto a esperar pelo dia em que isso acontecerá!

*Senhor, algumas vezes me frustro muito com
as injustiças que vejo ao meu redor. Não quero parecer odioso
ou irado em meus relacionamentos com outros.
Tempera minha vida com a Tua graça, Senhor. Tu estabeleceste
o exemplo mais elevado para seguirmos.*

A. W. Tozer

FRACOS NO DISCIPULADO

*Saiamos, pois, a ele,
fora do arraial, levando o seu vitupério.*

HEBREUS 13:13

A ausência do conceito de discipulado no cristianismo atual deixa um vácuo que homens e mulheres tentam instintivamente preencher com uma variedade de substitutos.

Um deles é um tipo de beatice — um sentimento agradável de afeição pela pessoa de nosso Senhor, sendo tal sentimento valorizado por si só e completamente desconectado do carregar a cruz.

Outro substituto é o literalismo — que se manifesta entre nós pela insistência em guardar a letra da Palavra, enquanto ignora o espírito dela. Tal substituto geralmente falha ao apreender o significado interior das palavras de Cristo e se contenta com a submissão exterior ao texto.

Um terceiro substituto é, certamente, a atividade religiosa entusiasta. "O trabalhar para Cristo" tem sido aceito hoje como o teste final de piedade entre todos, com exceção de alguns cristãos evangélicos. Cristo se tornou um projeto a ser promovido ou uma causa a ser servida, em lugar de um Senhor a ser obedecido! Para evitar a cilada da substituição arbitrária, recomendo o estudo cuidadoso e devoto do senhorio de Cristo e o discipulado cristão!

*Amado Senhor, que haja um interesse crescente em
nossas igrejas para implementar o verdadeiro discipulado
cristão para que possamos levar nosso relacionamento com
Cristo a um nível novo e mais profundo.*

A. W. Tozer

UM NÍVEL MAIS BAIXO

*Tu me tens ensinado, ó Deus, desde a minha mocidade;
e até agora tenho anunciado as tuas maravilhas.*
SALMO 71:17

Há líderes e igrejas no cristianismo de nossos dias que certamente responderão por seu fracasso em aplicar as disciplinas do Novo Testamento à geração de jovens de hoje. Muito do cristianismo atual não defende a ideia da necessidade de disciplinas na vida cristã. Se, em nosso coração, considerarmos algumas das questões que Deus considera, ficaremos entristecidos pela falta de espiritualidade na vida de grandes segmentos de jovens cristãos professos.

Tributar culpa não é o meu chamado. O que faz parte de meu chamado cristão é proclamar o fato de que ninguém, jovem ou idoso, tem o direito de vir a Jesus Cristo e estabelecer suas próprias condições e termos.

Segmentos do cristianismo fizeram todo tipo de concessão na tentativa de ganhar jovens para Cristo; mas em vez de convertê-los a Jesus, "converteram" o cristianismo a eles. Muito frequentemente algumas igrejas chegam ao nível moderno — brincar, zombar, persuadir e entreter. Essencialmente, o que estão lhes dizendo é: "Faremos tudo como você quiser", em vez de lhes dar a insistente palavra de Cristo: "Tome a sua cruz!"

*Ó Senhor, nossos jovens são os futuros líderes
de nossas igrejas. A profundidade com que lhes ensinarmos
os caminhos do Senhor resultará proporcionalmente
em cristãos vibrantes ou fracos. Senhor, não nos deixes
abandonar nossos jovens!*

A.W. Tozer

O QUE AMAMOS?

*E todos nós... somos transformados, de glória em glória,
na sua própria imagem, como pelo Senhor, o Espírito.*

2 CORÍNTIOS 3:18

Deus quer que reconheçamos que a natureza humana está em estado formativo e que está sendo transformada à imagem daquilo que ama.

Homens e mulheres estão sendo moldados por suas afinidades, modelados por suas afeições e poderosamente transformados pela beleza daquilo que amam. No mundo não regenerado de Adão, isso produz tragédias diárias de proporções cósmicas!

Nosso Pai celestial proveu para Seus filhos elementos sadios e morais para admirarmos e amarmos. Estes elementos não são Deus, mas estão mais próximos do Senhor. Não podemos amar a Deus sem amá-los.

Eu falo de Sua justiça; e o coração atraído pela justiça repelirá, na mesma medida, a iniquidade. Falo da sabedoria; e nós admiramos os profetas hebreus que se recusaram a separar a sabedoria da justiça.

Falo também da verdade como outro objeto de nosso amor cristão. Nosso Senhor Jesus Cristo disse: "Eu sou a verdade", e ao dizê-lo, Ele uniu a verdade à deidade de modo inseparável. Portanto, amar a Deus é amar a verdade!

*Pai, ajuda-nos a amar todo o Teu Ser —
não apenas alguns atributos favoritos como Tua graça,
misericórdia e bondade. Capacita-nos também a
amar Teus atributos de santidade e justiça.*

A.W. Tozer

O MUNDO ESTÁ ASSUSTADO

...exultai e erguei a vossa cabeça;
porque a vossa redenção se aproxima.
LUCAS 21:28

Uma igreja acometida de medo não pode ajudar um mundo assustado; e deve ser dito que, certamente, um cristão dominado pelo medo nunca considerou sua defesa!

Ninguém pode culpar seres humanos por terem medo. Além dos momentos incessantes de crise, terror e violência, Deus também alertou que o mundo, mais cedo ou mais tarde, passará por um batismo de fogo. Deus o declarou, pela voz de todos os santos profetas, desde o princípio dos tempos — não há escapatória!

Cristãos leitores da Bíblia deveriam ser as últimas pessoas na Terra a dar espaço para a histeria. A nós foi dada uma previsão profética de todas essas coisas que sucederão no mundo. Há algo que possa nos surpreender?

Nós, que estamos no seguro lugar secreto de Deus, devemos passar a andar e agir de tal forma! Nós, acima de todos os que habitam na Terra, deveríamos estar calmos, ser esperançosos, alegres e contentes. Nunca convenceremos o mundo assustado de que há paz e segurança na cruz se continuarmos a exibir os mesmos medos daqueles que não professam o cristianismo!

Senhor, que Tua paz transpareça em
meu comportamento. Dá-me oportunidades de ajudar pessoas
que estejam lidando com o medo ou a dor.

A.W. Tozer

A EXORTAÇÃO DE DEUS

*...segundo é santo aquele que vos chamou,
tornai-vos santos também vós mesmos em todo o vosso
procedimento.* 1 PEDRO 1:15

O que o apóstolo Paulo está nos dizendo ao transmitir a exortação de Deus: "...Sede santos, porque eu sou santo"?

Primeiro, é nossa responsabilidade disponibilizar nossa vida espiritual para que Deus possa vir sobre nós com o Espírito Santo — com essa qualidade do Maravilhoso, Misterioso e Divino.

Isso não é algo que possa ser humanamente cultivado. É algo que nós nem teremos consciência de possuir. É essa qualidade de humildade invadida pela presença de Deus que falta na igreja de nossos dias.

Ó, que possamos anelar pelo conhecimento e pela presença de Deus em nossa vida ininterruptamente, para que, sem o cultivar humano e sem a busca penosa, venha sobre nós esse doar, essa doce e radiante fragrância que dá significado ao nosso testemunho!

Estou disposto a confessar com humildade que precisamos disso em nossos dias.

*Amado Senhor, se desejamos seriamente ser "santos", a única
maneira de o fazermos é por meio da capacitação do Espírito
Santo. Por nossos próprios esforços, isto não seria possível,
pois a Bíblia diz: "...Não há justo..."* (ROMANOS 3:10).

A. W. Tozer

A VALIDAÇÃO DE DEUS

*...porque o nosso evangelho não chegou até vós
tão-somente em palavra, mas, sobretudo, em poder, no Espírito
Santo e em plena convicção...* 1 TESSALONICENSES 1:5

Uma característica marcante do cristianismo moderno é a falta de confiança, que resulta em uma busca patética de provas externas para corroborar sua fé. Esse cristianismo se dispõe bravamente a declarar sua confiança em Cristo, mas é rapidamente intimidado pelas declarações opostas da ciência e da filosofia e, em pouco tempo, passa a procurar alguma prova colateral para restaurar sua confiança.

A fé do cristão deve repousar no próprio Cristo. Ele é o mistério da piedade, um milagre, a emersão da deidade no tempo e no espaço por uma razão e um propósito. Ele é completo em si mesmo e nada recebe de qualquer filosofia humana.

O Novo Testamento aponta para Cristo e diz que Deus agora ordena a todos os homens, em todo lugar, que se arrependam: porque Ele designou um dia em que julgará o mundo em justiça por esse Homem a quem Ele próprio determinou! Nossa garantia é o fato de que Ele ressuscitou dos mortos. Nisso Deus validou para sempre as alegações de Cristo. Ele é quem disse ser e o que disse ser. Então, Cristo é suficiente! Tê-lo somente e nada mais é ser rico além de tudo o que se pode conceber.

*Senhor, parece que a humanidade sempre deseja tornar
os fatos mais complexos do que realmente são.
Que possamos nos satisfazer com a fé simples apenas em Jesus!*

A.W. Tozer

NOSSAS ATITUDES INDIGNAS

*Deus é sobremodo tremendo na assembleia
dos santos e temível sobre todos os que o rodeiam.*
SALMO 89:7

Ser cristão não isenta nenhum de nós da necessidade do autoexame, da necessidade de lidar com injúrias e atitudes mentais indignas.

Falo particularmente de atitudes e hábitos de muitos homens e mulheres que se reúnem conosco regularmente na casa de Deus para adorar e orar.

Na verdade, como cristãos, temos o compromisso de encontrar o Rei dos reis e Senhor dos senhores. Apenas pense nos preparativos se recebêssemos repentinamente um convite para conhecer o presidente em seu gabinete.

Porém, quantos de nós têm pouco respeito e reverência quando vamos à igreja cristã? Há entre nós tendências imprudentes de contar piadas a caminho da igreja; de sentarmo-nos nos bancos e deixar nossa mente vaguear como pardais; de sonharmos acordados com os lugares onde estivemos e para os que estamos indo.

Há uma grande necessidade de orarmos por graça que aperfeiçoará nossas atitudes mentais quando nos reunirmos para honrar nosso Deus e Salvador!

*Pai celestial, que eu nunca insulte o Senhor
tratando-te de modo casual demais quando for
à igreja para adorar-te.*

A. W. Tozer

ALMAS SEDENTAS DE DEUS

*...mas nós pregamos a Cristo crucificado,
escândalo para os judeus, loucura para os gentios.*
1 CORÍNTIOS 1:23

O filósofo grego Pitágoras categorizou os homens em três classes: 1. *Aqueles que buscam conhecimento*; 2. *Aqueles que buscam honra*; 3. *Aqueles que buscam ganho*.

Pergunto-me porque ele fracassou ao deixar de notar outras duas classes: aqueles que não buscam nada e aqueles que buscam a Deus.

Vamos acrescentá-las à lista:

4. *Aqueles que nada buscam*. Estes são vegetais humanos, que vivem conforme sua fisiologia e seus instintos. Refiro-me aos milhões de pessoas normais que permitiram que seu magnífico equipamento intelectual definhasse devido à falta de exercício.

Seu material de leitura é a página esportiva e a seção de histórias em quadrinhos; sua música é tudo o que é popular, cômodo — e barulhento!

5. *Aqueles que buscam a Deus*. Estou pensando em pessoas que são almas sedentas de Deus, ainda que não sejam um grande número. Por natureza, não são melhores do que o resto da humanidade, e, na prática, foram algumas vezes até piores. O sinal específico de sua eleição divina é sua sede insaciável pela Fonte de sua existência. Graças ao Senhor por aqueles que buscam a Deus; os destinos deles estão nas mãos daquele que deu Seu único Filho para morrer pela vida do mundo!

*Amado Senhor, quero ser conhecido entre
minha família e meus amigos como alguém que busca a Deus.
Meu destino pertence a ti, ó Senhor.*

A. W. Tozer

ANSIANDO POR VER JESUS

Venho sem demora. Conserva o que tens,
para que ninguém tome a tua coroa.
APOCALIPSE 3:11

Não há dúvida em minha mente que milhões de cristãos nos dias de hoje anseiam, em seu interior, por estar prontos para ver o Senhor Jesus quando Ele surgir. Esses são os santos de Deus que têm um verdadeiro entendimento de que aquilo que nosso Senhor Jesus Cristo é em nossa vida, constantemente, é mais importante do que meramente habitar naquilo que "Ele fez por nós"!

Digo isto porque um grande segmento da teologia cristã enfatiza a "utilidade" da cruz onde Jesus morreu, em vez da Pessoa que morreu naquela cruz por nossos pecados.

Por causa dessa visão, muitos realmente não têm anseio pela volta de Jesus. A melhor esperança que conhecem é um tipo de esperança intelectual e teológica. Porém, um conhecimento intelectual do que o Novo Testamento ensina sobre a volta de Cristo é certamente um substituto pobre para um desejo repleto de amor de olhar Sua face!

Enquanto o aguardamos, nosso Senhor espera que amemos uns aos outros, que o adoremos juntos e que enviemos esse gracioso evangelho aos confins da Terra.

Senhor Jesus, o que fizeste na cruz por nós é surpreendente,
mas saber que a "história" não termina ali é motivo para grande
júbilo! Sei que tu ressuscitaste porque vives em mim hoje!

A. W. Tozer

HUMILDADE — E ADORAÇÃO

*Humilhai-vos, portanto,
sob a poderosa mão de Deus...* 1 PEDRO 5:6

A adoração verdadeira é, entre outras coisas, um sentimento em relação ao Senhor Deus! É algo que está em nosso coração e precisamos estar dispostos a expressá-lo de modo adequado.

Podemos expressar nossa adoração a Deus de várias maneiras. Mas se amamos ao Senhor e somos guiados por Seu Espírito Santo, nossa adoração sempre trará um sentimento satisfatório de reverência repleta de admiração e uma humildade sincera.

Deve haver humildade no coração da pessoa que adora a Deus em espírito e verdade. Logo, o homem orgulhoso e altivo não pode adorar ao Senhor de modo mais aceitável do que o próprio diabo orgulhoso!

Infelizmente, muitos de nós somos apenas "cristãos Papai Noel". Precisamos ir além do amor elementar no qual imaginamos Deus como alguém que monta uma árvore de Natal e deixa todos os presentes embaixo dela. Precisamos, antes, nos deleitar na presença da excelência absoluta e infinita!

Tal adoração terá o ingrediente de fascinação e a personalidade será capturada pela Presença de Deus!

*Pai, oro por muitas de nossas igrejas hoje que
consideram a adoração como um método de entretenimento.
Ó Deus, capacita essas igrejas a deixarem de se concentrar em seus
próprios prazeres e leva-as a se deleitarem somente em ti.*

A. W. Tozer

SABEDORIA CELESTIAL

*Porque o Senhor dá a sabedoria,
e da sua boca vem a inteligência e o entendimento.*
PROVÉRBIOS 2:6

O escritor de Provérbios, no Antigo Testamento, ensinou que o verdadeiro conhecimento espiritual é o resultado de uma visitação da sabedoria celestial. É um tipo de batismo com o Espírito da verdade que sobrevêm a homens e mulheres tementes a Deus. Essa sabedoria é sempre associada à justiça e à humildade; nunca é encontrada desassociada da piedade e da verdadeira santidade de vida.

Precisamos aprender a declarar novamente o ministério da sabedoria do alto. Está claro que não podemos conhecer o Senhor pela lógica da razão. Por intermédio da razão podemos apenas saber sobre Deus. Os mistérios mais profundos do Senhor permanecem escondidos para nós até que tenhamos recebido iluminação do alto. Fomos criados com a capacidade de conhecer coisas espirituais — mas esse potencial morreu quando Adão e Eva pecaram. Portanto, "mortos no pecado" é uma descrição dessa parte de nosso ser em que deveríamos ser capazes de conhecer a Deus conscientemente.

A morte expiatória de Cristo capacitou nosso Senhor e Salvador a segurar a mão de Deus e as mãos dos homens e nos apresentar. Jesus nos capacita a encontrar Deus muito rapidamente!

Obrigado Pai por prover um caminho — o único caminho — para trazer pecadores de volta a um relacionamento justo contigo. Esse caminho é por meio da fé em Jesus Cristo. Obrigado, Senhor, por não nos abandonar perdidos e sem esperança.

A. W. Tozer

SILÊNCIO CHEIO DE CULPA

Mas Pedro e João lhes responderam... nós não podemos deixar de falar das coisas que vimos e ouvimos. ATOS 4:19,20

Nosso comportamento cristão neste mundo hostil é temeroso ou covarde? Esta é uma geração culpada do pecado do silêncio?

A Bíblia tem muito a dizer em louvor à prudência, mas não tem nada além de condenação para o covarde! É também claramente ensinado no Novo Testamento que a alma tímida demais para reconhecer e confessar Cristo diante dos homens será negada diante do Pai, no céu.

Está claro que os cristãos não estão se posicionando como deveriam quando o Inimigo espreita o santuário e polui o lugar santo! Divertimento e deboche, filmes e ficção, ideais hollywoodianos e entretenimento religioso, técnicas de grandes negócios e filosofias mundanas baratas são o que agora assolam o santuário. O Espírito Santo, entristecido, paira sobre o caos, mas a luz não irrompe.

Será que muitos dos verdadeiros filhos de Deus — em especial os pregadores — não estão pecando contra Deus com o silêncio cheio de culpa? Aqueles que se pronunciam pela Verdade pagarão um preço por sua ousadia, mas o resultado fará valer a pena!

Senhor, oro pelos cineastas de Hollywood,
homens de negócios e políticos inescrupulosos. Dê a cada um a
consciência da necessidade de um Salvador — e então os ajude a
mudar o mundo por meio de sua influência positiva.
Senhor, dá a nós, teus verdadeiros filhos, o discernimento
e o temor de que necessitamos para tratar teu santuário com toda
a reverência devida ao Teu nome. Dá-nos coragem para confrontar
o pecado e as práticas que não condizem com o Teu reino.

A. W. Tozer

DIVERSÃO E RELIGIÃO

*Participa dos meus sofrimentos... se perseveramos,
também com ele reinaremos...* 2 TIMÓTEO 2:3,12

A história revela que momentos de sofrimento pela igreja cristã também foram momentos em que se olhou para o alto. A tribulação sempre trouxe sobriedade para o povo de Deus e o encorajou a esperar e ansiar pelo retorno de seu Senhor.

Nossa preocupação atual com o mundo pode ser um aviso de que dias amargos estão por vir. Deus fará que nos desapeguemos da Terra, de alguma forma — de maneira fácil, se possível; de maneira difícil, se necessário.

Só depende de nós!

Está claro que muitos agora acreditam que o cristianismo é um bom e alegre divertimento — outra forma mais elevada de entretenimento; porque Cristo já sofreu todo o necessário. Ele derramou todas as lágrimas. Ele carregou todas as cruzes. Então, precisamos apenas desfrutar dos benefícios de Seu sofrimento!

A "obra de Cristo" foi ressaltada até o ponto de eclipsar a Pessoa de Cristo. Precisamos reexaminar muito da teologia popular fundamentalista que enfatiza a utilidade da cruz em vez da beleza daquele que morreu na cruz.

*Pai misericordioso, oro hoje pelos heróis silenciosos
que servem a Jesus enfrentando pressão excessiva, fielmente,
nas regiões onde a pregação do Teu evangelho é proibida.
Pai misericordioso, dá-nos a graça de ver a beleza
da pessoa de Cristo em sua grandeza e totalidade. E que nada
roube ou substitua a verdadeira identidade de nosso
Salvador em nosso coração.*

A.W. Tozer

ELE É NOSSA VITÓRIA

...Agora, pois, glorificai a Deus no vosso corpo.
1 CORÍNTIOS 6:20

Nunca seremos libertos do orgulho inerente à nossa condição egoísta, até que permitamos que o Espírito Santo de Deus demonstre a vitória do próprio Deus dentro de nós.

Alguns cristãos desobedientes já me disseram: "Mas, Sr. Tozer, eu já sei que sou mau. Eu sou um cristão em total corrupção!" Minha resposta: É possível ser confirmadamente cristão em total corrupção, e, ainda assim, ser tão orgulhoso quanto Lúcifer; ainda confiar em si mesmo, de tal modo que a face de Deus fique oculta, e você impedido de conseguir a vitória espiritual.

Nossa preocupação não é com a corrupção teológica. Não há argumento para o fato de que, se somos grandes o suficiente para pecar, nossa tarefa imediata é simplesmente pecar! Mas Deus está tentando revelar, pelo Seu Espírito Santo, a total fraqueza daquele filho que ainda coloca sua confiança em si mesmo.

Por que precisamos de tanto tempo para colocar nossa confiança completa em Deus? Submeter o que somos ao Senhor é algo que Ele tornou tão simples e tão recompensador!

*Senhor, capacita-me à submissão completa
a ti para que eu experimente vitória espiritual. Extirpa qualquer
remanescente de orgulho e autoconfiança em minha vida.*

A.W. Tozer

DEUS TEM AS RESPOSTAS

Dá-me a conhecer, Senhor...
qual a soma dos meus dias, para que eu reconheça
a minha fragilidade. SALMO 39:4

Todos nós podemos aprender algo com a oração de Davi — pois nenhum de nós tem todas as respostas! Davi havia passado pelas experiências tentadoras da vida e agora já não tinha mais certeza daquilo que acreditava saber. No outono de sua vida, acredito que esse rei era um homem mais tranquilo e mais dependente de respostas divinas.

Encontrei uma lição nisso para mim e a transmito, agora.

Há algum tempo preguei por uma semana em Rochester, Nova Iorque. Na conclusão e antes da bênção final, o líder da congregação disse à plateia: "Temos tempo suficiente para perguntas. O Sr. Tozer responderá qualquer pergunta que vocês tenham."

Isso foi uma novidade para mim, então me levantei e disse: "O Senhor está vinte e cinco anos atrasado! Há vinte e cinco anos eu poderia responder a perguntas sobre quase qualquer assunto, mas agora peço desculpas, mas não tenho todas as respostas!"

Em nossa vida e experiência cristã, é uma bênção descobrir que, no fim das contas, não precisamos saber tudo!

Senhor, em vez de se tornar simples, a vida parece
ficar mais complexa ano após ano. Preciso de Tua ajuda divina
para colocar ordem no caos, Senhor.
Obrigado porque posso confiar em ti — sempre.

A.W. Tozer

NÃO AME ESTE MUNDO

*...o deus deste século cegou o entendimento
dos incrédulos...* 2 CORÍNTIOS 4:4

Nosso Senhor Jesus Cristo estabeleceu uma linha nítida entre o reino de Deus e este mundo atual. Ele nos instruiu que ninguém pode, ao mesmo tempo, amar a ambos!

Os apóstolos se posicionaram juntamente sobre os ensinos do Novo Testamento que declaram que é necessário uma pessoa dar as costas para o mundo e não ter comunhão alguma com ele.

Contra o quê, então, neste mundo, somos alertados?

Contra o mundo familiar da sociedade humana. Nenhum cristão falhará em reconhecê-lo, considerando que deseja saber o que é. Aqui estão algumas marcas de identificação:

1. *Incredulidade.* Ter comunhão com aqueles que vivem na incredulidade é o amor do mundo. Religião sem o Filho de Deus é a religião do mundo.

2. *Impenitência.* O mundano sacode os ombros em indiferença ao pecado e permanece pecando. O cristão se entristece com seu pecado e é consolado.

3. *Filosofias ímpias.* Homens e mulheres deste mundo aceitam a suficiência deste mundo e não têm provisões para outro mundo, estimando mais a Terra do que o céu.

4. *Formalidades.* O homem desta Terra vive somente para o mundo ao seu redor, pois não tem reino algum dentro de si!

*Senhor, que tu desfaças o que o deus deste mundo tem feito —
ou seja, cegar as mentes dos incrédulos. E quando passarem a ver,
que Teu Espírito realize a obra de convicção na consciência dos
pecadores, em todos os lugares. Frustra o Maligno!*

A.W. Tozer

O BENEFICIÁRIO DE DEUS

...para uma herança incorruptível,
sem mácula, imarcescível... 1 PEDRO 1:4

O Espírito Santo deixou claro, em todas as Escrituras, que geralmente tudo o que Deus faz se torna um meio para chegar a algo mais que Ele planeja realizar.

Portanto, quando Deus escolhe alguém, não significa que essa pessoa pode sentar-se tranquilamente e anunciar: "Cheguei ao fim da jornada! Coloque um ponto final e escreva *finis* em minha experiência!"

Não, é claro que não! Deus nos gerou em Sua provisão e aquilo que está diante de nós é sempre maior do que aquilo que ficou para trás.

Pedro não estava usando figuras de linguagem. Ele disse claramente que seus irmãos perseguidos criam em Jesus Cristo, eleito e primogênito! A eleição e a primogenitura foram os meios que conduziram a uma esperança e a uma herança — o verdadeiro cristão é, na verdade, o beneficiário de Deus!

Isso não é uma figura; não é apenas uma frase poética. É ensinado abertamente de Gênesis a Apocalipse que Deus, sendo quem Ele é, possui as beneficências infinitas e ilimitadas!

Pai gracioso, por Tua graça sou salvo.
Mas conheço tantas pessoas que vivem nas sombras de seus
pecados e mal percebem! Senhor, comissiona pessoas de
nossas inúmeras igrejas para ir e falar aos perdidos sobre Jesus.

A. W. Tozer

DECISÃO! DECISÃO!

*E nós, na qualidade de cooperadores com ele,
também vos exortamos a que não recebais em vão
a graça de Deus.* 2 CORÍNTIOS 6:1

Creio que deve haver grandes multidões de homens e mulheres que continuaram a garantir a si mesmos que "chegarão" ao reino de Deus por um tipo de osmose celestial! Eles têm uma terna esperança de que há um tipo inconsciente de "vazamento" de suas personalidades através dos muros do reino.

Essa é uma esperança vã. Ninguém jamais se achega a Deus por um processo automático ou inconsciente; não é assim que acontece. De forma alguma!

O indivíduo deve fazer a escolha — e nesse ponto devemos ser dogmáticos. Temos o Livro, a Palavra de Deus. Sabemos que Deus se revelou ao dar Jesus Cristo, o Filho eterno. Sabemos que a mensagem salvadora é o evangelho — as boas-novas de nosso Senhor Jesus Cristo.

Não há como Deus vir até nós, nos perdoar e restaurar à posição de filhos até que conscientemente lhe permitamos fazê-lo! Essa é uma experiência autêntica da graça e da misericórdia divina — nossa decisão está tomada!

*Senhor, que os pastores em nossas igrejas deixem claro,
de seus púlpitos, que para sermos salvos precisamos
reconhecer nossos pecados diante de Deus e receber Jesus Cristo
como Salvador e Senhor de nossa vida.*

A. W. Tozer

NOSSOS PROBLEMAS DIÁRIOS

Não vos sobreveio tentação que não fosse humana;
mas Deus é fiel... 1 CORÍNTIOS 10:13

Cristãos são erroneamente ensinados que a vida cristã é uma garantia contra tribulações e problemas humanos. Caso creiam nisso, terão confundido a Terra com o céu e esperarão condições aqui, neste mundo, que jamais poderão ser concretizadas até que alcancemos nossa pátria celestial.

Há um pensamento de que Deus não diferencia o santo do pecador. Ele faz Seu sol nascer sobre o mau e o bom e envia chuva para o justo e o injusto (MATEUS 5:45). É estranho raramente notarmos o outro lado desta verdade: Deus também visita Seus filhos com os problemas comuns a todos os filhos dos homens.

Se não podemos remover nossos problemas, devemos, então, orar por graça para suportá-los sem murmuração. Aprenderemos também que problemas suportados com paciência cooperarão para nosso aperfeiçoamento espiritual. Pense em nosso Senhor e Salvador — Ele estava cercado de inimigos desde o momento de Seu nascimento. Esse foi um problema real e permanente que Ele simplesmente precisou suportar no período de Sua vida terrena e só pôde se livrar dele ao morrer!

Senhor, que Tua força possa carregar-me em
meio aos problemas que enfrentarei hoje. Obrigado porque
Teu Espírito é um Ajudador "residente" em minha vida.

A.W. Tozer

CONFIAMOS NO PLANO DE DEUS

...e clamavam em grande voz, dizendo:
Ao nosso Deus, que se assenta no trono, e ao Cordeiro,
pertence a salvação. APOCALIPSE 7:10

Nós, que cremos na fidelidade de Deus e na inspiração das Escrituras, estamos certos de que a redenção do mundo não está nas mãos da humanidade. Não posso dizer como me alegro por saber que pelo menos isto nós, humanos, não podemos arruinar!

O plano de salvação e o dia da consumação que está por vir estão no plano eterno de Deus. O poder na redenção é o poder do Senhor. Somente o digno Cordeiro de Deus poderia morrer em nosso lugar. Este é o modo de Deus fazer algo, e é diferente do nosso!

Milhões sentiram a ameaça do comunismo difundido mundialmente por pessoas tolas e amedrontadas declarando que "preferiam ser vermelhas a morrer!" Mas o comunismo não pode prevalecer, pois está erigido sobre um ensino materialista no qual não há Deus, Cristo, céu ou inferno. O comunismo não pode prevalecer porque nosso Deus, no céu, tem Seu plano e projeto, não somente para esta Terra, mas para todo o Seu vasto Universo criado.

Não há nenhum ser humano e nenhuma filosofia humana ou força capaz de arrancar o domínio de nosso Deus vivo. Estamos sendo fiéis em nosso testemunho e nossa advertência com relação à ira do Cordeiro — o Cordeiro de Deus crucificado, ressurreto e insultado?

Senhor, chegará o dia em que Teu plano
superará toda religião falsa e filosofia de homens.
Que dia glorioso e emocionante será!

A. W. Tozer

RAIZ DE AMARGURA

*...atentando, diligentemente ...
nem haja alguma raiz de amargura que, brotando,
vos perturbe...* HEBREUS 12:15

Está registrado que Charles Spurgeon fez o seguinte comentário sobre um homem muito conhecido por seu espírito amargo e ressentido: "Que o gramado em sua sepultura cresça verde quando ele morrer, pois nada jamais floresceu ao seu redor enquanto viveu!"

A alma triste, deprimida e amarga irá compilar uma lista de desconsiderações com as quais se ofende e terá cuidado consigo mesma como uma ursa cuida de seus filhotes. E a imagem é adequada, pois o coração ressentido é sempre rude e está sempre suspeitando como a ursa!

Em nossa comunhão cristã, o que pode ser mais deprimente do que ver um cristão professo defendendo seus supostos direitos e resistindo amargamente a qualquer tentativa de violá-los? Tal cristão jamais aceitou o caminho da cruz. As doces graças da mansidão e da humildade são desconhecidas para essa pessoa. A cada dia ela se torna mais endurecida e sarcástica, tentando defender sua reputação, direitos e ministério contra supostos inimigos.

Há uma cura para isso? Sim! A cura é morrer para si mesmo e ressuscitar com Cristo para a novidade de vida!

*Senhor, se há qualquer desprazer ou amargura em mim,
por favor, elimina-os, para que meu comportamento imaturo não
seja uma pedra de tropeço para aqueles que estão te buscando.*

A.W. Tozer

SEM ESPAÇO PARA A FANTASIA

*...estou certo de que ele é poderoso para
guardar o meu depósito até aquele Dia.*
2 TIMÓTEO 1:12

Deixe-me falar sobre o verdadeiro cristão, o cristão da Bíblia, e sua visão deste mundo perturbado e instável no qual vive.

Ele não é um otimista sorridente e possuidor da sabedoria deste mundo, cujo conforto se origina na negação de fatos ou que baseia sua esperança na falsa expectativa de intenções pacificadoras entre as nações.

Antes, ele é, dentre todos os homens, o mais verdadeiro realista. Ele não se envolve com fantasia — quer conhecer os fatos — e não hesita em colocar-se diante de qualquer verdade, aonde quer que a encontre.

Ele sabe que o mundo está, em grande parte, perdido, e que somente o cristão conhece o caminho para o desejado porto. Pois na Bíblia, e ali somente, está o mapa que nos informa nossa localização neste tempestuoso e desconhecido oceano.

Ele sabe que o dia em que os cristãos deveriam desculpar-se mansamente já passou; que podem chamar a atenção do mundo, não ao tentar agradar ou fazer concessões, mas ao declarar ousadamente a verdade da revelação divina com a marca confirmatória: "Assim diz o Senhor!"

*Senhor, que Tua Palavra adentre a mente
e coração de muitos incrédulos hoje.
Não há tempo a perder.*

A.W. Tozer

POR QUE SER ARTIFICIAL?

...se não vos... tornardes como crianças,
de modo algum entrareis no reino dos céus.
MATEUS 18:3

Homens e mulheres cristãos que se ajoelharam com sinceridade aos pés de Jesus e se entregaram à Sua mansidão, encontraram um lugar de descanso onde há consolo e satisfação.

Eles descobriram que não precisamos nos preocupar com o que as pessoas pensam de nós — contanto que Deus esteja satisfeito!

Já não somos mais atormentados com o pesado fardo da artificialidade. Pense nos milhões que vivem secretamente com medo de que algum dia serão negligentes e, por casualidade, algum inimigo ou amigo poderá espiar suas pobres e vazias almas. Pessoas perspicazes são tensas e cautelosas devido ao medo de que possam cair na armadilha de dizer algo comum ou estúpido.

Fica fácil perceber que o coração do mundano se quebra sob o fardo, sob o peso da pretensão e do orgulho.

Aos homens e às mulheres por toda a parte, Jesus diz: "Vinde a mim... e eu vou aliviarei!" Ele oferece Sua graça e misericórdia — socorro bendito que vem quando nos aceitamos pelo que somos e deixamos de fingir!

Obrigado, Senhor, porque posso me aproximar
de ti exatamente como sou e tu me aceitas por completo.
Tu és um ancoradouro amoroso e seguro.

A.W. Tozer

O QUE SEREMOS

*Porquanto aos que de antemão conheceu,
também os predestinou para serem conformes à imagem
de seu Filho...* ROMANOS 8:29

Devemos ter uma visão mais elevada do que Deus fez por nós, ao consumar o plano de salvação por uma raça perdida!

A obra suprema de Cristo na redenção não é apenas para nos salvar do inferno, mas para nos restaurar novamente à natureza divina. Paulo confirmou isto em Romanos 8:29: "...aos que de antemão conheceu, também os predestinou para serem conformes à imagem de seu Filho...".

Enquanto a perfeita restauração à imagem divina aguarda o dia da aparição de Cristo, a obra de restauração acontece neste exato momento. Há uma transmutação lenta, mas constante, do metal básico da natureza humana, tornando-o o ouro da imagem divina; transmutação que é executada pelo olhar fixo da alma, repleta de fé, para a glória de Deus — a face de Jesus Cristo!

Já fizemos a transição daquilo que éramos para o que somos e estamos agora nos movendo para aquilo que seremos. Tornar-se semelhante a Deus é, e deve ser, o objetivo supremo de todas as criaturas morais!

*Senhor, há dias em que sinto que estou perdendo
terreno em meu crescimento espiritual. Ajuda-me hoje a me
tornar mais semelhante ao Filho de Deus.*

A.W. Tozer

POR QUE OS PÁSSAROS CANTAM?

Criou, pois, Deus… todas as aves, segundo as suas espécies.
E viu Deus que isso era bom.
GÊNESIS 1:21

Sou grato por ter encontrado uma promessa feita pelo Deus de toda a graça, que trata com o "longo prazo" e com o eterno. Eu faço parte de um grupo de pessoas simples que acreditam na verdade revelada na Bíblia. Essas são as pessoas que creem que Deus, no princípio, fez os céus e a Terra e tudo o que neles há.

Sim, essas pessoas simples que creem, dirão a você que Deus criou as flores para serem belas e os pássaros para cantar, de modo que homens e mulheres pudessem se alegrar com eles. Cremos que Deus fez os pássaros para gorjear em harmonia como se fossem sintonizados como uma harpa.

Mas o cientista discorda, dizendo: "É simplesmente biológico. O pássaro canta simplesmente para atrair seu parceiro."

Na verdade, o Deus que criou os pássaros é o Mestre de canto do Universo. Ele fez as harpas nessas pequenas gargantas e disse: "Vão e cantem!" Felizmente, os pássaros obedeceram e estão cantando e louvando a Deus desde que foram criados!

Eu te louvo, Senhor, pelo belo mundo que criaste para o
Teu deleite e para o nosso. Que Teu espírito se mova
nos corações de cientistas e físicos que reconhecem as maravilhas
terrestres, mas se recusam a crer no Deus Criador.

A. W. Tozer

"LEVANTAR-ME-EI E IREI"

*Levantar-me-ei, e irei ter com o meu pai,
e lhe direi: Pai, pequei...* LUCAS 15:18

Quando Jesus contou a história do filho pródigo, Ele estava dando à nossa sociedade perdida uma imagem vívida de um filho mais que obstinado ou de um homem apóstata.

Há anos eu investia tempo sozinho, com Deus, em oração e súplica, pedindo ao Espírito do Senhor que me ajudasse a compreender essa parábola. Tenho confiado no entendimento que, acredito, me foi dado por Deus.

Creio que o Filho Pródigo é claramente a imagem de toda a raça humana que se lançou ao chiqueiro em Adão — e retornou ao Pai em Cristo!

A parte mais impressionante da parábola é o fato de que o filho errante "caiu em si" — e isso nos fala da realidade e necessidade de arrependimento. Ele poderia arrepender-se, mudar de direção e buscar perdão, porque sabia que seu Pai não havia mudado. Ele conhecia o caráter de seu Pai. Sem esse conhecimento ele jamais poderia ter dito: "Levantar-me-ei, e irei ter com o meu pai...".

Irmãos, todos nós que voltamos a Deus, pela fé em nosso Senhor Jesus Cristo, descobrimos, assim como o pródigo, que o Pai celestial não mudou em nada!

*Eu te louvo, Senhor, porque nada em ti mudou.
E nada que aconteceu neste mundo surpreendeu-te.
Tu és nosso Pai fiel, amoroso e justo.*

A.W. Tozer

INDISPOSTO A RENDER-SE

...oferecei-vos a Deus, como ressurretos dentre os mortos...
ROMANOS 6:13

Sei que há muitas pessoas que me ouvem pregar regularmente e que jamais considerarão mudar seu modo de viver. Preferirão submergir a fazer isso!

Nossa situação não é um caso isolado. Há milhões de homens e mulheres que possuem entendimento da revelação de Deus, em Jesus Cristo, que ainda não estão dispostos a recebê-lo e a comprometer-se com Ele, Aquele a quem os próprios anjos, as estrelas e os rios se submetem. Eles hesitam e adiam porque sabem que Deus está pedindo a abdicação de seu pequeno reino e de seus interesses egoístas.

Esta é a tragédia da humanidade, meus irmãos! Nós o rejeitamos em nossa vida porque precisamos que tudo seja do nosso jeito. Mas até que Jesus Cristo seja sinceramente recebido, não pode haver conhecimento da salvação, nem compreensão alguma das realidades de Deus.

O pecador, pequeno e egoísta, rejeita o Filho de Deus. Enquanto ele ainda enumera tudo o que merece, o Filho de Deus está parado do lado de fora.

Meus irmãos, eu repito: esta é a grande tragédia da humanidade!

Amado Senhor, todos nós conhecemos algumas pessoas
em nossa vida que têm consciência da verdade do evangelho,
mas que escolhem viver separadas de Deus.
Oro para que Teu Espírito faça cada uma delas sentir
um profundo temor por seu destino futuro.

A. W. Tozer

UMA VIRTUDE CRISTÃ

Seja constante o amor fraternal.
HEBREUS 13:1

Estou sendo muito franco a respeito disso e espero ser útil: Jamais diga que você precisa acertar contas com Deus por gostar de algumas pessoas mais do que de outras!

Acredito que você possa estar em paz diante de Deus e ainda não gostar da forma como algumas pessoas se comportam. É fácil amar aqueles que são agradáveis; mas alguns nos irritam ou talvez nos diminuam.

O escritor de Hebreus apela a nós, cristãos, para que "seja constante o amor fraternal" — em outras palavras: "Nunca deixem de amar uns aos outros, no Senhor."

Foi isso que descobri: É possível amar as pessoas no Senhor, mesmo que você não goste de suas peculiaridades rudes e desagradáveis. Ainda as amamos por amor a Jesus!

Sim, creio que você pode estar em paz diante de Deus e ainda não gostar do modo como algumas pessoas se comportam. Somos advertidos a amá-las numa dimensão maior e de maneira mais compreensiva porque somos todos um, em Cristo Jesus. Este tipo de amor é, de fato, uma virtude cristã!

Pai, ajuda-me a amar as pessoas por amor a Jesus,
mesmo quando fazem ou dizem
coisas que me aborreçam ou magoam.

A.W. Tozer

"PROSSIGO PARA O ALVO"

*...esquecendo-me das coisas que para trás ficam...
prossigo para o alvo...* FILIPENSES 3:13,14

Um dos truques mais antigos do diabo para desencorajar os cristãos é fazê-los olhar para trás, para o que um dia foram. É, de fato, o inimigo da nossa alma que nos faz esquecer que nunca chegaremos ao fim do amor de Deus.

Ninguém irá progredir com Deus até que seus olhos se ergam para a fidelidade do Senhor e deixe de contemplar a si mesmo!

Nossas instruções no Novo Testamento convergem para a necessidade de olhar adiante, em fé — e não gastar nosso tempo olhando para trás ou apenas olhando para nosso interior.

Irmãos, nosso Senhor é mais do que capaz de tomar conta de nosso passado. Ele perdoa instantânea e completamente, e o Seu sangue nos faz dignos!

A bondade de Deus é infinitamente mais maravilhosa do que jamais poderemos compreender. Se a "essência da questão" está em você e você é nascido de novo, Deus está preparado para lidar com você exatamente no ponto em que você estiver!

*Obrigado, Senhor, porque jamais alcançaremos
o fim do Teu amor por nós. Teu amor, assim como
todos os Teus atributos, é infinito.*

A.W. Tozer

SANTOS CATIVANTES

...cheios do fruto de justiça, o qual é mediante Jesus Cristo...
FILIPENSES 1:11

Muitos cristãos negligenciam o fato de que, se somos guiados pelo Espírito de Deus e se demonstramos o amor do Senhor que este mundo precisa, nos tornamos os santos cativantes.

O que é estranho e maravilhoso a respeito disso é que santos verdadeiramente cativantes e amáveis mal têm consciência de sua capacidade de atração. Os grandes santos do passado não sabiam que eram grandes santos. Se alguém lhes tivesse dito isso, eles não acreditariam, mas quem estava ao seu redor sabia que Jesus estava manifestando Sua vida por meio deles.

Acredito que nos unimos aos santos cativantes quando os propósitos de Deus, em Cristo, se tornam claros para nós. Nós nos unimos a eles quando começamos a adorar a Deus por Ele ser quem é! Irmãos, Deus não é um caso para a caridade — Ele não é um capataz frustrado que não encontra ajuda suficiente.

Lembremo-nos de que Deus nunca precisou verdadeiramente de nenhum de nós — nenhum sequer! Mas fingimos que Ele precisa e fazemos grande alarde quando alguém concorda em "trabalhar para o Senhor".

Deus está tentando nos chamar de volta àquilo para o qual nos criou — adorá-lo e usufruir de Sua presença para sempre!

Obrigado, Senhor, pelos homens e mulheres fiéis que viveram antes de nós. Obrigado pelo exemplo de suas vidas que se alegravam por ter comunhão íntima contigo.

A.W. Tozer

RELIGIÃO FRACASSADA

...tendo forma de piedade, negando-lhe, entretanto, o poder...
2 TIMÓTEO 3:5

Milhões de homens e mulheres se recusam a enfrentar o fato de que a religião, em si e por si mesma, não é suficiente para suprir a necessidade do pecador.

É incrível a quantidade de coisas que as religiões podem lhe propor. Elas podem começar com o batismo de crianças e finalizar os últimos rituais quando você tiver a idade de 108 anos — e em todo o tempo manipularão, maltratarão e massagearão sua alma. Após fazer tudo isso, você será apenas o que era antes. Será um pecador adornado e massageado — um pecador que não comeu carne ou, então, um pecador que comeu peixe!

Quando a religião fizer tudo o que poderia fazer, você ainda será um pecador que foi ou não à igreja. A religião pode nos colocar no rol dos membros, nos educar, treinar e instruir. Mas depois de tudo isso, ainda haverá algo dentro de nosso ser que clamará: "A eternidade está em meu coração e não encontrei nada que a satisfaça!"

Somente nosso Senhor Jesus Cristo é suficiente para satisfazer o eterno anseio em nossa alma.

Senhor, aprofundar meu relacionamento contigo é mais importante do que meu envolvimento em "tradições religiosas", que não têm relação alguma com meu destino eterno.
Eu te amo, Senhor Jesus.

A. W. Tozer

ESFORÇANDO-SE POR NÚMEROS

...tudo o que é verdadeiro, tudo o que é respeitável ...
seja isso o que ocupe o vosso pensamento.
FILIPENSES 4:8

Hoje em dia, em círculos cristãos, a igreja que consegue mostrar um impressionante crescimento quantitativo é francamente invejada e imitada por outras igrejas ambiciosas.

Números, tamanhos e quantidades parecem realmente ser as únicas questões relevantes — e há, correspondentemente, a falta de ênfase na qualidade!

Esta é a era de Laodiceia, a grande deusa. Números são adorados com devoção fervorosa e todas as questões religiosas são levadas diante dele para que as inspecione. Seu Antigo Testamento é o relatório financeiro e seu Novo Testamento é a lista de membros. A esses, ela recorre como o teste de crescimento espiritual e prova de sucesso ou fracasso na maioria dos empreendimentos cristãos.

Um pouco de familiaridade com a Bíblia deveria expor esse processo como a heresia que é. Julgar algo como espiritual por meio de estatísticas é utilizar outro julgamento que não o das Escrituras. Entretanto, isso tem sido feito todos os dias, por ministros, diretorias de igrejas e líderes denominacionais. E praticamente ninguém parece notar o profundo e perigoso erro!

Senhor, oro nesta manhã pelo pastor e líderes de minha igreja,
para que seu principal objetivo seja convidar
o Espírito Santo de Deus a realizar Tua obra purificadora
em nossa igreja e na vida de nosso povo.

A. W. Tozer

"ALGUÉM" ESTÁ ALI

Buscai o Senhor e o seu poder;
buscai perpetuamente a sua presença. SALMO 105:4

Onde quer que a fé tenha provado ser real, ela inevitavelmente teve sobre si uma compreensão do Deus "presente". As Sagradas Escrituras possuem em elevado grau esse sentimento de encontro verdadeiro com uma Pessoa real.

Os homens e as mulheres da Bíblia conversavam com Deus. Eles falavam com o Senhor e o ouviam falar palavras que podiam compreender. Mantinham conversas pessoais com Ele e havia sobre suas palavras e feitos um senso de realidade fulgente.

Essa compreensão de que "Alguém está ali" enchia os membros da igreja cristã primitiva com permanente deslumbramento. O deleite solene que aqueles discípulos primitivos experimentavam brotava diretamente da convicção de que havia Alguém no meio deles — eles estavam na própria presença de Deus!

Essa compreensão de que "Alguém" está ali torna a religião invulnerável ao ataque crítico. Ela protege a mente contra o colapso, quando sob investida do inimigo. Aqueles que adoram o Deus que é presente podem ignorar a oposição dos incrédulos!

Senhor, à medida que lido com o mundo hoje,
peço que Tua presença seja muito real em minha vida.
Obrigado por estares sempre presente ao meu lado.

A.W. Tozer

ADORAÇÃO DIÁRIA

...o seu coração está longe de mim e em vão me adoram...
MATEUS 15:8,9

É minha experiência que a totalidade de nossa vida cristã — todas as nossas atitudes — devem ser direcionadas para a adoração a Deus!

Se você não reconhece a presença de Deus em seu escritório, sua fábrica, sua casa, então Deus não está na igreja que você frequenta também!

Tornei-me cristão quando era jovem e trabalhava em uma fábrica de pneus em Akron, Ohio [N.E.: Estados Unidos]. Lembro-me de meu trabalho lá — mas também me lembro da minha adoração naquele lugar! Houve muitas lágrimas de adoração em meus olhos. Ninguém me perguntou sobre elas, mas eu não teria hesitado em explicá-las.

Pode-se aprender a usar certas habilidades até o ponto de se tornarem automáticas. Tornei-me tão habilidoso que podia fazer meu trabalho e adorar a Deus, mesmo quando minhas mãos estavam ocupadas.

Se o amor de Deus está em nós e o Espírito de Deus está soprando louvor dentro de nós, todos os instrumentos musicais no céu, repentinamente, tocam em total apoio! Até mesmo nossos pensamentos se tornam um santuário em que Deus pode habitar.

Amado Senhor, que a vontade de Teu Espírito
me encha hoje, de modo que meu coração e minha mente
transbordem em louvor a ti.

A.W. Tozer

O MAU USO DA BÍBLIA

*...há certas coisas difíceis de entender, que os ignorantes
e instáveis deturpam, como também
deturpam as demais Escrituras, para a própria
destruição deles.* 2 PEDRO 3:16

Creio que tudo na Bíblia é verdadeiro, mas tentar fazer da Bíblia um livro didático de ciências é equivocar-se completa e tragicamente!

Tem sido uma prática bastante popular o fato de os mestres de ensino bíblico declararem encontrar nas Escrituras confirmação de quase toda recente descoberta feita pela ciência. Aparentemente, ninguém percebeu que o cientista tinha que fazer a descoberta antes que o especialista em Bíblia o fizesse, e não parece ter ocorrido a ninguém perguntar por que — já que a informação estava tão claramente presente na Bíblia — foram necessários milhares de anos e a ajuda da ciência para alguém enxergar tal fato.

Nos últimos anos, a Bíblia tem sido "recomendada" por muitos outros propósitos diferentes daquele pelo qual foi escrita. O propósito da Bíblia é levar homens e mulheres a Cristo, torná-los santos e prepará-los para o céu. Qualquer manipulação das Escrituras para fazê-las discorrer de paz ao homem natural é maligna e leva somente à ruína!

*Obrigado, Senhor, por proveres — e preservares —
a Tua Palavra através de sucessivas gerações.
Que a Bíblia seja mais exposta em nossas igrejas, e, por meio
das novas tecnologias, alcance mais pessoas.*

A. W. Tozer

JOGO DE PALAVRAS PIEDOSAS

*...Se alguém não tropeça no falar, é perfeito varão,
capaz de refrear também todo o corpo.* TIAGO 3:2

Você nota que a maioria dos homens brinca com a religião como o faz com jogos? A religião em si é, entre todos os jogos, o mais universalmente jogado.

A igreja tem seus "campos", suas "regras" e seu equipamento para a partida de palavras piedosas. Tem seus devotos, tanto leigos quanto profissionais, que sustentam o jogo com seu dinheiro e o encorajam com sua presença, mas que não são diferentes, na vida ou no caráter, de muitos que não têm interesse algum na religião.

Assim como um atleta usa uma bola, muitos de nós usamos palavras — palavras ditas e cantadas, palavras escritas e proferidas em oração. Nós as lançamos rapidamente pelo campo; aprendemos a manuseá-las com destreza e graça — e ganhar como recompensa o aplauso daqueles que apreciaram a partida. Nos jogos em que os homens participam não há raízes morais. É uma atividade agradável que, no fim das contas, nada muda e nada estabelece.

Infelizmente, no jogo religioso de palavras piedosas, após a agradável reunião, ninguém está fundamentalmente diferente do que era antes!

*Senhor, que as palavras que pronuncio e as canções
que canto sejam aceitáveis a ti. Minha fé é importante demais
para eu ficar entretido com jogos religiosos.*

A. W. Tozer

LUZ — E SOMBRAS

O amor é paciente, é benigno...
1 CORÍNTIOS 13:4

Certa vez uma pessoa me ligou para fazer a seguinte pergunta: "Sr. Tozer, você acha que uma pessoa que é realmente cristã pode magoar outro cristão?"

Não há resposta fácil — mas tive que responder: "Penso que sim."

Por que é que um homem pode estar de joelhos num dia, orando sinceramente, e no seguinte ser culpado de ofender ou prejudicar outro cristão? Acredito ser assim porque estamos na metade do caminho entre o céu e o inferno. É porque a luz — e as sombras — caem sobre nós.

A melhor resposta é que estamos sendo salvos de todas essas contradições que enfrentamos em nossa existência. Talvez nesta Terra jamais sejamos capazes de compreender plenamente o terrível e medonho preço que o Senhor de toda a beleza pagou para conquistar a nossa redenção — para salvar Seu povo da feiura do pecado.

Se você não o conhece e não o adora, se você não anseia por viver onde Ele está, se você jamais conheceu o deslumbramento e o enlevo em sua alma, devido à Sua crucificação e ressurreição, sua alegação de cristianismo tem pouco fundamento!

Senhor, sei que magoei algumas pessoas no passado com palavras que empreguei. Vejo agora que fui imaturo naquela época. Ajuda-me a continuar a crescer em Tua graça, Pai.

A.W. Tozer

AS REALIDADES DO CÉU

Não se turbe o vosso coração...
vou preparar-vos lugar. JOÃO 14:1,2

Muito do secularismo e do racionalismo de nossa era descarta a visão e o ensinamento cristãos a respeito do céu, considerando-o "nada mais do que um pensamento esperançoso".

Mas a esperança da bem-aventurança futura prometida ao cristão está fundamentada nas plenas e evidentes revelações do Antigo e do Novo Testamentos. Essa esperança harmoniza-se com os desejos mais sagrados da alma e não os atenua, mas serve, antes, para confirmar a verdade que há nesses desejos, porque daquele que criou o ser humano se pode também esperar que crie provisão para a satisfação dos anseios mais profundos da alma.

As promessas de Deus são feitas ao cristão que geralmente tem dificuldade para enxergar a si mesmo como herdeiro de tal bem-aventurança como descrita nas Escrituras. A razão não é difícil de ser descoberta, pois o cristão mais piedoso é aquele que melhor se conhece, e ninguém com autoconhecimento acreditará que merece nada melhor do que o inferno. Mas até a justiça está do lado desse cristão, pois está escrito: "Se confessarmos os nossos pecados, [Deus] é fiel e justo para nos perdoar os pecados e nos purificar de toda injustiça" (1 JOÃO 1:9).

Amado Senhor, obrigado porque muitas das Tuas promessas nas Escrituras já se realizaram — especialmente a vinda de Teu Filho, Jesus. Tu és o Deus fiel e santo em quem não há fraude ou engano. Tua promessa sobre o céu é tão real como a promessa sobre o Salvador. Bendito sejas tu!

A. W. Tozer

DEUS NO CENTRO

*E edificou ali um altar e ao lugar chamou El-Betel;
porque ali Deus se lhe revelou...* GÊNESIS 35:7

Após o primeiro encontro memorável de Jacó com Deus, no deserto, ele chamou o lugar de Betel, que significa "a casa de Deus". Muitos anos depois, após ter sofrido, pecado, se arrependido e descoberto a indignidade de tudo que é terreno, ele renomeou aquele lugar de El-Betel, literalmente, "o Deus da casa de Deus".

Logo, Jacó havia mudado sua ênfase do lugar sagrado para o Deus que Ele havia encontrado ali. O próprio Deus agora estava no centro de seu interesse.

Precisamos considerar que muitos cristãos nunca vão além de Betel. Deus está em seus pensamentos, mas não lhe foi concedido o primeiro lugar. A fidelidade à igreja local é algo bom, mas quando a igreja se torna tão grande e importante a ponto de ocultar Deus de nossos olhos, pode se tornar algo bom sendo erroneamente usado.

Deus sempre deve ser o primeiro — e jamais devemos nos esquecer de que a igreja nunca foi planejada para substituir Deus! Qual é nosso interesse fundamental: É Betel ou El-Betel? É minha igreja ou meu Senhor? É meu credo ou meu Cristo?

*Deus Pai, quero que tenhas o primeiro lugar em minha vida
e na vida das pessoas em minha igreja local. Ajuda-nos a centrar
em ti de modo que possamos usufruir de Tua presença
onde quer que estejamos — na igreja, em casa, no escritório
ou mesmo quando em férias.*

A.W. Tozer

RECURSOS QUE PERMANECEM

...acima de tudo, faço votos por tua prosperidade e saúde, assim como é próspera a tua alma. 3 JOÃO 2

As pessoas sempre se agitaram e discutiram sobre os recursos deste mundo — esperança para a vida, saúde, prosperidade financeira, paz internacional e um conjunto de circunstâncias favoráveis. Esses recursos são bons de um modo específico, mas têm um defeito fatal — são incertos e transitórios! Hoje os temos; amanhã se vão.

Assim é com tudo o que é terreno, desde que o pecado veio para perturbar a bela ordem da natureza e fez da raça humana vítima do acaso e da variação.

Desejamos para todos os filhos de Deus a medida plena de todas as bênçãos idôneas e puras que a terra e o céu possam unir para lhes dar. Porém, se na soberana vontade de Deus, as coisas se voltarem contra nós, o que nos resta? Se a vida e a saúde são colocadas em risco, o que será de nossos recursos eternos?

Se os fundamentos do mundo se desintegram, ainda temos Deus, e nele temos para sempre tudo o que é essencial para o nosso ser redimido! Temos Cristo, que morreu por nós; temos as Escrituras que jamais falham; temos o fiel Espírito Santo. Se o pior dos piores acontecer aqui embaixo, temos a casa e as boas-vindas de nosso Pai celeste!

Senhor, Tua palavra diz que tudo o que temos pertence a ti (1 CRÔNICAS 29:16). *Tu tens minhas posses; tu és meu dono! Capacita a mim e à minha família a nos apegarmos apenas superficialmente às coisas deste mundo.*

A. W. Tozer

FILHO DE DOIS MUNDOS

Respondeu Jesus: o meu reino não é deste mundo...
JOÃO 18:36

No reino de Deus, o modo mais certo de perder algo é tentar mantê-lo, e o melhor modo de mantê-lo é abrindo mão. Esta foi a palavra de nosso Senhor Jesus Cristo: "...Se alguém quer vir após mim, a si mesmo se negue, dia a dia tome a sua cruz..." (LUCAS 9:23).

Cristo afastou-se do mundo decaído de Adão e falou sobre outro mundo completamente diferente, um mundo onde a filosofia de Adão é inválida e sua técnica ineficaz. Ele falou do reino de Deus, cujas leis são totalmente opostas àquelas do reino dos homens.

Logo, o cristão verdadeiro é um filho de dois mundos. Ele vive entre homens pecaminosos, mas quando é regenerado, é chamado a viver conforme as leis e os princípios que são o fundamento do novo reino. Ele pode, então, encontrar-se tentando crescer na vida espiritual conforme o padrão terreno — e isso é o que Paulo chamou de viver "carnal". Por isso é de vital importância adentrar na vida do Espírito de Deus. Abra mão de seus "tesouros" terrenos e o Senhor os preservará para você até a eternidade!

Ó Senhor, ajuda-me a elevar minha existência hoje à vida do Espírito de Deus. Há dias em que isso simplesmente não é algo fácil de fazer! Sustenta-me, Senhor, quando estou espiritualmente fraco.

A. W. Tozer

O DOM SAGRADO DE VISÕES

...vossos jovens terão visões, e sonharão vossos velhos.
ATOS 2:17

Como foi Deus quem nos criou, todos nós temos, até certo ponto, o poder de imaginar. O fato de a imaginação ser de grande valor no serviço a Deus pode ser negado por algumas pessoas que erroneamente confundiram a palavra *imaginação* com a palavra *imaginário*.

O evangelho de Jesus Cristo não é um caminhão repleto de coisas imaginárias. O livro mais realista do mundo é a Bíblia. Deus é real! E o homem, o pecado, a morte e o inferno também o são! A presença de Deus não é imaginária; tampouco a oração é a indulgência de uma fantasia encantadora.

O valor da imaginação purificada, na esfera da religião, está em seu poder de perceber nas coisas naturais, sombras daquilo que é espiritual. Uma imaginação purificada e controlada pelo Espírito é o sagrado dom de visões — a habilidade de perscrutar além do véu e fitar com admiração e espanto as belezas e mistérios do que é santo e eterno.

A mente do peregrino, quando desprovida dessa imaginação, não traz crédito ao cristianismo!

Senhor, obrigado pela visão que deste a João
e que está registrada no livro de Apocalipse. Que bela imagem
do céu ele descreve! Tal visão faz desta peregrinação
terrena algo tolerável.

A.W. Tozer

PROMESSAS VAZIAS DO HOMEM

*Quando andarem dizendo: Paz e segurança,
eis que lhes sobrevirá repentina destruição...*
1 TESSALONICENSES 5:3

Por toda a vida, ouvimos as contínuas promessas de paz e progresso feitas por educadores, legisladores e cientistas, mas até agora todos falharam em cumprir qualquer uma delas.

Talvez seja irônico pensar que homens pecadores, ainda que não possam cumprir suas promessas, sempre sejam capazes de cumprir suas ameaças!

Bem, a verdadeira paz é um dom de Deus e hoje só é encontrada na mente de crianças inocentes e no coração de cristãos esperançosos. Somente Jesus poderia dizer: "Deixo-vos a paz, a minha paz vos dou... Não se turbe o vosso coração, nem se atemorize" (JOÃO 14:27).

Certamente os "grandes" deste mundo, no fim das contas, subestimam a sabedoria do cristão. Quando chegar o Dia do Senhor, o cristão poderá se colocar como Abraão, acima da planície em chamas e assistir à fumaça subir das cidades que se esqueceram de Deus. O cristão lançará um olhar furtivo sobre o Calvário e saberá que esse julgamento é findo!

*Obrigado, Senhor, por Teu Espírito que dá a nossa alma um tipo
de "paz que excede todo entendimento" (FILIPENSES 4:7).
Somente tu podes prover esse tipo de paz, em um mundo
dominado por guerra e conflito.*

A.W. Tozer

UMA CALÚNIA CONTRA DEUS

...Aquele que não dá crédito a Deus o faz mentiroso...
1 JOÃO 5:10

O pecado humano começou com a perda da fé em Deus! Quando nossa mãe Eva ouviu as ardilosas insinuações de Satanás contra o caráter de Deus, ela começou a alimentar dúvida sobre Sua integridade — e exatamente nesse momento as portas se abriram para a entrada de todo mal possível, e as trevas se estabeleceram no mundo.

O relacionamento entre seres morais se dá pela confiança, e a confiança se apoia no caráter, que é uma garantia de conduta. Deus é um ser de excelência moral suprema, que possui, em perfeição infinita, todas as qualidades que constituem um caráter santo. Ele merece confiança e convida à confiança irrestrita toda criatura moral, incluindo o homem. Qualquer relacionamento adequado com Ele deve existir por meio da confiança — ou seja, por meio da fé.

A idolatria é o pecado máximo e a descrença é a filha da idolatria. Ambas são injúrias contra o Altíssimo e Santíssimo. João escreveu: "...Aquele que não dá crédito a Deus o faz mentiroso..." (1 JOÃO 5:10). Um Deus que mentisse seria um Deus sem caráter.

O arrependimento é a escusa sincera do homem por desconfiar de Deus por tanto tempo, e a fé é lançar-se em Cristo, em total confiança. Assim, pela fé, a reconciliação entre Deus e o homem é estabelecida!

*Pai celestial, tenho confiança total em Tua habilidade
de sempre fazer as melhores escolhas para a minha vida.*

A. W. Tozer

ENCANTADO COM O PASSADO

*...No tempo aceitável, eu te ouvi
e te socorri no dia da salvação...* ISAÍAS 49:8

Sempre tenho um sentimento apreensivo quando me encontro com pessoas que não têm nada a discutir, além das glórias dos dias passados!

Por que não estamos dispostos a acreditar no que a Bíblia nos diz? O grande futuro do cristão está diante dele. Portanto, seu olhar deveria estar completamente direcionado à frente.

O fato é que deveríamos ponderar sobriamente a respeito da razão pela qual tantos cristãos parecem ter seu futuro já no passado! Sua glória ficou para trás. O único futuro que têm é seu passado. Eles estão sempre revirando as cinzas frias da fogueira apagada de ontem!

Até mesmo seu testemunho, se é que o dão, revela seu olhar retrógrado. Seu olhar abatido denuncia que estão de frente, mas para a direção errada.

Deveríamos tomar o exemplo de Paulo. Penso que ele ocasionalmente olhava rapidamente e com alegria para o passado, apenas para se lembrar da graça e da bondade de Deus desfrutada por cristãos aperfeiçoados em seu salvador Jesus Cristo!

*Senhor, espero pelo dia em que as pessoas de todas
as nações abandonarão seus pecados e falsas religiões para
confessar-te como seu Salvador e Senhor.
Como podes me usar para cumprir Teu plano, Pai?*

A.W. Tozer

FÉ E ORAÇÃO

...Muito pode, por sua eficácia, a súplica do justo.
TIAGO 5:16

Encontramos em Hebreus uma longa lista de benefícios que a fé concede àquele que a possui: justificação, libertação, frutificação, paciência, vitória contra os inimigos, coragem, força e até mesmo a ressurreição dos mortos.

Então, tudo o que é atribuído à fé pode, com igual verdade, ser atribuído à oração, pois a fé e a verdadeira oração são como dois lados da mesma moeda — são inseparáveis!

Os homens podem orar sem fé — e geralmente o fazem (ainda que isso não seja oração verdadeira), mas é inconcebível que homens tenham fé e não orem.

Tudo o que Deus pode fazer, a fé pode fazer; e tudo o que a fé pode fazer, a oração pode fazer, quando oferecida em fé.

Não deveria ser considerado estranho, então, que um convite à oração seja um convite à onipotência, pois a oração atrai o Deus onipresente e o introduz aos assuntos humanos.

Segundo a Bíblia, recebemos dádivas porque as pedimos, ou não as recebemos porque não as pedimos. Não é preciso muita sabedoria para descobrir qual deve ser nosso próximo passo. Não seria orar e orar novamente até que a resposta venha? Deixar de orar é falhar com o mundo e decepcionar a Deus!

Pai celestial, obrigado por seres o Deus que recebe
com alegria as orações de Teus filhos! Minha oração é para que
tu edifiques a Tua igreja por todo o mundo.

A.W. Tozer

PROBLEMAS E AFLIÇÕES

Quem nos separará do amor de Cristo?
Será tribulação, ou angústia, ou perseguição, ou fome,
ou nudez, ou perigo, ou espada? ROMANOS 8:35

Jesus não prometeu a nenhum de nós que a vida cristã consistente seria fácil!

Ele não prometeu libertação dos problemas e das aflições diárias. Ele não prometeu nos levar ao nosso lar celestial em uma nuvem fofa e cor-de-rosa!

Vivemos nossa vida no conhecimento da graça de Deus, mas não ousamos esquecer que nosso Senhor veio para morrer por nós e para expressar a moral imutável e a vontade redentora de Deus para Seu povo.

Antes de condenarmos os judeus da história bíblica por seus fracassos, precisamos estar certos de que não estejamos ignorando nossas próprias deficiências espirituais e morais!

Como cristãos, você e eu devemos ser cuidadosos com os motivos pelos quais escolhemos não prestar atenção à Palavra de Deus e à admoestação do Senhor vinda do céu.

Estamos honrando Sua graça o suficiente a ponto de buscarmos perdão pelo descuido, indiferença e apatia espirituais?

Eu te louvo, Senhor, pois tu equipaste Teus verdadeiros
seguidores para viverem moralmente em um mundo imoral.
Ajuda-me a fazer de cada dia um dia útil para Teu reino, Senhor.

A.W. Tozer

A SOLIDÃO HUMANA

Cessou o júbilo de nosso coração... ai de nós, porque pecamos!
LAMENTAÇÕES 5:15,16

Há uma estranha contradição na natureza humana, ao nosso redor: o fato de uma pessoa poder exalar o odor do orgulho, exibir um ego inflado e se envaidecer como um pavão — e ainda assim ser a pessoa mais solitária e miserável do mundo!

Encontramos essas pessoas em todos os lugares — simulando e entretendo-se com jogos. Elas se sentem quase esmagadas no fundo de seu ser, por, no fim das contas, sofrerem de grande solidão e por seu senso de orfandade.

O resultado deste estranho e doloroso sentimento humano de solidão e orfandade universal é a obscura questão no âmago do ser: "Que benefício há em ser um ser humano? Ninguém se importa comigo!"

No jardim, Eva acreditou na mentira de Satanás — a mentira de que Deus não se importava com ela e que não tinha vínculo emocional com sua vida e seu ser. É nesse ponto que a pessoa não regenerada se encontra no mundo atual.

Somente o pecado e a derrota podem trazer esse sentimento de orfandade, essa sensação de ter sido expulso da casa do pai e que se intensifica após a casa ter sido incendiada e o pai ter morrido.

Senhor, é uma alegria e um privilégio ser contado entre Teus filhos na Terra. Mas há muitos que permanecem do lado de fora, onde é escuro, frio e solitário. Que o Teu Espírito atraia muitos perdidos para se juntarem à Tua família hoje.

A. W. Tozer

ADIANDO A OBEDIÊNCIA

...Crê no Senhor Jesus e serás salvo, tu e tua casa.
ATOS 16:31

Uma notável heresia passou a existir em nossos círculos cristãos — o conceito amplamente aceito de que nós, humanos, podemos optar por aceitar a Cristo somente porque precisamos de um Salvador, e que temos o direito de adiar nossa obediência a Ele por quanto tempo quisermos!

A verdade é que a salvação separada da obediência é desconhecida nas Escrituras sagradas. Pedro deixa claro que fomos "...eleitos, segundo a presciência de Deus Pai, em santificação do Espírito, para a obediência..." (1 PEDRO 1:2).

Parece mais importante para mim o fato de Pedro falar de seus companheiros cristãos como "filhos da obediência" (v.14). Ele conhecia a espiritualidade deles — não estava apenas os exortando a serem obedientes.

A Bíblia toda ensina sobre a verdadeira obediência a Deus e ao Seu Cristo, e é uma das exigências mais difíceis na vida cristã. Na verdade, salvação sem obediência é uma impossibilidade autocontraditória!

As pessoas não querem admitir isso, mas o apóstolo Paulo escreveu aos romanos há muito tempo dizendo que "pela desobediência de um só homem" veio a ruína da raça humana (ROMANOS 5:19).

Amado Senhor, oro hoje por todos os cristãos "nominais", em nossas igrejas, que estão em cima do muro da fé. Que o Teu Espírito imprima neles a necessidade de se tornarem seguidores de Cristo, plenamente consagrados, que estarão ativamente comprometidos na batalha pela salvação das pessoas.

A.W. Tozer

SERES HUMANOS JULGAM O SENHOR?

E em vão me adoram, ensinando doutrinas que são preceitos de homens. MATEUS 15:9

É fato que Deus nos criou para adorá-lo, e se não tivéssemos pecado com Adão e Eva, a adoração a Ele seria, dentre todas, a resposta mais natural para nós.

Pecar não era natural para Adão e Eva, mas eles desobedeceram e caíram, perdendo o privilégio da perfeita comunhão com Deus, o Criador. O pecado é contrário às leis da natureza; ele nunca foi planejado pelo Senhor como parte de nossa natureza.

Homens e mulheres que estão fora da comunhão com Deus, o Criador, ainda têm certo instinto direcionado a alguma prática de adoração. Na maioria de nossos círculos "civilizados", a dinâmica de escolher o que gostamos de adorar e rejeitar o que não gostamos é amplamente difundida.

Isso abriu todo um novo campo para a psicologia aplicada e para o humanismo, sob uma variedade de disfarces religiosos. Portanto, homens e mulheres se colocam como juízes do que o Senhor disse — e assim, com orgulho, julgam o Senhor.

Na Bíblia, Deus tira a questão da adoração das mãos dos homens e a coloca nas mãos do Espírito Santo. É impossível adorar a Deus sem que o Espírito Santo nos conceda essa capacidade!

*Eu te adoro, Senhor, por Teu poder e amor
que não podem ser contidos. Que minha vida seja uma constante
canção de louvor dedicada a ti hoje e sempre.*

A.W. Tozer

RELIGIÃO BARATA

...porque não oferecerei ao SENHOR, meu Deus, holocaustos que não me custem nada... 2 SAMUEL 24:24

O que é expresso como cristianismo na atualidade é uma religião barata! Ao ouvirmos as concepções contemporâneas do cristianismo, chegamos à conclusão de que é pouco mais do que um bocado de bela poesia, um buquê de flores perfumadas, feito por homens, um sorriso amável oferecido a nossos vizinhos e algumas boas obras em favor de um irmão ou irmã.

Quando reflito sobre alguns desses elementos oferecidos hoje no cristianismo, como religião aceitável, preciso me conter para não falar com profunda desaprovação. Temo que minhas palavras soem tão fortes que tenha que me arrepender por tê-las pronunciado! E leio nas Escrituras que há algumas coisas que Deus não quer que digamos nem mesmo sobre o diabo.

O que encontramos emergindo em muito da nossa comunhão cristã? A queixa de que Deus demora demais para executar Sua vontade. Não queremos investir tempo em arar e cultivar. Queremos o fruto e a colheita imediatamente. Não queremos nos engajar em nenhuma batalha espiritual que nos leve noite adentro. Queremos a luz da manhã agora mesmo!

Não queremos a cruz — estamos mais interessados na coroa!

Senhor, ajuda-me a me contentar com o Teu planejamento referente a certas questões em minha vida. Tu és o Deus soberano que jamais tarda! Teu cronômetro divino é preciso!

A.W. Tozer

IRMANDADE DOS REDIMIDOS

...deu-lhes o poder de serem feitos filhos de Deus...
JOÃO 1:12

Qualquer um que rever rapidamente o livro de Gênesis descobrirá que Deus nos disse mais sobre Sua presença na criação e na história do que sobre os detalhes da civilização humana.

Cremos que a eternidade habita na Pessoa de Deus e que o Universo físico veio à existência por meio da criação realizada por Ele.

O primeiro homem e a primeira mulher na raça humana foram criados. Eles fracassaram em seu primeiro encontro com Satanás, nosso arqui-inimigo. Após esse evento, o registro de Gênesis se torna uma narrativa do fracasso humano no permanente pano de fundo da fidelidade de Deus.

O próprio Deus, por meio do Espírito Santo, aponta o problema universal: a irmandade natural de seres humanos é uma irmandade pecaminosa. É a irmandade de todos que estão espiritualmente perdidos.

Porém, a Bíblia tem boas-novas. É a revelação de uma nova irmandade, a irmandade dos redimidos! Nós a conhecemos hoje como a Igreja de nosso Senhor Jesus Cristo, em todas as nações. É uma nova irmandade entre pessoas, fundamentada na regeneração e na restauração!

Deus misericordioso, oro pelas milhares de pessoas que estão aprisionadas nos grilhões do pecado. Que tu as liberte hoje, Senhor, por Teu Espírito, aceitando-as como membros da "irmandade dos redimidos".

A. W. Tozer

DEUS ESTÁ DO NOSSO LADO

Sejam envergonhados e consumidos os que são adversários de minha alma... SALMO 71:13

Foi uma revelação graciosa para o meu espírito humano, quando descobri que a Palavra de Deus estava, na verdade, do meu lado, agindo em meu favor!

Estava lendo o Salmo 71 e me deparei com esta incrível afirmação: "...ordenaste que eu me salve..." (71:3). Desde então meu coração se aquece com essa percepção. Creio que a Palavra do Deus vivo cruzou toda a Terra para me salvar e me guardar! Deixe que os especialistas teológicos ergam as sobrancelhas — não me importo! A Palavra viva encarregou a Ele mesmo com a responsabilidade de me perdoar, limpar e guardar!

Não sejamos culpados de subestimar a Palavra de Deus, que age em nosso favor. Ouso dizer que não há nenhum ataque descontrolado ou força, em lugar algum, em todo o poderoso Universo do Senhor, que possa tirar a vida eterna de um filho de Deus que confia, crê e obedece.

Agradeçamos a Deus pela Palavra! Ela é viva, poderosa e "mais cortante que qualquer espada de dois gumes" (HEBREUS 4:12)!

Senhor, é tão óbvio que a verdade da Tua Palavra,
que é viva e poderosa, seja uma das chaves para a evangelização
do mundo. Ajuda a mim e a outros cristãos a difundir
Tua Palavra entre nossos círculos pessoais de influência.

A.W. Tozer

"O LADO DE CIMA" DA ALMA

...para lhes abrires os olhos e os converteres das trevas para a luz e da potestade de Satanás para Deus... ATOS 26:18

É certamente uma realidade, em nossos dias, que pouquíssimos homens e mulheres estejam dispostos a manter o "lado de cima" de suas almas aberto a Deus e à Sua luz vinda do céu.

Você pode se perguntar sobre a tal expressão "lado de cima" da alma, mas eu acredito que ela esteja alinhada ao ensino bíblico e certamente alinhada a toda a experiência cristã.

Na vida de algumas pessoas, o coração e a alma estão abertos a Deus, mas certamente não é assim na vida de outras.

Deveríamos estar cientes de que o perdão do homem nem sempre é como o perdão de Deus. Quando um homem comete um erro e precisa ser perdoado, a sombra pode ainda pairar sobre ele entre seus colegas.

Porém, quando Deus perdoa, Ele começa uma nova página imediatamente. Então, quando o diabo se apressa e diz: "E o passado dele?" Deus responde: "Que passado? Ele foi perdoado!"

Contudo, creio que esse tipo de perdão, justificação e aceitação por parte de Deus depende da disposição da pessoa em manter o "lado de cima" da alma aberto ao Senhor e à Sua graça salvadora!

*Amado Senhor, há pessoas em meu trabalho
e em minha comunidade cujo coração não está aberto à Tua oferta
de perdão. Que cada uma delas abra sua alma ao Senhor
para receber Sua graça salvadora.*

A. W. Tozer

O DIA DO SENHOR

Pelejarão eles contra o Cordeiro, e o Cordeiro os vencerá...
APOCALIPSE 17:14

A raça humana sempre justificou, muito rapidamente, os desastres mundiais, dilúvios, fome e pragas como causas naturais. Mas, no fim dos séculos, quando os julgamentos finais de Deus tiverem início, quanto tempo passará até que as pessoas confessem que há outra força real, ainda que invisível, agindo?

De fato, a ira de Deus não permitirá que reste esconderijo algum para homens e mulheres pecadores e alienados!

João, em Apocalipse, fala das poderosas trombetas que soarão e dos ais que serão lançados sobre a Terra. Em minha opinião, esses eventos estão conectados ao dramático período, em toda a Terra, em que o anticristo prevalecerá por meio do engano e do poder.

Quando Deus estiver finalmente pronto para refinar e restaurar o mundo, todos no céu, na Terra e no inferno saberão que nenhum laboratório humano poderia compor o incêndio que se derramará sobre a Terra. Deus prometeu que não esconderá Sua ira para sempre. Ele está preparado para falar em manifestações sobrenaturais nesse vindouro Dia do Senhor!

*Senhor, não há consolo algum em pensar que,
no julgamento final, a ira de Deus será derramada sobre homens
e mulheres não-salvos. O fato de que o Dia do Julgamento
certamente ocorrerá deveria nos motivar a sermos implacáveis
no compartilhar o evangelho com os perdidos.*

A.W. Tozer

QUANDO VOCÊ SE ACHEGA À MESA DO SENHOR

...anunciais a morte do Senhor, até que ele venha.
1 CORÍNTIOS 11:26

Deus ainda busca corações humildes, purificados e crédulos, para através deles revelar Seu poder divino, Sua graça e vida. Um botânico profissional pode descrever a acácia do deserto melhor do que Moisés jamais conseguiria — mas Deus ainda está procurando almas humildes que não se satisfaçam até que Ele se manifeste com fogo divino na acácia.

Um pesquisador científico poderia se levantar e nos dizer mais sobre os elementos e propriedades encontrados no pão e no vinho, do que os apóstolos jamais saberiam. Mas este é nosso risco: Podemos ter perdido a luz e o calor da presença de Deus e talvez tenhamos apenas o pão e o vinho. O fogo terá se apagado no arbusto e a glória não se manifestará ao participarmos da Ceia do Senhor e da comunhão com os irmãos.

*Pai celestial, que meu coração seja preparado
por Teu Santo Espírito, todas as vezes que me aproximar
da mesa da ceia — a fim de que a mesa de nosso
Senhor não se torne algo comum e tratado com desleixo.*

A.W. Tozer

UMA CARREIRA — E CRISTO

*Certa mulher, chamada Lídia, da cidade de Tiatira...
o Senhor lhe abriu o coração...* ATOS 16:14

O Novo Testamento nos conta uma bela história a respeito de Lídia, de Filipos, uma mulher que conquistou o direito a uma carreira, muito antes de haver leis e proclamações pela emancipação das mulheres.

Lídia era uma vendedora de púrpura que transitava pelo mercado, em sua época, e que, indiscutivelmente, encontrara liberdade e satisfação, num tempo em que mulheres não eram, de modo algum, levadas em consideração.

Contudo, Lídia ouviu o apóstolo Paulo pregar sobre a morte e a ressurreição de Jesus Cristo e o Senhor abriu-lhe o coração. Em Cristo ela encontrou uma resposta eterna que carreira e cargos nunca foram capazes de lhe oferecer.

Agora, considerando as condições atuais, nossa sociedade liberou as mulheres para serem tão más quanto os homens — e tão miseráveis quanto eles. Nós as liberamos para praguejar, maldizer e estabelecer sua própria moral. Politicamente, as mulheres são agora livres para votar tão cegamente quanto os homens. Porém, espero que as mulheres de hoje descubram o que Lídia descobriu: que suas carreiras necessitarão da garantia "eterna" até que encontrem a resposta que procuram no eterno Cristo, nosso Senhor Jesus!

*Senhor Jesus, há muitas mulheres em nosso país e ao redor
do mundo que estão sendo abusadas e depreciadas.
Algumas estão presas em situações irremediáveis e não podem
escapar. Liberta-as, Senhor — física, emocional e espiritualmente.*

A. W. Tozer

ALEGRE-SE — OU MURMURE

*Nisso exultais, embora...
sejais contristados por várias provações.* 1 PEDRO 1:6

Creio que todos nós conhecemos homens e mulheres cristãos que sempre parecem olhar para o lado sombrio da vida e nunca são capazes de fazer algo a respeito de seus problemas, a não ser reclamar deles! Eu encontro, com frequência, pessoas assim e quando as conheço, pergunto-me: "Será que essas pessoas estão lendo e confiando na mesma Bíblia que eu tenho lido?"

O apóstolo Pedro escreveu aos cristãos de sua época, que eram tentados, sofriam e eram perseguidos, e observou, com ação de graças, que eles poderiam alegrar-se porque consideravam as promessas de Deus e Suas provisões maiores do que as suas provações!

Vivemos, de fato, em um mundo pecaminoso e imperfeito, e como seguidores de Cristo reconhecemos que, no momento, a perfeição é algo relativo — e, na verdade, Deus ainda não completou Sua obra em nós!

Pedro testificou que os cristãos perseguidos e sofredores de seus dias olhavam, pela fé, para um estado futuro imensuravelmente melhor do que o que conheciam, e esse estado futuro seria perfeito e completo!

*Senhor, que hoje, independentemente das dificuldades
que eu possa enfrentar, eu permaneça em regozijo devido à Tua
promessa de esperança e de um futuro* (JEREMIAS 29:11).

A. W. Tozer

A IGREJA ESTÁ EXAUSTA?

Nisto são manifestos os filhos de Deus...
1 JOÃO 3:10

Como cristãos, nos posicionamos juntos na fé — a fé histórica de nossos pais. Entretanto, precisamos confessar que muitas congregações parecem atoladas no tédio moral e no cansaço da vida.

A igreja está cansada, desencorajada e cauterizada — Cristo parece pertencer ao passado.

Os mestres proféticos projetaram tudo num futuro obscuro, que está além do nosso alcance — indisponível! Eles nos colocaram em um estado de pobreza espiritual — e lá nos deixaram!

Entretanto, apesar desses mestres, o curso da vitória espiritual é claro; confiemos no que a Palavra de Deus continua a nos dizer!

As Escrituras são objetivas e claras: Jesus Cristo é nosso Salvador e Senhor. Ele é nosso grande Sumo Sacerdote que está vivo e ministra a nós hoje. Sua pessoa, Seu poder e Sua graça são os mesmos — imutáveis, ontem, hoje e para sempre!

Senhor, tu és a única esperança para este mundo.
Minha oração é que a Tua Igreja reflita a inconfundível luz
da salvação que há em Cristo.

A.W. Tozer

REIVINDIQUE SUA HERANÇA

...faço votos por tua prosperidade e saúde,
assim como é próspera a tua alma. 3 JOÃO 2

Você sabia que é possível um cristão viver, dia após dia, grudado ao livro de Efésios e, ainda assim, não perceber que é espiritualmente dependente e faminto?

Caso um pastor ou evangelista sugira que essa pessoa poderia estar em um estado espiritual mais próspero, sua reação pode ser de indignação: "Não sou aceito no Amado? Deus não é meu Pai e eu não sou herdeiro de Deus?"

Apegar-se ao texto do testamento não é suficiente. É necessário possuir as riquezas. Suponha que um homem rico morra, deixando um testamento que transfira todos os seus milhões a seu único filho. Esse menino passa, então, a carregar por todos os lados esse documento que o advogado lhe entrega e fica satisfeito com o texto escrito no testamento, porém, nunca o executa adequadamente. Assim, o filho jamais apresentará sua reivindicação legítima da herança.

Por conseguinte, ele pode estar andando vestido com trapos, com fome e fraco. Pois na prática, ele não recebeu nada. Ele simplesmente mantém o documento do testamento de seu pai!

Senhor, ensina-me, por Teu Espírito Santo, a usufruir
da herança espiritual que tu dispensaste em Teu filho Jesus,
para me resgatar. Que o Teu testamento, a Bíblia,
não seja somente um texto que carrego, mas que se torne
efetivo em meu viver diário.

A.W. Tozer

DIGNO — OU INDIGNO?

...e conhecer o amor de Cristo,
que excede todo entendimento... EFÉSIOS 3:19

O amor de Jesus é tão inclusivo que não reconhece barreiras. Nas circunstâncias em que deixamos de amar e nos preocupar, Jesus permanece ali — amando e cuidando!

A seguinte pergunta pode ser feita: "Como o Cristo vivo se sente hoje em relação aos pecadores que andam por nossas ruas?"

Há apenas uma resposta: Ele os ama!

Podemos, justificadamente, nos indignar com as coisas que fazem. Podemos ter aversão de suas ações e seus modos. Estamos geralmente preparados para condená-los e nos afastarmos deles.

Entretanto, Jesus continua amando-os! Faz parte de Sua natureza imutável amar e buscar os perdidos. Ele disse, muitas vezes, enquanto esteve na Terra: "Vim para ajudar os que necessitam. Os sãos não precisam de médico — mas os doentes precisam de atenção e amor."

Somos propensos a olhar os necessitados e avaliá-los: "Vamos determinar se são dignos de nossa ajuda." Durante todo o Seu ministério, não creio que Jesus tenha ajudado uma só pessoa que fosse "digna". Ele apenas perguntava: "Qual é sua necessidade? Você precisa da minha ajuda?"

Amado Senhor Jesus, obrigado por Teu amor
incondicional por toda a humanidade. Que o Teu Espírito
sensibilize o meu coração em relação aos que carecem
da Tua ajuda. Torna-me semelhante a ti.

A.W. Tozer

ESCOLHO ADORAR

*...não seja neófito, para não suceder que se ensoberbeça
e incorra na condenação do diabo.* 1 TIMÓTEO 3:6

Coisas estranhas estão acontecendo em círculos cristãos, ao nosso redor, porque não somos verdadeiros adoradores.

Por exemplo, qualquer pessoa inexperiente, despreparada e vazia espiritualmente pode dar início a um evento "religioso" e encontrar um grande número de seguidores que ouvirão e promoverão essa religião! Além disso, pode ficar muito evidente que essa pessoa, na verdade, nunca chegou a ouvir sobre Deus.

Todos os exemplos que temos na Bíblia demonstram que a adoração alegre, devota e reverente é a atividade natural dos seres humanos. Todo vislumbre do céu concedido a nós é sempre um vislumbre de adoração, júbilo e louvor — porque Deus é quem Ele é!

Por não sermos verdadeiros adoradores, gastamos muito tempo nas igrejas simplesmente andando em círculos — fazendo muito barulho sem chegar a lugar algum.

O que faremos a respeito dessa incrível e bela adoração a que Deus nos inspira? Eu prefiro adorar a Deus a qualquer outra coisa que conheço neste vasto mundo!

*Senhor, assim como expulsaste os comerciantes
do templo, que tu limpes as igrejas de suas tentativas
autocentradas e vazias de adoração a ti.*

A.W. Tozer

UMA DECLARAÇÃO MORAL

*Lâmpada para os meus pés é a tua palavra e,
luz para os meus caminhos... confirmei o juramento de
guardar os teus retos juízos.* SALMO 119:105,106

O que Deus está dizendo para Sua criação humana na contemporaneidade?

Em síntese, Ele está dizendo: "Jesus Cristo é Meu Filho amado. Ouçam-no!"

Por que há rejeição? Por que homens e mulheres fracassam ao ouvir?

Porque a mensagem de Deus, em Jesus, é uma declaração moral. Homens e mulheres não desejam estar sob a autoridade da Palavra moral de Deus!

Por séculos, Deus tem falado de variadas formas. Ele inspirou homens santos a escrever porções dessa mensagem em um livro. As pessoas não se agradam dela, então fazem o máximo para evitá-la, porque Deus a colocou como teste final de toda a moralidade, o teste final de toda ética cristã.

Deus, sendo único em Sua natureza, é sempre capaz de dizer a mesma coisa a todos que o ouvem. Os cristãos devem saber que qualquer entendimento da Palavra de Deus deve vir do mesmo Espírito que proveu a inspiração!

*Senhor, estou ansioso para continuar a aprender a Tua Palavra.
Abre meu coração e minha mente de modo que
eu a entenda e aja conforme Tua autoridade moral.
Quero ser obediente à Tua vontade.*

A.W. Tozer

MISTICISMO MAIS TEOLOGIA

*...homens [santos] falaram da parte de Deus,
movidos pelo Espírito Santo.* 2 PEDRO 1:21

Os pregadores e ministros cristãos devem reconhecer, publicamente e com humildade, sua grande dívida para com os apóstolos João e Paulo.

Estude o evangelho de João e você concordará comigo que João é, certamente, o místico do Novo Testamento!

Explore as epístolas do apóstolo Paulo e você também concluirá, com a avaliação que fará, que Paulo é, certamente, o teólogo do Novo Testamento!

João e Paulo estavam completamente imersos em amor e adoração por Jesus, o Cristo, o Filho eterno e o Salvador do mundo. Então podemos dizer que Paulo é o instrumento, e João, a música!

O próprio Deus foi quem colocou nos magníficos espírito e mente de Paulo, as doutrinas básicas do Novo Testamento. Mas em João, Deus encontrou qualidades como de harpa, para soar devoção e louvor.

Paulo, então, é o teólogo que estabelece os fundamentos. João, na verdade, não plana mais alto que Paulo — mas ele canta um pouco mais docemente! Não é incrível haver tanto de misticismo na teologia de Paulo e tanto de teologia no misticismo de João!

*Senhor, os princípios teológicos expressos nos escritos
do Novo Testamento têm o poder de transformar vidas! Oro por
todos os seminários bíblicos ao redor do mundo,
para que apresentem a Palavra de Deus fiel e acuradamente
a uma nova geração de servos cristãos.*

A.W. Tozer

ORAÇÕES: TARDE DEMAIS

*...porque chegou o grande Dia da ira deles;
e quem é que pode suster-se?* APOCALIPSE 6:17

João, no sexto capítulo de Apocalipse, descreve a reunião de oração mais trágica e infrutífera da história da humanidade!

Clamores e gemidos, gritos e reivindicações, lamentos e murmúrios — tudo será ouvido no vindouro Dia do Senhor, quando as forças do julgamento forem liberadas. Até mesmo as montanhas e as ilhas serão removidas de seus lugares.

Porém, naquele dia, as orações e clamores de homens e mulheres pecadores estarão muito atrasadas!

Todos os grandes homens da Terra, todas as pessoas importantes, todos que erroneamente colocaram sua confiança e esperança em habilidades puramente humanas, irão juntar-se àqueles que pranteiam em culpa. Eles clamarão às rochas esmigalhadas e às montanhas para que caiam sobre eles e os escondam da ira de Deus.

Estou entre esses que acreditam que os julgamentos de Deus são incontestáveis. Não conhecemos o dia nem a hora. Mas Deus, de fato, sacudirá a Terra como nunca antes; e Ele a entregará ao Único que é digno, a quem ela pertence — Jesus Cristo!

*Senhor, e se hoje fosse o dia do Teu retorno?
É um pensamento que nos traz sobriedade. Tantas pessoas serão pegas de surpresa por não estarem preparadas.
Pai celeste, mostra-me alguns modos práticos de levar não-salvos a Jesus Cristo, a única esperança para todos nós.*

A. W. Tozer

DETERMINAÇÃO MORAL

*...ele... alegrou-se e exortava a todos a que,
com firmeza de coração, permanecessem no Senhor.*
ATOS 11:23

Embora não tenhamos muita determinação moral nesta era de religião invertebrada, há, contudo, muito na Bíblia sobre o seu lugar no serviço do Senhor.

O Antigo Testamento nos diz que "fez também Jacó um voto..." (GÊNESIS 28:20) e Daniel "resolveu... firmemente..." (DANIEL 1:8). Paulo decidiu "...nada saber entre vós, senão a Jesus Cristo e este crucificado" (1 CORÍNTIOS 2:2). Acima de tudo, temos o exemplo do Senhor Jesus: "...fiz o meu rosto como um seixo..." (ISAÍAS 50:7), que caminhou direto para a cruz. Estes e muitos outros relatos nos deixaram registro de grandeza espiritual, nascida do desejo firmemente estabelecido de fazer a vontade Deus!

Eles não tentaram flutuar até o céu em uma nuvem perfumada, mas aceitaram com alegria o fato de que "...com firmeza de coração, permanecessem no Senhor" (ATOS 11:23).

Devemos nos entregar — e nesse terrível e maravilhoso momento poderemos sentir que nossa vontade terá sido aniquilada para sempre, mas esse não é o caso. Ao conquistar a alma, Deus purifica a vontade humana e a leva à união com a Sua própria alma, mas jamais a destrói!

*Senhor, posso não ter o tipo de chamado elevado
de tantas personagens bíblicas, mas me entrego à Tua vontade
e ao Teu propósito para minha vida.*

A. W. Tozer

O LUGAR DE DEUS COMO CRIADOR

Tu és digno, Senhor e Deus nosso, de receber a glória,
a honra e o poder, porque todas as coisas tu criaste...
APOCALIPSE 4:11

Cometemos um erro se não aprendemos a admirar Deus em todas as coisas, grandes e pequenas; pois uma nova e rica mina seria aberta em nossa consciência se aprendêssemos a reconhecer o Senhor na natureza, assim como na graça!

Nós reconhecemos que o Deus da natureza é também o Deus da graça; e é verdade que não glorificamos menos a graça redentora de Deus quando glorificamos Seu poder criador e mantenedor. Quando Cristo veio para nos redimir, Ele entrou na estrutura de uma natureza já existente.

Se desejamos obedecer e crer, podemos começar a expandir os limites restritos de nosso mundo espiritual até que esses limites abranjam toda a criação de Deus!

Certa vez, um mercador inglês e o renomado poeta William Blake olhavam o sol nascer sobre o mar. O brilhante disco amarelado emergia, dourando a água e colorindo o céu com milhares de tons. "Ah! Vejo ouro!", disse o mercador.

Blake respondeu: "Vejo a glória de Deus! E ouço uma multidão celestial proclamando: 'A terra está cheia da Sua glória.'"

Pai celestial, todas as vezes que sou atraído por um belo cenário
da natureza — a arrebentação das ondas do mar ou os picos
escarpados das montanhas ou o céu claro como cristal,
repleto de estrelas — sou lembrado do Teu incrível poder
criativo. Eu te adoro, Deus Todo-Poderoso!

A. W. Tozer

12 DE NOVEMBRO

O QUE REALMENTE IMPORTA?

Pois que tem o homem de todo o seu trabalho... em que ele anda trabalhando debaixo do sol? ECLESIASTES 2:22

É simplesmente impossível, nos dias de hoje, fazer as pessoas prestarem atenção às coisas que realmente importam. O abrangente cinismo em nossa civilização moderna provavelmente perguntará: "O que realmente importa, afinal?"

O que realmente importa é nosso relacionamento pessoal com Deus!

Isso deve ser prioridade antes de qualquer outra, pois nenhum homem pode se dar ao luxo de viver ou morrer sob o sombrio desprazer de Deus. Entretanto, cite uma artimanha moderna que pode livrá-lo disto. Onde o homem pode encontrar segurança? A filosofia pode ajudá-lo? Ou a psicologia? Ou a ciência? Ou átomos, ou drogas miraculosas ou vitaminas?

Somente Cristo pode ajudá-lo e Sua ajuda é tão antiga quanto o pecado e a necessidade do homem.

Certamente há outras realidades que também importam. Devemos confiar completamente em Cristo. Devemos carregar nossa cruz diariamente. Devemos amar a Deus e aos homens. Devemos cumprir nossa comissão como embaixadores de Cristo entre os homens. Devemos crescer em graça e no conhecimento de Deus, e chegar, finalmente, ao término de nossa jornada, como uma espiga de milho madura na época da colheita.

Estas são as coisas que realmente importam!

Senhor, o mundo me diz que o bem-estar físico
e as finanças são as medidas para o sucesso e a felicidade.
Mas sei que meu relacionamento pessoal contigo é a única coisa,
em minha vida, que realmente importa!

A. W. Tozer

A FÉ DEVE SER RESTAURADA

Tende cuidado, irmãos, jamais aconteça haver
em qualquer de vós perverso coração de incredulidade...
HEBREUS 3:12

A Bíblia nos mostra que o homem está alienado de Deus e é inimigo de Deus. Se isso soa severo ou extremo, você só precisa imaginar seu amigo mais próximo vindo até você e afirmando, séria e friamente, que ele já não confia mais em você.

"Eu não confio em você. Perdi a confiança em seu caráter. Sou forçado a suspeitar de cada movimento que você faz." Tal declaração instantaneamente separaria amigos por destruir o fundamento sobre o qual qualquer amizade é construída. Até que a opinião daquele que antes era seu amigo seja revertida, não haverá mais comunhão.

Pessoas não vão ousadamente a Deus e professam que não confiam nele, e geralmente não declaram em público conceitos depreciativos sobre o Senhor. O espantoso, contudo, é que há pessoas, em todos os lugares, que expõem sua incredulidade com uma consistência que é mais convincente do que palavras.

O cristianismo fornece um caminho de retorno desse estado de incredulidade e alienação, porém, "...é necessário que aquele que se aproxima de Deus creia que ele existe e que se torna galardoador dos que o buscam" (HEBREUS 11:6). Deus tomou sobre si a injúria para que aquele que a cometeu possa ser salvo!

Pai, tu nos procuraste passional e diligentemente
para que nosso relacionamento contigo pudesse ser restaurado.
Entretanto, muitos têm virado as costas para ti. Jesus,
ajuda-me a seguir em Tua direção, pois eu te amo e prezo tudo
o que fizeste por mim, por minha família e amigos.

A. W. Tozer

EXAGERADAMENTE "EM CASA"

Todos estes morreram na fé...
confessando que eram estrangeiros e peregrinos sobre a terra.
HEBREUS 11:13

Umas das acusações mais impressionantes contra muitos de nós que fazemos parte de igrejas cristãs, é a quase que total aceitação do cenário contemporâneo como nosso lar permanente!

Temos trabalhado e ganhado em troca, recebido e gastado; e agora estamos usufruindo das comodidades materiais bem conhecidas, nesta Terra, pelos seres humanos. Você pode se irritar um pouco e perguntar: "Há algo errado em estar confortável?"

Deixe-me responder da seguinte forma: Se você é cristão e se sente confortavelmente "em casa" em Chicago ou Toronto ou em qualquer outro endereço no planeta Terra, esses sinais evidenciam que você sofre de transtorno espiritual.

A equação espiritual é colocada da seguinte forma: quanto maior o seu contentamento com suas circunstâncias diárias neste mundo, maior a sua deserção da categoria dos peregrinos de Deus que estão em viagem para a cidade cujo arquiteto e construtor é o próprio Senhor!

Se conseguirmos perceber que estabelecemos nossas raízes neste mundo presente, então nosso Senhor ainda tem muito a nos ensinar sobre fé e união com o nosso Salvador!

Senhor, ainda que eu viva em um endereço local,
que tu me ajudes a ser um cristão que tenha a mente voltada
para o céu e que meu coração bata em
consonância com o Teu por este mundo perdido.

A. W. Tozer

RESPONDENDO AO CHAMADO DE DEUS

...o Senhor... chamou como das outras vezes: Samuel,
Samuel! Este respondeu: Fala, porque o teu servo ouve.
1 SAMUEL 3:10

Quando os homens e mulheres perceberão que quando Deus nos chama, Ele é completamente fiel para nos chamar para algo melhor?

Em sua fé, Abraão era contra a idolatria e a criação de ídolos, mas essa não era sua batalha. Por causa de sua fé, Deus o conduziu a uma terra prometida, a posses e a uma linhagem da qual viria o Messias. O chamado de Deus é sempre algo melhor — tenha isso em mente!

Deus nos chama para as alegrias e a realidade da vida eterna. Ele nos chama para a pureza de vida e espírito, de modo que possamos caminhar com Ele de modo aceitável. Ele nos chama para uma vida de serviço e utilidade que traga glória para si como Deus. Ele nos chama para a mais doce comunhão possível nesta Terra — a comunhão da Sua família!

Se o Senhor tirar de nós a velha, enrugada e malconservada nota de dinheiro, nos fazendo entrar em desespero, é somente porque deseja trocá-la por toda a casa da moeda, o tesouro completo! Ele está dizendo: "Tenho estocado para você todos os recursos do céu. Sirva-se à vontade!"

Que maravilhoso Deus servimos! Tu separas
o que há de melhor para nós. Senhor, ajuda-me a abrir mão
daquilo que bloqueia o caminho para as Tuas bênçãos.

A. W. Tozer

AUTORIDADE NA PREGAÇÃO

*...prega a palavra, insta, quer seja oportuno,
quer não, corrige, repreende, exorta com toda a longanimidade
e doutrina.* 2 TIMÓTEO 4:2

Porque somos cristãos que creem na Palavra inspirada de Deus e porque cremos que o Espírito Santo é definitivamente a terceira pessoa da trindade, deveria haver mais autoridade divina em nossos ministérios de pregação.

O pregador deste evangelho do nosso Senhor Jesus Cristo deveria ter a autoridade de Deus sobre si, de modo a tornar as pessoas responsáveis por ouvirem-no. Quando não o ouvirem, responderão a Deus por estarem se afastando da divina Palavra.

Um pregador sob a unção de Deus deveria reinar de seu púlpito como um tipo de rei em seu trono. Não deveria governar por lei, regulamentos ou autoridade do homem. Ele deveria reinar por supremacia moral!

A autoridade divina está em falta em muitos púlpitos. Temos "gatos malhados" com suas unhas cuidadosamente cortadas no seminário, para que possam passar as patas por suas congregações sem arranhá-las! O Espírito Santo afiará as flechas do homem de Deus que prega os preceitos do Senhor em sua totalidade!

*Senhor, que os pastores em nossas igrejas sejam
novamente cheios com Teu Espírito e capacitados a pregar
Tua Palavra com poder e autoridade do alto.*

A.W. Tozer

A UNIDADE DE TODAS AS COISAS

Porque aprouve a Deus que... por meio dele,
reconciliasse consigo mesmo todas as coisas, quer sobre a terra,
quer nos céus. COLOSSENSES 1:19,20

Se formos cristãos humildes e sinceros, este deveria ser um dos pensamentos mais agradáveis que cultivamos: A obra de Cristo na redenção efetuará, definitivamente, a expulsão do pecado — o único agente divisor no Universo!

Quando isso se cumprir, a criação de Deus mais uma vez constatará a unificação de todas as coisas. Nós que somos homens e mulheres, ainda que redimidos e regenerados, estamos submersos no tempo; portanto, afirmamos adequadamente que a profecia é a história prenunciada e que a história é a profecia cumprida. Porém, em Deus não existe "foi" ou "será", somente um contínuo e incólume "é". No Senhor, história e profecia são uma mesma e única coisa. Deus contém o passado e o futuro em Seu próprio Ser.

Foi o pecado que trouxe a diversidade, a separação e a desigualdade. O pecado trouxe divisões para um Universo essencialmente completo. Não entendemos esse conceito, mas precisamos permitir que nossa fé esteja baseada no caráter de Deus.

O conceito de unidade de todas as coisas é claro nas Escrituras. Paulo disse que Deus reconciliará todas as coisas consigo mesmo, estejam elas na Terra ou no céu!

Senhor, o pecado deteriorou a vida de milhares de pessoas
que morreram em seu pecado — sem oportunidade de
arrependimento. Anseio pelo dia em que tu reconciliarás todas
as coisas contigo, mas oro sinceramente, Senhor, pela salvação
daqueles que ainda não te conhecem.

A. W. Tozer

ATRAVESSANDO O JORDÃO

...Onde está, ó morte, o teu aguilhão?...
Graças a Deus, que nos dá a vitória por intermédio de nosso
Senhor Jesus Cristo. 1 CORÍNTIOS 15:55,57

Os profetas e salmistas do Antigo Testamento lutaram como nós com o problema do mal em um universo divino, mas sua proximidade de Deus e da natureza era muito mais direcionada do que a nossa. Eles não colocavam entre Deus e Seu mundo essa rede opaca que nós contemporâneos chamamos de "leis da natureza".

Eles conseguiam ver Deus em meio a um furacão e ouvi-lo em meio a uma tempestade, e não hesitavam em dizê-lo! Havia em suas vidas uma imediata apreensão do divino. Tudo no céu e na Terra lhes garantia que este é o mundo de Deus e que Ele governa sobre tudo.

Ouvi um bispo metodista contar que, no início de seu ministério, foi chamado ao leito de morte de uma senhora. Ele disse que estava amedrontado; mas a anciã estava radiantemente feliz. Quando ele tentou expressar a tristeza que sentia com relação à doença da senhora, ela simplesmente não o ouvia.

"Deus o abençoe, meu jovem", ela disse com alegria, "não há o que temer. Eu vou apenas atravessar o Jordão, cuja terra, em ambos os lados, pertence a meu Pai!" Ela entendia a unidade de todas as coisas na criação realizada por Deus.

Senhor, que eu desfrute de Tua presença em meu dia a dia.
Quero que minha vida esteja relacionada a "apreender o divino"
de modo que tenha um estoque permanente de
sabedoria divina, poder espiritual e comunhão aprazível.

A. W. Tozer

DEUS E O INDIVÍDUO

...bem-aventurado o homem a quem o Senhor jamais imputará pecado. ROMANOS 4:8

Quando o eterno Filho de Deus se tornou o Filho do Homem e andou nesta Terra, Ele sempre chamou indivíduos para estar a Seu lado. Jesus não veio ao mundo para lidar com estatísticas!

Ele lida com indivíduos e é por isso que a mensagem cristã é e sempre será: "Deus ama o mundo! Ele ama as massas e multidões exclusivamente porque são constituídas de indivíduos. Ele ama cada indivíduo no mundo!"

Na grande onda humanística de nossos dias, o indivíduo já não é mais uma preocupação. Somos pressionados a pensar na raça humana como uma massa informe. Somos treinados para pensar na humanidade em termos de estatísticas. Em muitas nações, o estado é tudo e o indivíduo não significa nada.

Diante da forma e da força que humanismo se apresenta, o evangelho cristão — as boas-novas de salvação — se veem maravilhosamente iluminadas com a seguinte garantia para todos que as ouvirem: "Você é um indivíduo e tem importância para Deus! Ele não se preocupa com genes e espécies, mas com os indivíduos que Ele criou!"

Deus Pai, Tua palavra diz que tu conhecias cada um de nós antes que nascêssemos (JEREMIAS 1:5), *tu nos teceste no ventre de nossa mãe* (SALMO 139:13), *e planejaste cada um dos dias de nossa vida* (SALMO 139:16). *Eu te louvo, Senhor! Minha única resposta a isso é viver todos os dias para a Tua glória.*

A. W. Tozer

SALVO DA IDOLATRIA

*Não as adorarás, nem lhes darás culto;
porque eu sou o Senhor, teu Deus, Deus zeloso...*
ÊXODO 20:5

Com frequência, tem sido provado na história que, qualquer pessoa que tenha uma concepção indigna de Deus, está lançando seu ser abertamente ao pecado da idolatria, que é essencialmente uma difamação do caráter divino.

É de primordial importância que pensemos de maneira correta sobre Deus. Porque Ele é o alicerce de toda a nossa convicção religiosa, então, se nos equivocarmos em nosso conceito sobre Sua Pessoa, nos afastaremos de todo o restante.

Gostaríamos de acreditar que não há falsos deuses no mundo, mas na verdade reconhecemos alguns deles em nossa sociedade. Que tal pensarmos no exaltado "presidente da diretoria" do empresariado contemporâneo? Ou o deus contador de histórias, dos cordiais tapinhas nas costas de algumas entidades? Pense no deus de olhos sonhadores, o poeta não regenerado — receptivo, agradável e disposto a comungar com qualquer um que tenha pensamentos elevados e acredite em igualdade moral. Nós frequentemente encontramos o astuto e sem escrúpulos deus dos supersticiosos; e a lista continua!

Felizmente, descobrimos que conhecer e seguir a Cristo significa ser salvo de todas as formas de idolatria!

*Senhor, definitivamente é um desafio não ser arrastado
pela última moda da mídia ou pelo dispositivo eletrônico mais
comercializado ou pelo programa de dieta e exercícios
mais recentes. Minha oração, Senhor, é que nenhuma destas "coisas"
jamais tome Teu lugar como centro e propósito de minha vida.*

A. W. Tozer

GLAMOUR EM VEZ DE GLÓRIA

*Assim, pois, irmãos, permanecei firmes e guardai
as tradições que vos foram ensinadas, seja por palavra,
seja por epístola nossa.* 2 TESSALONICENSES 2:15

Um sinal fatídico na estrutura social na qual estamos inseridos é a falsa atitude concernente a qualquer coisa que possa ser chamada de "comum". Em tudo o que nos cerca há uma ideia crescente de que o "trivial" é antiquado e estritamente para os pássaros!

A obsessão existente pelo *glamour* e o desprezo pelo comum são sinais e presságios na sociedade americana. Até mesmo a religião se tornou glamorosa!

Caso você não saiba o que é *glamour*, posso explicar que se trata de uma combinação de sexo, maquiagem, conforto e luzes artificiais. Ele chegou à América pelos cabarés e o cinema; foi aceito primeiro pelo mundo e então entrou com pompa na igreja — fútil, vaidoso e cheio de desdém. Em lugar do Espírito de Deus em nosso meio, temos agora o espírito de *glamour*, tão artificial quanto a morte retratada nas pinturas!

Diga o que quiser, é um novo tipo de cristianismo, com novos conceitos que nos afrontam impudentemente, para onde quer que nos voltemos, dentro dos limites do cristianismo evangélico. O novo cristão já não quer mais ser bom, santo ou virtuoso!

*Senhor, que os pastores, os líderes e todos nós cristãos nos
humilhemos de tal forma diante de ti, que nada além da doçura
do Senhor Jesus atraia pessoas para te adorar a cada dia.*

A. W. Tozer

COLOCANDO DEUS NO CENTRO

*Mas Estêvão, cheio do Espírito Santo,
fitou os olhos no céu e viu a glória de Deus...* ATOS 7:55

Enquanto tantos estão ocupados tentando estabelecer definições satisfatórias da palavra *fé*, é melhor considerar simplesmente que crer é direcionar a atenção do coração a Jesus!

Isso direciona a mente para "contemplar o Cordeiro de Deus" e jamais deixar de contemplá-lo pelo restante de nossa vida. No início isto pode parecer difícil, mas se tornará mais fácil à medida que olhamos firmemente para Sua magnífica Pessoa, calmamente e sem temor.

As distrações podem nos impedir de fazer isso, contudo, uma vez que o coração esteja comprometido com Ele, a atenção retornará e permanecerá nele, como um pássaro errante que volta para sua janela.

Eu enfatizo esse grande ato volitivo que estabelece a intenção do coração de fitar Jesus para sempre. Deus considera essa intenção como nossa escolha e nos auxilia no que é necessário para lidarmos com as milhares de distrações que nos assaltam neste mundo mau. Então, a fé é um redirecionamento de nossa visão, colocando Deus no centro, e quando elevamos os olhos de nossa alma para Ele, certamente encontraremos Seu olhar amigável direcionado a nós!

*Senhor, nesta manhã oro para que
os olhos de minha alma te coloquem no centro de minha
visão durante todo o dia.*

A.W. Tozer

"UM CORAÇÃO ALEGRE"

*...entoando e louvando de coração...
dando sempre graças por tudo...* EFÉSIOS 5:19,20

O cristão grato se voltará com verdadeiro deleite à expressão de Joseph Addison [N.E.: Poeta e ensaísta inglês (1672-1719).], em seu hino de agradecimento: "Quando todas as tuas misericórdias, ó meu Deus...", encontrada em muitos dos melhores hinários em inglês. Addison fornece uma imagem mental que requer música para ser expressa:

*Por milhares de preciosos dons
Minha diária gratidão daria,
Nada menos que jubiloso coração
O que prova tais dons com alegria!*

Aqui está o espírito de ação de graças. Aqui está a compreensão do que agrada a Deus, ao aceitarmos e utilizarmos Seus dons. "Um coração jubiloso que prova tais dons com alegria" é o único tipo de coração que pode prová-los com segurança.

Enquanto Addison tinha em mente, sobretudo, os dons que Deus derrama sobre nós aqui na Terra, ele era um cristão muito piedoso para pensar que Suas dádivas cessariam com a morte. Então cantou:

*Em todo tempo de minha vida
Tua bondade buscarei;
E em mundos apartados após a partida,
O glorioso tema outra vez encontrarei!*

*Amado Senhor, que minha vida seja caracterizada
por um espírito de gratidão a ti, pelos dons que tu tens nos
concedido gratuitamente.*

A.W. Tozer

SEJAMOS GRATOS

...dando sempre graças por tudo...
em nome de nosso Senhor Jesus Cristo. EFÉSIOS 5:20

Ser grato aos servos de Deus é ser grato a Deus; e em um sentido muito real, agradecemos ao Senhor quando agradecemos a Seu povo!

Sempre teremos líderes espirituais, e acredito que cometemos dois erros em nossas atitudes concernentes a eles. Um é não sermos suficientemente gratos a eles, e o outro é segui-los exageradamente, como escravos.

O primeiro é pecado de omissão, e porque é algo que não se vê, provavelmente não será percebido como um pecado que esteja claramente presente.

De fato, nós cometemos um sério erro quando nos apegamos tanto à pregação quanto aos escritos de um grande cristão, cujo ensino aceitamos sem ousar examiná-lo. Deveríamos seguir homens da mesma maneira como eles seguem ao Senhor. Deveríamos nos manter abertos, a fim de não nos tornarmos seguidores cegos de um homem cujo fôlego está em seu nariz.

Aprenda com todos os homens santos e seus ministérios. Seja grato a cada um deles e grato por eles — e então siga a Cristo!

Senhor, sou grato pelos pastores de pequenas igrejas que
pregam fielmente a Tua Palavra semana após semana.
Eles o fazem sem muito suporte financeiro e, algumas vezes,
sem muito encorajamento. Senhor, envia sobre eles a tua bênção!

A.W. Tozer

DEUS CONCEDE — E CONCEDE

Combate o bom combate da fé. Toma posse da vida eterna, para a qual também foste chamado... 1 TIMÓTEO 6:12

Devemos investir mais tempo nos lembrando das bênçãos e dos benefícios que Deus está nos concedendo continuamente, enquanto estamos vivos — antes que deixemos este vale de lágrimas!

Ele nos dá perdão — por isso devemos viver para Ele como pecadores perdoados.

Ele nos dá vida eterna. Esta não é apenas uma realidade futura — nossa vida nele é uma dádiva no tempo presente.

Ele nos concede filiação: "Amados, agora, somos filhos de Deus..." (1 JOÃO 3:2). Nesse relacionamento há muitas outras dádivas que recebemos do Senhor, e se não as temos, é porque não somos filhos de Deus pela fé!

Pedimos ao Senhor que nos ajude, que supra nossas necessidades, que faça algo por nós — e Ele misericordiosamente o faz. Considero essas coisas pequenas e triviais, entretanto, atribuímos a elas grande importância. Contudo, na verdade, elas são benefícios passageiros quando comparados aos grandes benefícios do perdão, da reintegração ao favor de Deus, da filiação e da vida eterna!

Amoroso Pai, tu deste àqueles que criaste tantos dons incríveis! É, então, desconcertante, pensar por que tantas pessoas se recusam a colocar sua fé em ti. Senhor, oro por oportunidades de compartilhar a história de Tua bondade com aqueles que estão ao meu alcance.

A. W. Tozer

MORDOMIA FIEL

No primeiro dia da semana, cada um de vós ponha de parte, em casa, conforme a sua prosperidade, e vá juntando, para que se não façam coletas quando eu for. 1 CORÍNTIOS 16:2

Deus se agrada ao lidar conosco, de modo muitíssimo notável, quando se trata de nossa mordomia cristã e responsabilidade de honrá-lo com aquilo que Ele nos confiou.

O ensino bíblico é claro: Você tem o direito de guardar para si tudo o que tem — mas isto enferrujará e deteriorará, e, no fim das contas, o arruinará!

Isto pode ofender alguns de vocês, mas sou forçado a lhes dizer que Deus não precisa de nada do que vocês têm!

Ele não precisa de um centavo sequer do seu dinheiro!

O que você precisa entender é que, em questões como esta, é o seu bem-estar espiritual que está em jogo.

Há um belo e enriquecedor princípio envolvido no fato de ofertarmos a Deus aquilo que somos e o que temos, mas nenhum de nós oferta porque há uma grande crise econômica no céu!

Há muito tempo Deus disse: "Se eu tivesse fome, não to diria, pois o mundo é meu..." (SALMO 50:12).

Irmãos, se o Deus vivo tivesse necessidade de alguma coisa, Ele já não seria mais Deus!

Senhor, tu és um Deus generoso e eu desejo ser um mordomo fiel dos recursos que tu me deste. Mostra-me como gerenciar melhor meus recursos materiais para Tua eterna glória.

A.W. Tozer

VIVA PARA A GLÓRIA DE DEUS

*...para que concordemente e a uma voz glorifiqueis
ao Deus e Pai de nosso Senhor Jesus Cristo.*

ROMANOS 15:6

Pode ser difícil para o cristão comum aderir à ideia de que suas tarefas diárias podem ser executadas como atos de adoração aceitáveis a Deus, por Jesus Cristo.

Precisamos exercer o viver para a glória de Deus verdadeira e resolutamente. Por um ato de consagração de todo o nosso ser ao Senhor, podemos fazer cada ação subsequente expressar essa consagração. Pela meditação nessa verdade, por falar frequentemente sobre isso com Deus em nossas orações, por nos recordarmos disso constantemente, conforme transitamos entre os homens, uma compreensão extraordinária do que é consagração começa a tomar conta de nós.

O Novo Testamento aceita como algo natural o fato que, em Sua encarnação, nosso Senhor tomou a forma de um ser humano real. Ele viveu nesse corpo carnal aqui entre os homens e nenhuma vez, sequer, executou algo profano!

Irmãos, devemos oferecer todos os nossos atos a Deus e crer que Ele os aceita. Deveríamos, então, mencionar diante do Senhor, em nossos momentos de oração, que executamos intencionalmente cada ato para Sua glória. Nós, portanto, encontramos as tentações e provas por exercitarmos uma fé aguerrida na suficiência de Cristo!

*Senhor, conforme enfrento várias tentações
e provas esta semana, oro para que Teu Espírito me auxilie
a "exercitar uma fé aguerrida na suficiência de Cristo".*

A. W. Tozer

"POR QUE ESTOU AQUI?"

...eles... adorando e servindo a criatura em lugar do Criador... Deus os entregou a uma disposição mental reprovável... ROMANOS 1:25,28

Desde o primeiro homem caído ainda se tem tempo suficiente para pensar, e homens caídos têm feito as seguintes perguntas: "De onde vim? O que sou? Por que estou aqui? Para onde estou indo?"

As mentes mais privilegiadas da raça humana lutaram com essas questões, sem obter proveito algum. Se a resposta estivesse escondida em algum lugar, como uma joia, certamente teria sido descoberta, pois as mentes mais perspicazes a buscaram em todos os lugares da experiência humana. Entretanto, as respostas permanecem seguramente escondidas, como se não existissem.

Por que o homem está perdido filosoficamente? Porque está perdido moral e espiritualmente. Ele não pode responder às perguntas que a vida apresenta a seu intelecto, porque a luz de Deus apagou-se em sua alma. As temerosas acusações que o Espírito Santo traz contra a humanidade estão resumidas, uma por uma, nos capítulos iniciais do livro de Romanos; e a conduta de todos os homens, desde o registro histórico mais remoto, é prova suficiente para manter a acusação.

À parte das Escrituras não temos filosofia certa; à parte de Jesus Cristo não temos conhecimento verdadeiro de Deus; à parte do Espírito vivo, que habita em nosso interior, não temos habilidade de viver de modo moral que agrade a Deus!

Senhor, sou grato pela nova vida que tenho por meio de Jesus Cristo. Que o Teu Espírito que vive em mim me capacite a caminhar corajosamente neste mundo impiedoso. Não quero ser um cristão enclausurado.

A.W. Tozer

NADA ALÉM DE DOÇURA

*...na minha boca, era doce como mel; quando, porém,
o comi, o meu estômago ficou amargo.*
APOCALIPSE 10:10

Permita-me alertá-lo sobre as atitudes esfuziantes de "felizes! felizes!" de algumas pessoas em nossas congregações que insistem que a Palavra de Deus não pode ser nada além de doce como mel!

Amigos cristãos, quando digerirmos, absorvermos e nos encharcamos da Palavra do Senhor, ela se torna parte de nossa vida diária. É nosso deleite. É, de fato, mel e doçura. Porém, ao compartilharmos a mesma Palavra de nosso testemunho com homens e mulheres perdidos, conheceremos algo de sua amargura e hostilidade, e até mesmo de sua inimizade.

Além disso, a experiência mostrará que cristãos que planejam ser testemunhas fiéis de Jesus Cristo nem sempre encontrarão doçura e luz em seus contatos com pessoas más e rebeldes.

Precisamos orar por homens e mulheres em nossas igrejas que estão determinados a estabelecer suas próprias agendas — viver da maneira como desejam! Eles determinaram gerenciar as influências da Palavra de Deus em suas vidas.

*Amado Senhor, oro por pessoas em outras religiões e seitas
que nunca leram uma porção da Bíblia devido à indiferença
ou ao medo. Oro também por pessoas dentro de nossas igrejas
que não se deixam moldar pela Tua Palavra viva!*

A.W. Tozer

30 DE NOVEMBRO

ELE É A NOSSA PÁSCOA

*...tomando ele o pão... então, se lhes abriram os olhos,
e o reconheceram...* LUCAS 24:30,31

Que doce consolo é para nós o fato de que nosso Senhor Jesus Cristo outrora fora conhecido no partir do pão. Nos tempos primitivos do cristianismo, os cristãos chamavam a ceia de "o medicamento da imortalidade", e Deus lhes deu o desejo de orar:

Sejas conhecido a nós no partir do pão,
Mas não nos deixes;
Habita conosco, Salvador, e em nosso coração
Tua mesa estendas.

Algumas igrejas ensinam que você só encontrará Deus nas mesas que elas preparam — e que você o deixa ali quando vai embora. Alegro-me profundamente porque o Senhor nos tem dado luz. Podemos levar a Presença da mesa conosco.

Então ceia conosco em amor divino,
Teu sangue e Teu sangue;
O pão vivo, vinho celestial
Sejam o alimento eterno do peregrino!

Ao nos aproximarmos da mesa do nosso Senhor, não ousemos esquecer o alto preço pago por nosso Irmão mais velho, o Homem que veio do céu. Ele é nosso Salvador; Ele é nossa Páscoa!

Senhor, assim como prometeste a Moisés que Tua "Presença"
iria com ele (ÊXODO 33:14), *que Tua presença vá comigo para onde*
quer que me guiares. Não irei sem ti, amado Senhor.

A.W. Tozer

O SOPRO DE DEUS

*...a própria palavra que tenho proferido,
essa o julgará no último dia.* JOÃO 12:48

Duas das grandes realidades em nosso meio são, certamente, a presença prometida de Deus e o testemunho de Sua eterna Palavra!

Por "Palavra de Deus" não me refiro apenas ao livro que você segura nas mãos — papel e letras, páginas e tinta — costurado com linha de seda. Por Palavra de Deus, refiro-me à expressão da mente do Senhor: o poderoso sopro de Deus que preenche o mundo!

A maioria das coisas sobre as quais as pessoas falam não pode ser contada entre as grandes realidades da vida. Em certa época do ano as pessoas falam de campeonatos esportivos como sendo um grande acontecimento, mas quando chega o final do ano já esqueceram quem acertou e quem errou os lances.

As pessoas passam a vida toda buscando essas coisas que, na verdade, só podem perecer e desvanecer. Porém, quando tudo acabar, ainda terão que enfrentar a realidade da eterna Palavra de Deus, a revelação da Verdade que Deus nos deu!

Pense nas mudanças que aconteceriam se os seres humanos repentinamente parassem e ouvissem a Palavra de Deus!

*Senhor, que eu não desperdice minha vida
buscando somente as coisas que são passageiras. Dá-me Tua
perspectiva eterna, Senhor.*

A.W. Tozer

A VIDA FLUI DE DEUS

Viu Deus tudo quanto fizera, e eis que era muito bom...
GÊNESIS 1:31

Sem dúvida nós sofremos a perda de muitos tesouros espirituais porque deixamos escapar a simples verdade de que o milagre da perpetuação da vida está em Deus!

Esteja certo de que Deus não criou a vida e a lançou para longe de si, como um artista petulante, decepcionado com sua obra. Toda a vida está nele e ao Seu redor, fluindo dele e retornando para Ele, um mar indivisível que se move constantemente, do qual Ele é o manancial.

A vida eterna que estava com o Pai é agora posse dos homens e mulheres de fé, e essa vida não é apenas uma dádiva de Deus — é o próprio Deus! A regeneração de uma alma que crê é mais uma recapitulação de toda Sua obra consumada desde o momento da criação.

Então, a redenção não é uma obra estranha que Deus criou em um momento que separou para isso. Antes, é Sua mesma obra executada em um novo campo, o campo da catástrofe humana!

Pai, é maravilhoso que aqueles que te conhecem saibam que a Tua dádiva da vida eterna flui em nós. Mas para aqueles que não te receberam como Salvador, a dádiva se tornará um eterno pesadelo. Senhor, mobiliza Tua Igreja para proclamar o evangelho como nunca antes.

A.W. Tozer

LEVEMOS PARA O LADO PESSOAL

*Senhor, concede-nos a paz, porque
todas as nossas obras tu as fazes por nós.* ISAÍAS 26:12

Que diferença faz quando nós, seres humanos, deixamos de generalizar e nos aproximamos de Deus de forma intencional e pessoal! Então, passamos a ver que tudo o que Deus fez foi por todos nós.

Foi por mim que homens santos falaram, ao serem inspirados pelo Espírito Santo. Por mim Cristo morreu — e também ressuscitou ao terceiro dia. Quando o prometido Espírito Santo veio, foi para continuar em mim a obra que Ele estava fazendo por mim desde a manhã da Criação!

Então, tenho todo direito de requerer todas as riquezas da divindade concedidas em misericórdia. Que realidade bendita — um Deus infinito pode dar tudo de si mesmo para cada um de Seus filhos!

Ele não se distribui para que cada um tenha uma parte, mas a cada um Ele dá tudo de si tão plenamente como se não houvesse outros.

Tudo o que Ele é e tudo o que Ele fez, foi por nós e por todos os que compartilham da salvação comum.

*Obrigado, Senhor, por tudo o que fizeste por mim.
O fato de seres um Deus pessoal e cuidadoso é tão distinto de outras
religiões. Pai, glorifica-te entre as nações do mundo hoje.*

A. W. Tozer

CONFUSO A RESPEITO DA ADORAÇÃO

...Porque nós somos santuário do Deus vivente...
2 CORÍNTIOS 6:16

Conhecer verdadeiramente Jesus Cristo como Salvador e Senhor é amá-lo e adorá-lo!

Como povo de Deus, muito frequentemente ficamos tão confusos que poderíamos ser conhecidos como o pobre, trôpego e desajeitado povo de Deus, pois somos profundamente inclinados a pensar na adoração como algo que fazemos quando vamos à igreja no domingo!

Nós a chamamos de casa de Deus. Nós a dedicamos a Ele. Então, permanecemos com a confusa ideia de que deve ser o único lugar onde podemos adorá-lo.

Vamos à casa de Deus feita de tijolos, pedras e madeira. Estamos acostumados a ouvir o chamado à adoração: "O Senhor está no seu santo templo — ajoelhemo-nos diante dele!" Isto acontece no domingo e na igreja — excelente!

Porém, na segunda-feira, ao executarmos nossas diferentes tarefas, temos a consciência da contínua presença de Deus? O Senhor deseja permanecer em Seu santo templo, onde quer que estejamos; pois cada um de nós é um templo em quem habita o Espírito Santo de Deus!

Senhor, quero que todos os compartimentos
em meu templo estejam, não só para Tua eterna presença,
mas também para ser um testemunho
reluzente àqueles que eu encontrar durante a semana.

A. W. Tozer

DEIXE O DIA RAIAR

*Mas a vereda dos justos… vai brilhando mais
e mais até ser dia perfeito.* PROVÉRBIOS 4:18

A Bíblia nos diz que, quando uma pessoa se torna cristã, é como se o sol surgisse e o dia estivesse nascendo. Sua experiência ao longo do caminho deveria, então, ser como a luz da aurora que vai brilhando mais e mais até ser dia perfeito!

Isto nos traz uma questão: Se todos os cristãos são iguais em posição e estado, por que Jesus indica três distinções na vida cristã — "…a cem, a sessenta e a trinta por um" (MATEUS 13:23)?

Se somos todos semelhantes e todos "chegamos" ao mesmo lugar e estado, por que o apóstolo Paulo diz aos cristãos filipenses — "…isto considerei perda… para o conhecer… para, de algum modo, alcançar a ressurreição…" (3:7-11)?

Sou da opinião de que não podemos viver aquilo em que não cremos. Ainda penso que precisamos instruir e exortar homens e mulheres — que percorrem de maneira lenta, mediana e comum o caminho cristão — a avançarem e reivindicarem a vitória espiritual que ainda não conhecem.

*Senhor, obrigado pelo encorajamento,
ensino e liderança do Teu Espírito. Eles estão sempre presentes
à medida que me esforço para me tornar
mais semelhante a ti a cada dia de minha vida cristã.*

A.W. Tozer

TODOS PODEM VIR

...e quem quiser receba de graça a água da vida.
APOCALIPSE 22:17

Há uma estranha beleza no proceder de Deus para com os homens. Ele envia salvação ao mundo na pessoa de um Homem, e envia esse Homem a andar pelos caminhos, proclamando: "Se alguém quer vir após mim". Sem alarde, nem ruídos de pés marchando!

Um Estranho caminha gentilmente pelo mundo, Sua voz é tão tranquila que algumas vezes se perde em meio à agitação; mas é a derradeira voz de Deus e até que nos aquietemos para ouvi-la, não obteremos uma mensagem autêntica.

"Se alguém", Ele diz e ensina ao mesmo tempo a inclusão universal de Seu convite e a liberdade da vontade humana. Todos podem vir; ninguém obrigatoriamente precisa vir e, qualquer um que vier, virá porque assim escolheu.

Portanto, cada pessoa tem seu futuro em suas mãos. Não apenas o líder dominante, mas o homem inarticulado, perdido no anonimato é também "um homem com destino"! Ele decide o caminho que sua alma tomará. Ele escolhe e o destino espera por sua aquiescência. Ele decide e o inferno se amplia ou o céu prepara outra mansão!

Assim, Deus deu muito de si mesmo ao homem!

Amado Senhor, oro novamente por minha família e amigos próximos. Alguns deles não fizeram escolhas sábias e ainda estão do lado de fora, olhando para dentro. Senhor, que o Teu Espírito convença seus corações para que finalmente venham a ti.

A. W. Tozer

ONDE ESTÁ O ESPLENDOR?

Aquele que crê no Filho de Deus tem, em si, o testemunho...
1 JOÃO 5:10

Continuo procurando, mas com pouco sucesso, um esplendor característico na vida e no testemunho de nossos cristãos evangélicos.

Em vez de um testemunho interior, muitos cristãos professos dependem de conclusões lógicas retiradas de textos bíblicos. Eles não têm testemunho de um encontro com Deus, nenhuma consciência de mudança interior!

Creio que onde há um ato divino no cerne da alma, haverá uma consciência correspondente. Essa ação de Deus é a própria evidência dela: dirige-se diretamente à percepção espiritual.

Felizmente há elementos que são sempre os mesmos entre pessoas que tiveram um encontro pessoal com Deus.

Há a percepção atrativa do próprio Deus — de Sua Pessoa e de Sua Presença. A partir de então, os resultados permanentes serão evidentes na vida e na caminhada da pessoa convertida, enquanto ela estiver viva!

Pai celestial, que Tua igreja vá ao mundo perdido exibindo o "esplendor de Deus na vida e no testemunho". E que, como resultado, muitas almas perdidas sejam atraídas a ti, Senhor Jesus.

A.W. Tozer

MAIS DO QUE PERDÃO

*Porque a tristeza segundo Deus produz arrependimento
para a salvação, que a ninguém traz pesar...*
2 CORÍNTIOS 7:10

É fato que a mensagem de boas-novas no Novo Testamento — "...Cristo morreu pelos nossos pecados, segundo as Escrituras" (1 CORÍNTIOS 15:3) — abarca muito mais que uma oferta de perdão gratuito.

Certamente é uma mensagem de perdão — e por isso Deus seja louvado — mas é também uma mensagem de arrependimento!

É uma mensagem de expiação — mas é também uma mensagem de temperança, justiça e piedade neste mundo contemporâneo!

Ela nos diz que devemos aceitar um Salvador — mas também nos diz que devemos negar a impiedade e as concupiscências mundanas!

A mensagem do evangelho inclui a ideia de aperfeiçoamento — da separação do mundo, do carregar a cruz e da lealdade ao reino de Deus até a morte!

Esses são todos corolários do evangelho e não o evangelho em si; mas são parte da mensagem completa que estamos comissionados a propagar. Nenhum homem tem autoridade para dividir a verdade e pregar somente uma parte dela. Agir dessa forma é enfraquecê-la e apresentá-la sem eficácia!

*Senhor, que tu unjas todos os cristãos com "ousadia santa"
para proclamarem Teu evangelho com todas as suas implicações.
Pode não ser uma mensagem cativante, mas será
a verdade para aqueles que tiverem ouvidos para ouvir.*

A.W. Tozer

DONS E GRAÇAS

...distribuições do Espírito Santo, segundo a sua vontade.
HEBREUS 2:4

Volto com frequência a Gênesis 24, no Antigo Testamento, para a ilustração e a imagem que nos lembram dos adornos de graça e beleza, que distinguirão o Corpo de Cristo. Abraão enviou seu servo de confiança à sua terra natal para escolher uma esposa para Isaque.

O adorno da beleza de Rebeca consistia em joias e vestuário que vieram como presentes de amor do noivo, a quem ela ainda não tinha visto.

É um lembrete do que Deus está fazendo em nosso meio neste momento. Abraão tipifica Deus Pai; Isaque, nosso Senhor Jesus Cristo, o Noivo celestial. O servo que levou os presentes para o país distante a fim de reivindicar uma noiva para Isaque fala muito sobre o Espírito Santo, nosso Mestre e Consolador.

Deus nos concede, um a um, os dons e as graças do Espírito Santo, que serão nossa real beleza aos Seus olhos. Portanto, estamos sendo preparados, e quando encontrarmos nosso Senhor e Rei vindouro, nosso adorno serão nossas graças concedidas por Deus!

*Senhor, obrigado pelos dons e graças que concedes
à Tua Noiva, a Igreja, pelo Teu Santo Espírito. Será um dia tão
empolgante quando vieres para buscar o Teu povo.
Oro para que eu esteja pronto para me apresentar a ti,
puro de corpo, mente e espírito.*

A. W. Tozer

"ASSIM DIZ O SENHOR"

Porque o SENHOR dá a sabedoria, e da sua boca vem a inteligência e o entendimento. PROVÉRBIOS 2:6

Em um tempo em que tudo no mundo parece estar relacionado à vaidade, Deus precisa que Seus filhos cristãos demonstrem que Ele é a grande Realidade; que somos feitos por Deus e para Ele! A resposta à pergunta: "De onde vim?", não pode ser melhor do que quando respondida pela mãe cristã que diz a seu filho: "Deus criou você!"

O grande estoque de conhecimento no mundo de hoje não pode aperfeiçoar essa simples resposta! O cientista pode nos contar os segredos de como a matéria funciona, mas a origem da matéria está em profundo silêncio, recusando-se a fornecer uma resposta à pergunta do homem.

É importante que os cristãos sejam capazes de se posicionar firme e positivamente nesta declaração: "Assim diz o Senhor!" Nossa principal tarefa não é discutir ou persuadir nossa geração. Com nossa declaração positiva da Palavra de Deus e de Sua revelação, entregamos ao Senhor a responsabilidade pelo resultado. Ninguém sabe o suficiente para ir além desse ponto!

Pai, como seres humanos nós frequentemente tentamos o impossível — tentamos explicar o que, em Tua sabedoria, escolheste não incluir em Tua Palavra! Dá-nos fé — e os limites — para aceitar e viver pela luz que nos revelaste em Tua Palavra.

A. W. Tozer

A NECESSIDADE DE REVERÊNCIA

Deus é sobremodo tremendo...
e temível sobre todos os que o rodeiam. SALMO 89:7

Muitas pessoas que cresceram em nossas igrejas já não pensam mais em termos de reverência, o que parece indicar que elas duvidam de que a presença de Deus esteja de fato ali! Muito da culpa deve ser colocada sobre o crescimento da aceitação de um secularismo, que parece muito mais atrativo do que qualquer desejo verdadeiro de uma vida espiritual que agrade a Deus.

Nós secularizamos Deus; secularizamos o evangelho de Cristo e secularizamos a adoração!

Nenhum grande servo do Senhor, com visão espiritual de mundo, surgirá de tais igrejas nem qualquer grande movimento espiritual de oração e nem um avivamento. Se Deus deve ser honrado, reverenciado e verdadeiramente adorado, Ele talvez precise nos arrebatar e começar em algum outro lugar!

Confessemos que há uma necessidade de adoração verdadeira entre nós. Se Deus é quem diz ser e se somos o povo crédulo do Senhor que declaramos ser, devemos adorá-lo! Em minha opinião, perder a consciência de Deus em nosso meio é uma perda tão terrível cujo valor não pode ser calculado!

Amado Senhor, perdoa-me pelos momentos em que tão
apressadamente me lanço a ti e começo a "despejar"
minhas reclamações e necessidades, sem antes reconhecer-te
e honrar-te como o Deus Todo-Poderoso. Conduz-me a ti em
reverência, adoração e humildade, Senhor.

A. W. Tozer

12 DE DEZEMBRO

MAIS QUE UM NOME

...Aparte-se da injustiça todo aquele que professa o nome do Senhor. 2 TIMÓTEO 2:19

Sempre há cristãos professos que discutem e insistem: "Está tudo certo comigo — eu adoro em nome de Jesus." Eles parecem acreditar que a adoração a Deus é fundamentada em uma fórmula. Parecem pensar que há um tipo de mágica em dizer o nome de Jesus!

Estude a Bíblia cuidadosamente com a ajuda do Espírito Santo e você descobrirá que o nome e a natureza de Jesus são um. Não é suficiente saber soletrar o nome de Jesus!

Se precisamos nos tornar semelhantes a Ele em natureza, se chegamos ao ponto de ser capazes de pedir de acordo com a Sua vontade, Ele nos dará as boas coisas que desejamos e de que precisamos.

Adoramos a Deus como resultado de um novo nascimento proveniente do alto, no qual Deus se agradou em nos dar mais do que um nome.

Ele nos deu uma natureza transformada, e Pedro expressa essa verdade da seguinte forma: "...pelas quais nos têm sido doadas as suas preciosas e mui grandes promessas, para que por elas vos torneis coparticipantes da natureza divina, livrando-vos da corrupção das paixões que há no mundo" (2 PEDRO 1:4).

Senhor, que o Corpo de Cristo se veja como o apóstolo Pedro descreveu os cristãos: "coparticipantes da natureza divina". Que nos vejamos com essa perspectiva para atingirmos as expectativas que Jesus tem para nós, como Seus discípulos.

A.W. Tozer

GLÓRIA A DEUS

...sobre vós repousa o Espírito da glória e de Deus.
1 PEDRO 4:14

Quando o Espírito Santo vem entre nós com Sua unção, nos tornamos um povo de adoração!

Porém, isso não significa que todos os cristãos, em todos os lugares, devem adorar do mesmo modo — mas que, sob a liderança do Espírito Santo, cristãos em todos os lugares estão unidos em seus louvores a Deus.

Quando Jesus entrou em Jerusalém apresentando-se como Messias, havia uma grande multidão e grande alarido. Com muita frequência nossa adoração é audível, mas eu não acredito que seja necessariamente verdade que estamos adorando a Deus quando fazemos muito barulho. Porém, penso que há uma palavra para aqueles que são refinados, silenciosos, controlados, equilibrados e sofisticados. Se ficam envergonhados na igreja quando algum cristão contente diz: "Amém!", eles talvez estejam precisando de algum esclarecimento espiritual.

Se o "glória a Deus!" de algum cristão realmente o incomoda, isso pode ser porque você não conhece o tipo de bênção espiritual e deleite que o Espírito Santo está aguardando para proporcionar aos santos adoradores de Deus. Eu só posso falar por mim, mas quero estar entre esses que adoram!

Amado Senhor, que minha adoração a ti seja sempre originada em meu coração e sem nenhuma manipulação externa ou distração. Que alegria será colocar-me com todos os santos, no céu, e adorar-te como Rei, em espírito e verdade.

A.W. Tozer

MELHOR É AVANÇAR

*Então, lhes abriu o entendimento para compreenderem
as Escrituras.* LUCAS 24:45

A verdade que não é experimentada não é nada melhor do que o engano e pode ser inteiramente perigosa.

Lembre-se de que os escribas que se sentaram na cadeira de Moisés não foram vítimas de erro; foram vítimas do fracasso por não experimentarem a verdade que ensinavam!

Deveríamos entender que um dos grandes inimigos do cristão é a complacência religiosa. O homem que acredita que já "chegou" não irá mais adiante; e o nítido hábito contemporâneo de citar um texto para provar que chegamos, pode ser perigoso se, de fato, não temos a verdadeira experiência interior desse texto.

Todos os grandes santos do passado tiveram corações desejosos. Seu anseio por Deus praticamente os consumia, os impulsionava adiante e para as alturas, na direção para a qual cristãos menos fervorosos olham de forma desanimadora, sem nutrir nenhuma esperança de alcançar.

Ofereçamos esta palavra de exortação: ore, lute, cante! Avance para o que é profundo e concernente a Deus. Mantenha seus pés no chão, mas deixe seu coração planar tão alto quanto desejar!

*Senhor, oro pelas pessoas em nossas igrejas
e por aqueles que trabalham em organizações cristãs. Impulsione-os
a não serem complacentes com suas situações confortáveis.
Agite seus corações para se tornarem mais comprometidos na
batalha pela alma das pessoas.*

A.W. Tozer

OCUPADO COM LOUVOR

*...não têm descanso, nem de dia nem de noite, proclamando:
Santo, Santo, Santo é o Senhor Deus, o Todo-Poderoso...*
APOCALIPSE 4:8

É certamente uma suposição errônea os seres humanos pensarem ou acreditarem que a morte transformará nossas atitudes e disposições.

O que quero dizer é o seguinte: Se nesta vida não nos sentimos realmente confortáveis falando e cantando sobre o céu e suas alegrias, duvido que a morte nos transforme em entusiastas! Se a adoração e o culto a Deus são entediantes agora, serão entediantes também após a hora da morte.

Eu não penso que Deus nos forçará a entrar em Seu céu. Duvido que Ele diga a algum de nós: "Você nunca esteve realmente interessado em me adorar enquanto viveu na Terra, mas no céu farei desse o seu maior interesse e sua ocupação ininterrupta."

Controverso? Talvez, mas no ambiente celestial que João descreve, os seres viventes que clamam "santo, santo, santo" não descansam nem de dia nem de noite. Meu medo é que muitos do povo de Deus, professos aqui na Terra, estejam muito acomodados em seus esforços para louvar e glorificar ao Deus vivo!

*Senhor, que toda a minha vida seja um
sacrifício de adoração a ti, até aquele dia em que estaremos
em tua presença para sempre.*

A.W. Tozer

O TRABALHO SECRETO DE DEUS

...a fim de que, justificados por graça, nos tornemos seus herdeiros, segundo a esperança da vida eterna. TITO 3:7

Eu realmente creio na obra secreta e misteriosa de Deus no coração dos seres humanos. Preciso acreditar nisso após ter encontrado a graça perdoadora do Senhor e a conversão no Salvador, Jesus Cristo.

Meu pai e minha mãe tinham altos padrões humanos, mas sem nenhum pensamento sequer relacionado a Deus. Meus pais aparentavam não ter nenhuma faísca de desejo pelo Senhor — atitudes que eram frias, terrenas e profanas.

Você pode me dizer por que, então, aos 17 anos, um rapaz como eu, cem por cento cercado de incredulidade, consegui ir até o ático de minha mãe, ajoelhar-me e entregar meu coração e minha vida, comprometendo-me com Jesus Cristo?

Não sei explicar a razão. Só posso dizer que sei da existência de algo chamado "mistérios da obra de Deus", no interior do ser humano, que nos torna sensíveis para ouvir o chamado do Senhor. Em meu caso, tenho o testemunho de que minha conversão a Jesus Cristo foi tão real quanto a de qualquer pessoa!

Meus irmãos, se o Espírito de Deus ainda mexe com seus corações, agradeçam a Deus — e sigam Sua luz!

Senhor, a maioria dos cristãos sabe, por experiência pessoal, de Tuas obras secretas no interior do coração humano. Oro para que faças uma obra nos corações já há muito endurecidos pelo pecado, para que se arrependam e sejam redimidos. E que os anjos no céu se alegrem com o resultado!

A. W. Tozer

MISERICÓRDIA: UM MAR INFINITO

Mas Deus, sendo rico em misericórdia...
estando nós mortos em nossos delitos... EFÉSIOS 2:4,5

Um ser humano nunca está realmente ciente do grande mar ilimitado das misericórdias de Deus até que, pela fé, ele se depare com o limiar do reino de Deus, reconhecendo-o e identificando-o!

Meu pai tinha 60 anos de idade quando se curvou diante de Jesus Cristo e nasceu de novo. Passou quase o tempo de uma vida inteira enquanto ele pecava, mentia e blasfemava. Mas para ele a misericórdia de Deus que o levou para o céu não foi maior do que a misericórdia de Deus que permaneceu e o sustentou por 60 anos.

Lembro-me da história da um velho rabino que concordou em levar um velho e cansado viajante para casa, para uma noite de descanso. Ao conversarem, o rabino descobriu que o visitante tinha quase 100 anos de idade e era um ateu inveterado. Enfurecido, o rabino levantou-se abriu a porta e ordenou ao homem que saísse de sua casa.

Então, sentado ao lado de sua vela e do Antigo Testamento, ele aparentemente ouviu uma voz, a voz de Deus: "Eu suportei esse pecador por quase um século. Você não pode suportá-lo por uma noite?" O rabino correu para fora e, ao alcançar o velho homem, o levou de volta à hospitalidade de sua casa por uma noite.

Pai, tu és gloriosamente paciente com a humanidade.
Eu te louvo por isso e oro para que estimules Teus filhos cristãos
a irem encontrar aqueles que estão prestes a crer.

A. W. Tozer

DÊ O CONTROLE A DEUS

*Guia-me pela vereda dos teus mandamentos,
pois nela me comprazo.* SALMO 119:35

Sei que estou sendo repetitivo — mas isto precisa ser dito vez após vez: Nosso Senhor não salvará aqueles a quem Ele não pode comandar!

O tempo de vida que Deus nos deu aqui na Terra é um tempo de decisões. Cada pessoa toma suas próprias decisões com relação ao mundo eterno no qual habitará. Precisamos decidir aceitar Jesus pelo que Ele é — o Salvador ungido e Senhor que é Rei dos reis e Senhor dos senhores! Ele não seria quem é se nos salvasse e nos chamasse sem a compreensão de que Ele pode, também, nos guiar e controlar nossa vida.

A raiz do pecado é a rebelião contra Deus e o inferno é a alcatraz [N.E.: Prisão de segurança máxima nos EUA, durante os anos 1930-60.] para os rebeldes sem direitos que se recusam a entregar-se à vontade de Deus.

Há muitos argumentos sobre a realidade do inferno. Um homem pode suportar fogo, enxofre e vermes — mas a essência do inferno e do julgamento para uma criatura moral é saber e ter consciência de que está onde está porque é um rebelde!

O inferno será o domínio eterno de todos os rebeldes desobedientes que disseram: "Não devo nada a Deus!"

Amado Senhor, a realidade severa do inferno raramente é pregada em nossas igrejas. Será que as consequências do pecado já não são mais temidas? Que nossas igrejas não deixem de dizer ao mundo toda a verdade revelada na Bíblia.

A.W. Tozer

REAVIVAMENTO E RENOVO

*...mesmo que o nosso homem exterior se corrompa,
contudo, o nosso homem interior se renova de dia em dia.*
2 CORÍNTIOS 4:16

Espero que alguns de vocês concordem comigo que é de grande importância que tenhamos melhores cristãos antes de termos um número maior deles!

Se tivermos alguma preocupação espiritual, nossa obrigação mais urgente é fazer tudo que está ao nosso alcance para obter um avivamento que resulte em uma igreja reformada, revitalizada e purificada.

Cada geração de cristãos é a semente da próxima e a semente degenerada certamente produzirá uma colheita degenerada — não um pouco melhor, mas pior do que a semente da qual brotou. Portanto, a direção na qual se caminhará será decadente até que medidas vigorosas e eficazes sejam tomadas para aperfeiçoar a semente.

Por que é mais fácil falar sobre avivamento do que vivê-lo? Porque os seguidores de Jesus devem se envolver pessoal e vitalmente na morte e na ressurreição de Cristo. E isso exige arrependimento, oração, vigilância, autonegação, separação do mundo, humildade, obediência e o carregar da cruz!

*Deus Pai, oro para que o Teu Espírito envie um avivamento
para revitalizar as igrejas ao redor do mundo.
Tornamo-nos semente fraca que precisa ser revigorada para que
a próxima geração de cristãos seja forte e saudável.*

A.W. Tozer

VOCÊ AMA A BELEZA?

*Nela, nunca jamais penetrará coisa alguma contaminada,
nem o que pratica abominação e mentira...*
APOCALIPSE 21:27

Quando olhamos atentamente para o sistema deste mundo e sua sociedade, vemos as terríveis e disformes cicatrizes do pecado. O pecado escoriou e desfigurou obscenamente este mundo, extraindo sua harmonia, simetria e beleza.

Essa é a imagem negativa. Graças a Deus pela promessa e prospecto positivo de que o céu é o lugar de toda amabilidade, toda harmonia e beleza.

Essas não são palavras negligentes. Se você aprecia coisas belas, é melhor ficar fora do inferno, pois o inferno será a quinta-essência de tudo o que é moralmente feio e obsceno. O inferno será o lugar mais repulsivo de toda a criação!

É fato que o mundo está entre tudo o que é feio no inferno e tudo o que é belo no céu. Enquanto estivermos vivendo aqui, teremos que considerar o extremo — muito do que é bom e muito do que é mau!

Como cristãos, nos mantemos firmes no conhecimento de que o Filho eterno veio para nos salvar e libertar, levando-nos para um belo céu e para a comunhão eterna com Deus!

*Amado Senhor, obrigado pelos vislumbres de Tua graça e beleza
que nos mostras em Tua criação — um arco-íris colorido,
um belo pôr do sol, um campo de flores. Tudo isso nos lembra da
beleza reservada para aqueles que receberam a vida eterna.*

A.W. Tozer

SE JESUS VOLTASSE HOJE

...Não queremos que este reine sobre nós.
LUCAS 19:14

Algumas pessoas já me perguntaram se nossa geração atual aceitaria Jesus alegremente, caso Ele viesse agora, em vez de há dois mil anos. Preciso dizer que acredito que a história se repetiria!

Em nossos dias, muitos daqueles que praticam as tradições cristãs ainda tropeçam e rejeitam uma limpeza espiritual radical em suas vidas.

Quando Jesus veio, muitos perceberam que tomar a decisão de seguir a Cristo significaria provável perda financeira. Igualmente, muitos desses homens e mulheres que consideraram as alegações de Cristo naquela época sabiam que segui-lo exigiria mudanças abruptas e drásticas em seus padrões de vida. As áreas de suas vidas onde havia orgulho e egoísmo seriam transtornadas.

Além disso, havia quase um completo desdém pelo ensino de Jesus que enfatizava que a vida espiritual interior é uma necessidade da humanidade — pois, são os puros de coração que verão a Deus!

Temo que a escolha da humanidade hoje ainda fosse a mesma. As pessoas estão mais apaixonadas por dinheiro e prazer do que por Deus e Sua salvação!

Obrigado, Senhor, por vires à Terra exatamente
no momento certo, conforme Teu plano eterno. Tu revelaste
o caráter de Deus a nós da forma mais vívida.
Ajuda-nos a ser fiéis à Tua "Grande Comissão" (MATEUS 28:19,20)
até que tu retornes como prometeste.

A.W. Tozer

O VERBO SE FEZ CARNE

E eis uma voz dos céus, que dizia: Este é o meu Filho amado, em quem me comprazo. MATEUS 3:17

Passei muito tempo contemplando e pensando sobre o mais doce e afável dos mistérios na revelação de Deus ao homem — a encarnação! Jesus, o Cristo, é o Eterno, pois na plenitude do tempo Ele se humilha. A descrição de João é clara: "O Verbo se fez carne e habitou entre nós."

Confesso que teria gostado de ver o bebê Jesus. Mas o Jesus glorificado lá, à destra da Majestade divina, foi, em dado momento, o bebê Jesus acomodado na palha da manjedoura. Tomando a indigna forma humana, Ele ainda era o Criador que fez a madeira e a palha da manjedoura, como também todos os animais que ali estavam.

Na verdade, Ele criou a pequena cidade de Belém e tudo o que nela havia. Ele também criou a estrela que permaneceu no cenário daquela noite. Ele havia vindo para o Seu próprio mundo, o mundo de Seu Pai. Tudo o que tocamos e manuseamos pertence a Ele. E assim passamos a amá-lo, adorá-lo e honrá-lo!

Senhor, tu te tornaste tão vulnerável por nós ao te tornares um frágil bebê. Obrigado por Tua intencional humildade.
Até mesmo em Teu nascimento, tu nos mostraste como sacrificar o que é nosso, por direito, pelo benefício de outros.
Ajuda-me a aplicar essa lição em minha vida para que me torne mais semelhante a ti.

A. W. Tozer

O NATAL É REAL

...grande é o mistério... Aquele que foi manifestado na carne...
1 TIMÓTEO 3:16

O nascimento de Cristo foi uma declaração divina, um manifesto eterno a uma raça de homens arruinados.

O advento de Cristo estabeleceu claramente:

Primeiro: Deus é real. Os céus se abriram e outro mundo, diferente deste, foi exposto.

Segundo: A vida humana é essencialmente espiritual. Com o aparecimento da Palavra Eterna do Pai em carne humana, o fato da origem divina do homem é confirmado.

Terceiro: Deus, de fato, falou pelos profetas. A vinda do Messias Salvador ao mundo confirmou a veracidade da escritura do Antigo Testamento.

Quarto: O homem está perdido, mas não abandonado. Caso os homens não estivessem perdidos, não haveria necessidade de Salvador. Caso estivessem abandonados, o Salvador não teria vindo.

Finalmente, estabelece que este mundo não é o fim. Somos feitos para dois mundo, e tão certo como agora habitamos em um, também habitaremos no outro!

Pai celestial, o fato histórico de Tua visitação divina dá ao mundo razão para esperança e alegria. Oro para que a importância do nascimento de Cristo impacte a vida de muitas pessoas que estão buscando o sentido da vida.

A. W. Tozer

ALEGRIA E ADMIRAÇÃO

...Não temais; eis aqui vos trago boa-nova de grande alegria...
LUCAS 2:10

É trágico que homens e mulheres em todo lugar estejam perdendo o sentido de admiração, confessando agora apenas um interesse na vida — que é a utilidade! Até mesmo o dia de Natal foi degradado.

Ignoramos o belo e o majestoso, perguntando apenas: "Como posso usá-lo? Quanto lucro me trará?"

Os filhos de Deus, em dados momentos, viam o Senhor em todas as coisas. Ficavam extasiados com tudo à sua frente. Não havia montanha comum — eram todas montanhas de Deus! Não havia nuvem insignificante — eram todas carruagens de Deus! Eles viam Deus em tudo. Em nossos dias, porém, nós nunca olhamos para o alto alegremente surpresos!

Mas permita-me dizer que durante meus dias, tenho tido o infindável deleite de assistir a pequenas crianças na manhã de Natal. Os presentes podem ser humildes, mas a explosão de alegria da criança é genuína e recompensadora. Aquele olhar incrédulo no rosto infantil — tudo é cheio de admiração e beleza!

É triste, de fato, que os adultos percam o deslumbramento na adoração — pois adoração é admiração e admiração é adoração!

Senhor, o anúncio da "boa-nova de grande alegria" é tão importante hoje como foi há dois mil anos —
pois ainda somos uma raça arruinada e o bebê na manjedoura ainda é o Salvador do mundo. Louvado seja Deus!

A.W. Tozer

VENTUROSA MANHÃ

...é que hoje vos nasceu, na cidade de Davi, o Salvador...
LUCAS 2:11

Quando cantamos: "A luz do mundo é Jesus", deveria haver um brilho em nossas faces que faria o mundo crer, de fato, que realmente acreditamos no que cantamos!

A encarnação significava algo vasto e belo para John Milton [N.E.: Poeta e prosista inglês (1608-74).] — ele celebrou a vinda de Jesus ao mundo com uma das mais belas e tocantes expressões jamais escritas por um homem:

> *Este é o mês e esta a venturosa manhã*
> *Em que o Filho do Eterno Rei do céu,*
> *De donzela e virgem mãe nasceu,*
> *Nossa grande redenção do alto Ele proveu.*
> *A forma gloriosa, a Luz florescente,*
> *E a remota chama radiante de majestade,*
> *Tudo abandonou para aqui conosco estar,*
> *Renunciou as cortes do eterno Dia,*
> *Escolheu num obscuro lar de barro mortal habitar.*
> *Ó! Corra e o presenteie com tua humilde ode,*
> *Lentamente a deposite a Seus benditos pés,*
> *Terá a honra primeira de seu Senhor saudar*
> *E una-se às vozes com os Anjos a cantar,*
> *De Seu altar secreto com o fogo sagrado a ti tocar!*
> (Tradução livre)

Senhor Jesus, eu te adoro hoje por escolheres te vestir de carne mortal com o único propósito de redimir a humanidade. Eu te louvo por Tua dedicação sincera a essa tarefa muitíssimo árdua.

A.W. Tozer

A NATUREZA DO MUNDO DE CRISTO

Com isto, o deixou o diabo, e eis que vieram anjos e o serviram.
MATEUS 4:11

Jesus Cristo veio ao mundo na plenitude do tempo e o Seu próprio mundo, o mundo da natureza, o recebeu ainda que Seu próprio povo não o tenha recebido!

Minha impressão é de que quando Cristo nasceu, toda a natureza foi saudá-lo. A estrela guiou homens sábios do oriente. O gado no estábulo em Belém não se incomodou com Ele. Suas próprias criações na natureza o receberam.

O Dr. G. Campbell Morgan cria que, quando Jesus foi ao deserto para ser tentado pelo diabo, Ele esteve lá com animais selvagens por 40 dias e noites. O Dr. Morgan considerou que havia uma concepção errônea, como se Jesus precisasse de que os anjos o protegessem dos animais.

Jesus estava perfeitamente seguro no deserto. Ele era o Criador e Senhor da natureza. Ele estava em total harmonia com a natureza e minha opinião é que, quanto mais profundo se tornar nosso comprometimento cristão, mais nos encontraremos em harmonia com o mundo natural ao nosso redor!

Amado Senhor, muitas pessoas amam a natureza,
mas ainda não reconhecem Aquele que a criou e a mantém.
Senhor, mostra a essas pessoas que há um Projetista
responsável que põe o mundo físico em movimento.

A. W. Tozer

MELHOR DO QUE OURO

...para que conheçamos o que por Deus nos foi dado gratuitamente. 1 CORÍNTIOS 2:12

Todo cristão deveria ter consciência de que nosso Deus nos deu promessas definitivas de uma maravilhosa herança que se cumprirá na eternidade!

As bênçãos e as riquezas de nossa herança divina não são riquezas que virão a nós por algo que seja digno ou superior em nós mesmos, mas virão devido ao nosso relacionamento, por fé, com Aquele que é a fonte de toda bênção.

Precisamos lembrar que nossa herança não é, na verdade, merecida. Tais legados vêm daquele que é dono de tudo e Ele os concede àqueles que se deleitam em honrá-lo e que podem estabelecer sua reivindicação por direito.

A herança é um direito resultante de um relacionamento. Nesse caso, o direito pertence aos filhos de Deus, graças ao fato de que a identificação como filhos de Deus, pela fé no Filho Eterno, foi estabelecida e está nos registros celestiais! O apóstolo disse sobre nós: "...jamais penetrou em coração humano o que Deus tem preparado para aqueles que o amam" (1 CORÍNTIOS 2:9).

Senhor, que no próximo ano meu relacionamento contigo seja fortalecido por meio de tempo investido em oração e na leitura da Tua Palavra.

A.W. Tozer

A IMAGEM DE CRISTO EM TODO LUGAR

Tu és digno, Senhor e Deus nosso, de receber a glória,
a honra e o poder... APOCALIPSE 4:11

Nós tentamos nos solidarizar com o escritor João em sua tentativa de descrever — no livro de Apocalipse — criaturas celestiais em termos humanos. Ele sabia e nós sabemos que era impossível para Deus revelar totalmente a si mesmo e as glórias celestiais a um homem.

João tenta descrever os quatro "seres viventes" em Apocalipse 4. O primeiro era como um leão; o segundo como um boi; o terceiro tinha rosto de homem; o quarto era como águia quando voa. Você sabia que durante séculos os cristãos também viram essas mesmas "faces" nos quatro evangelhos do Novo Testamento?

Deus colocou a imagem de Jesus Cristo em todos os lugares! Mateus é o evangelho do Rei. Marcos é o evangelho do Servo sofredor. Lucas é o evangelho do Filho do Homem. João é o evangelho do Filho de Deus. Quatro seres amáveis, adoradores, devotados, fiéis e consagrados, para sempre, a louvar a Deus!

Não se engane sobre isto: As imagens são obviamente o evangelho de Cristo. Todo o cristianismo diz respeito ao evangelho!

Senhor, este mundo está verdadeiramente relacionado a ti:
tu o criaste, tu o manténs e tu o redimiste! Tu és digno de ser
louvado em todos os momentos de cada dia!

A.W. Tozer

O SENHOR DE TODA A BELEZA

...eles verão a glória do Senhor, o esplendor do nosso Deus.
ISAÍAS 35:2

Pense comigo sobre a beleza — e sobre este Ser incomparável que é o Senhor de toda beleza, nosso Salvador!

Deus certamente depositou algo em nosso interior que é capaz de compreender e apreciar a beleza — o amor de formas harmoniosas, a valorização de cores e belos sons.

Irmãos, esses são apenas os complementos externos de uma beleza mais profunda e duradoura — aquela chamada de beleza moral. Foi a singularidade e perfeição da beleza moral de Cristo que encantou até mesmo aqueles que declaravam ser Seus inimigos, por todos os séculos da história.

Não temos registro algum de Hitler dizendo algo contra a perfeição moral de Jesus. Nietzsche, um dos grandes filósofos, contestou a teologia de justificação pela fé de Paulo, mas foi estranhamente tocado, em seu interior, pela perfeição da beleza moral encontrada na vida e no caráter de Jesus, o Cristo.

Deveríamos agradecer a Deus pela promessa de que o céu é um lugar de beleza suprema — e Aquele que é completamente belo encontra-se lá!

Obrigado, Senhor, por Tua beleza que é refletida na vida de Teus servos que deixaram o conforto de suas casas e de sua cultura, para te servir em terras distantes. "Que formosos são sobre os montes os pés do que anuncia as boas-novas" (ISAÍAS 52:7).

A.W. Tozer

O PLANO SOBERANO DE DEUS

E, então, virá o fim, quando ele entrega o reino ao Deus e Pai...
Porque convém que ele reine... 1 CORÍNTIOS 15:24,25

Muitas pessoas continuam a viver diariamente no medo de que o mundo "está chegando ao fim".

Somente nas Escrituras temos a descrição e o prognóstico dos eventos, celestiais e terrenos, do fim desta era, quando o nosso Senhor e Salvador será universalmente reconhecido como Rei dos reis e Senhor dos senhores.

A revelação de Deus deixa claro que "naquele dia" todos o proclamarão "vencedor"!

A sociedade humana, em geral, se recusa a reconhecer a soberania de Deus ou Seu plano para Seu povo redimido. Mas nenhum ser humano ou governo mundial terá controle algum naquele dia abrasador de julgamento que está por vir.

A visão de João das coisas que virão nos diz, clara e abertamente, que no momento adequado este mundo será retirado dos homens e colocado nas mãos do único Homem que tem sabedoria e autoridade para governar justamente.

Esse Homem é o eterno Filho de Deus, o Cordeiro digno, nosso Senhor Jesus Cristo!

Amado Senhor, oro hoje pelos grupos restantes de pessoas no
mundo que ainda não ouviram a mensagem do evangelho.
Sem te conhecer, Pai, muitos estarão eternamente perdidos, quando
o fim do mundo chegar. Senhor, levanta pessoas específicas
para levar Tua Palavra a estas pessoas que ainda não te conhecem.

A. W. Tozer

AS PERFEIÇÕES DE DEUS

*Tributai ao Senhor a glória devida ao seu nome,
adorai o Senhor na beleza da santidade.* SALMO 29:2

Espero que, caso eu seja lembrado de alguma forma, seja pela seguinte razão: Investi meus esforços e energia tentando mudar o foco das pessoas dos elementos exteriores da religião para os elementos interiores e espirituais.

Tentei eliminar algumas nuvens, na esperança de que homens e mulheres sejam capazes de ver Deus em Sua glória. Gostaria de ver essa compreensão de glória retomada na igreja — muitos cristãos não esperam experimentar nada da glória até que o vejam face a face!

Em nossa comunhão e adoração cristã, devemos retomar os conceitos bíblicos de perfeição de nosso Deus Altíssimo! Perdemos o senso e admiração por Sua total magnitude, Sua perfeição, Sua beleza.

Ó, sinto que deveríamos pregar, cantar, escrever, falar e contar sobre isso até que tenhamos retomado o conceito da Majestade de Deus!

Somente pode ser belo o que basicamente é santo — e nós que pertencemos a Jesus Cristo deveríamos conhecer o verdadeiro deleite de adorar a Deus na beleza de Sua santidade!

*Amado Senhor, no último dia deste ano, oro por Tua Igreja no
ano que virá, para que seja biblicamente fiel, centrada em Cristo
e proativa em sua luta contra as forças do mal. Que o nome do
Senhor Jesus Cristo seja louvado em todas as nações!*

A. W. Tozer